金田章裕

古地図で見る京都

『延喜式』から近代地図まで

平凡社

古地図で見る京都——『延喜式』から近代地図まで

金田章裕

平凡社

はじめに

　本書は、京都を描いたさまざまな古地図を読み解いて、いろいろな時代の多様な平安京―京都に迫ろうとするものです。平安京は八世紀末の建都以来、変遷を重ねて今日の京都に至っていますが、その変遷を、古地図によって追跡していきます。京都の古地図は表現対象が平安京―京都という都市ですので、古地図としての都市図を読み解くという作業が、本書の中心となります。

　京都はかつて平安京として建設されました。そののち京都と呼ばれるようになって現在に至っていますが、平安京―京都ほど多様な古地図を伝えている都市はないでしょう。現存の古地図に限っても、古くは平安時代のものが存在しています。その後に作製されたものについても、作製された時期は断続的ですが、数多くの古地図が残っているのが大きな特徴です。平安京と呼ばれた時代はもちろん、京都と呼ばれるようになった時代においても、いろいろな古地図がその時々に作製されて使われ、その多くが現在まで伝えられてきました。そのような古地図はそれぞれの時代の京都を表現し、それぞれの時代の人々が平安京や京都をどのように捉えていたのかを物語ります。従って、各時代の古地図を読み込むことによって、文章だけでは表現できない、平安京―京都のいろいろな側面を知ることができるのです。

古地図というのは、近代地図が成立する以前の地図を意味します。近代地図とは、測量と表現の技術進歩によって、地図の図法や縮尺、さらに表現対象を図式で明示した地図です。それぞれの技術段階における限界はありましたが、縮尺に応じて地表を正しく描き、また地表の事象を客観的に表現したものです。それに対して古地図は、測量・表現の技術の程度にも関わりますが、縮尺や図式が明示されていない地図です。古地図に表現された事象の選択にも、必ずしも客観性が求められていたわけではありません。むしろ、作製や利用の目的が客観性より優先された地図が多かったとみられます。この意味で、作製の意図や利用の方法が近代地図とは異なっているものです。

古代・中世日本の古地図は手書き図のみですが、一七世紀になると木版印刷の地図が出現します。印刷・刊行された都市図としても、京都には日本最古の古地図が残っています。手書き図は、作成された一点のみであるのが普通ですから、その利用者は限られます。これに対して印刷図は、多くの部数を一度に作るので、一般的に不特定多数が印刷図の読者となります。ただし印刷図にしても、前近代のものは手書き図と同じように古地図としての特徴が顕著ですので、縮尺や図式が明示された近代地図とは異なります。

手書き図であれ印刷図であれ、地図という表現手段は、空間表現のための言語とでも言えましょう。言語とは別の表現手段という点で、地図は音楽のための楽譜や、数学のための数式と似ています。ただし古地図は、近代の楽譜や数式と異なって、むしろ謡《うたい》や琴・三味線などの奏法を伝える符牒の機能とよく類似するかもしれません。近代地図と、近代の楽譜や数式とは共通性が高いと言えますが、古地図は図式が明示されておらず、また表現対象の選択の根拠も明示されていないからです。例えば誰かに道を尋ねられた時に、簡略な走り書きの地図を作って説明すると行き先がよく分かる場合があることを想起すれば、この様子を理解しやすいかもしれません。

このような行き先を走り書きした略図には普通、縮尺や図式はありません。仮に道の状況を示す並木やビルの印があっても、あるいは曲がり角を示す目印を加えたとしても、それらの表現や選択に客観的な基準はありません。図式ももちろん定まっていません。不明確な表現が多く、単なる丸や三角、あるいは太い線や二重線といった、状況説明でしかないのが普通です。しかし、道を教えるために略図を描いた方と、目的地への道程を尋ねている方の、双方の理解が共通すれば、案内図として十分な用を果たします。

古地図はむしろ、本来このような簡略な地図との類似性が高いものです。もちろん地勢を他者に理解させるためのものですから、近代地図のような、地図としての一定の縮尺や図式を目指す方向にあることも事実です。しかしその方向性は、まだ萌芽的段階である場合が多く、しかもそれが明示されていないのが普通です。あるいは記号化したり、明示したりする必要が必ずしもなかったと言えるでしょう。このような古地図を読み解いて、それが表現している情報を知るには、時々気の遠くなるような煩雑な手続きが必要になる場合さえあります。しかし、いったん読み取りに成功すると、文字だけでは伝達できない多様な状況を知ることができる場合があります。


古地図を読み解く作業は、むしろ現代人に知られていない世界への誘《いざな》いとも、その探検の道筋を探る手続きとも言えるかもしれません。この作業にとっては、表現された個々の事象を知るだけでなく、古地図全体の視点や、その背景にある概念を探ることが重要になります。

古地図は、それを作製した人ないし人々の空間認識を表現するものでしょう。京都の都市図の場合、それを作製した人々の平安京―京都に対する認識状況を反映していることになります。

さらに、作製者と利用者とが認識を共有していないと、その古地図の意図が伝わらないであろうことをすでに述べました。とすれば古地図は、その作製者と利用者が活動した社会における、共通の認識を示していることになります。その意味では、古地図を読み解く場合に、古地図を作製したのが誰で、利用したのが誰かを念頭に置くことが重要です。

京都の古い時代、平安京の初期では支配者は宮廷人あるいは貴族・官人でした。律令制の基本法であった『大宝律令』では、三位以上の位階を有する人を「貴」、四・五位の人を「通貴」としており、これらの人々が、政治・行政・警察等の責任を担っていました。逐一区別することは煩雑であり、また困難ですが、これらの人々の家族を含めて、日本古代の宮廷人・貴族層と大雑把に把握しておきたいと思います。その人たちがまず、当時の地図を作製した主体者であり、利用者でもありました。

平安京の時代には、一〇世紀以降はかなり変化していきますが、基本的には律令下の状況が続いたとみられます。位田や職田などを給されて官職に就いていた人々が、いろいろの特権を持つ支配階級でした。宮廷にはこのような貴族に加え、さまざまな人々が出入りしていたと思われます。宮廷人という語は本来これらの貴族の一部を指す言葉でしょうが、この意味で必ずしも貴族ではなくとも、多くの人々が宮廷やその周辺に仕え、貴族の価値観の中で生活していたとみられます。例えばその中には、平安京の寺社の僧侶や神官なども含まれていたと考えることができます。本書では、このような社会状況を、その中心であった宮廷人・貴族の認識を始めとして大きく捉えておきたいと思います。

次に台頭するのは武士層でした。武士層であり、同時に貴族でもあった源氏・平氏の平安時代後期の状況においてさえ、武士は一般に、宮廷人・貴族と共有する空間認識を有するとともに、それとは異なった武士社会における相互の認識や、領地の空間あるいは戦乱に関わるような、少し異なった空間認識を持っていたようです。鎌倉・室町の時代（中世）や、戦国時代・織豊期（中世末・近世初頭）、江戸時代（近世）とそれぞれ状況は違いますが、この傾向は時代を下るごとに、さらに強まったと思われます。

地図の作製者や利用者は、時代とともに大きく変わったとみられます。近世においては、武士層ですら、もはや必ずしも中心的な地図の作製者や利用者ではなかったかもしれません。商工業を営む人々や豪農などの中に知識人が育ち、そのような人々が地図作製者や利用者としての大きな比率を占めるに至っていたと思われます。さらに、商工業に従事する同時代の町人層と武士層に、共通する空間認識が多かったとしても不思議ではありません。とすれば、近世におけるこの認識は、近代の市民の認識にも直接つながる性格のものであったとみられます。

もちろん地図だけが、空間認識の表現手段ではありません。地図とともに、しばしば取り上げられる対象に「洛中洛外図」などの市街を表現した屏風絵や『都名所図会』に代表されるような書物の挿絵、あるいは風景を描いた「浮世絵」等があります。

特に「洛中洛外図」は、市街全体を表現しているという点で、地図との共通性があります。しかし「洛中洛外図」が持つ絵画としての強い特性は、地図が有する空間表現の言語としての特性とは別の原理を、同時に強く示していることになります。すぐれた絵画には明確な主題とそのための表現技法があり、都市図が有する空間認識やその図式的表現とは必ずしも同じ方向性とは限らないのです。

そして、「洛中洛外図」などの絵画的表現は、空間についても時にきわめて雄弁です。それは空間事象の理解の強力な手助けとなりますが、絵画としての構成と、地図の空間認識の表現とのギャップを埋めるには、かなり煩雑な手続きを別途必要とすることにもなります。本書では理解のために「洛中洛外図」や『都名所図会』類を参照することはあっても、直接の検討対象とはしないことにします。

なお本書をお読みいただく前に、あらかじめご了解いただきたい点があります。古地図には、作製された時代の政治状況や社会状況を反映して、政治的・社会的な身分的差別に関わる表現が含まれている場合があります。本書で取り扱う古地図の一部にもそのような表現がみられますが、そのまま使用しています。歴史的研究においては、差別や偏見が歴史的に形成された経緯を解明して正確な認識を得ることも不可欠であり、歴史的資料をありのままに提示することは、そのためにも重要であると考えているからです。

古地図が語る平安京、古地図が語る京都とはどんな世界でしょう。同時代の人々はどのように平安京―京都を理解し、どのように表現していたのでしょう。古地図を読み解き、それを手掛かりとして、いろいろな時代の人々による、京都の認識の一端に踏み込むことにしたいと思います。

目次

第一章　宮廷人と貴族の平安京

1　碁盤目状の街路と邸第――左京図と右京図

平安京――方形・方格の都市プラン

平安京は、延暦一三年（七九四）に桓武天皇の下で建設されました。それ以前の長岡京や平城京などと同様に、京域は東半部の左京と西半部の右京からなっていました。左京と右京にはそれぞれ京職と称する役所が置かれ、行政を担いました。例えば平城京の西大寺に残されている西大寺資財流記帳は、宝亀一一年（七八〇）に作成されたものですが、それにはさまざまな資財が列挙されています。その中の下巻に「寺院一巻　白絁《あしぎぬ》二副長五尺、京職造」とあり、京職が作製した長さ五尺（約一・五メートル）に及ぶ絹布に描かれた地図が存在したことが知られます。実際にも、天平勝宝八歳（七五六）の「東大寺山堺四至図」（正倉院宝物）のように、京職作製の平城京左京図を基図としたとみられる地図も現存しています。

同じような行政組織下にあった平安京の場合も、やはり京職が作製した地図があったはずですが、残念ながらその実物は残っていません。しかし『延喜式《えんぎしき》』には、平安京の規模や街路についても詳細な記述があります。『延喜式』は延喜五年（九〇五）、醍醐天皇の下で藤原時平《ときひら》が中心となって編纂が始まった律令の施行細則集です。時平の没後、藤原忠平《ただひら》が中心となって事業が進められ、延長五年（九二七）に完成しました。『延喜式』は全五〇巻に及びます。律令は古代日本の基本法でしたので、『延喜式』はいわば現在の六法全書のようなものです。[*1]

その「巻第四十二、左右京　東西市」には、「左京職、右京職准此」条と「京程」条が含まれています。内容は後で紹介しますが、この巻には詳細に平安京の街路の様相が記載されています。その状況は、発掘調査を含むいろいろな調査や研究によってもほぼ確認されています。その概要を図示すると図一―1のようになります。また、平安京ができてから一二〇〇年という節目を記念して京都市が作製した「平安京復元模型」（一〇〇〇分の一）が図一―2です。

平安京の大きな特徴はまず、全体が方形の外形であること、市街が大小の街路によって碁盤目状に区画されていることです。北側中央に、天皇の居住区画である内裏《だいり》と、その周囲において政治と儀式の諸施設が存在した大内裏《だいだいり》（平安宮、宮城）があり、その中央から南に直線状に

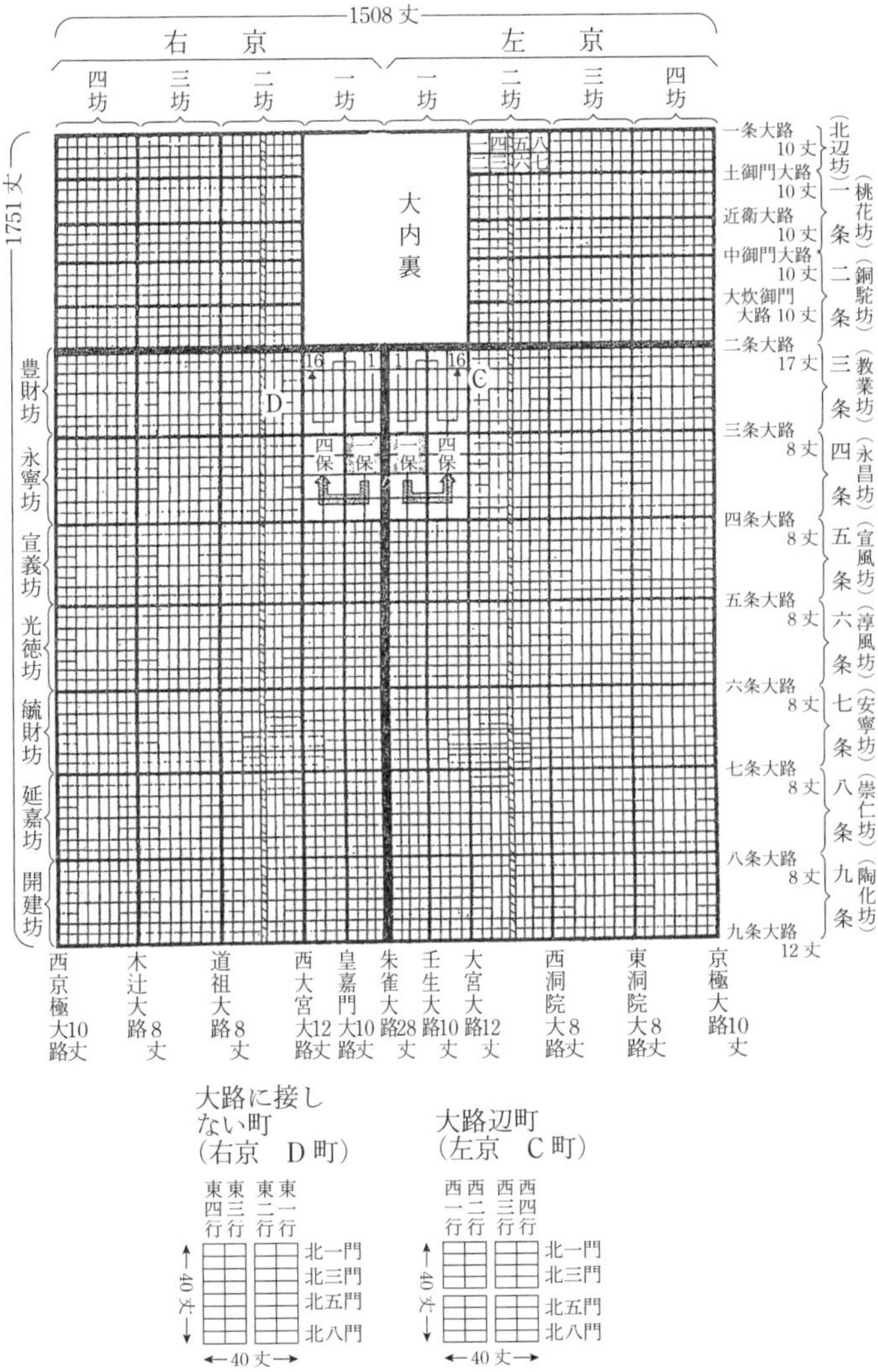

図一―1　平安京プラン。足利健亮図により著者作製

図一―2　「平安京復元模型」（1000分の1）

延びる幅二八丈（約八五メートル）の朱雀大路によって、東の左京と西の右京に区分されています。

　また、碁盤目状の街路には大路と小路があり、朱雀大路以外の大路の道幅は八丈（約二四メートル）から一七丈（約五一メートル）と多様でしたが、小路は基本的に幅四丈（約一二メートル）でした。これらの大路と小路によって区画された正方形の区画は町と呼ばれ、一辺が四〇丈（約一二〇メートル）の正方形です。全体として、東西が一五〇八丈（約四・五キロメートル）、南北が一七五一丈（約五・二キロメートル）の規模の長方形の外形でした。

　後に改めて取り上げることになりますが、鎌倉時代頃の『拾芥抄《しゅうがいしょう》』[*2]をはじめとする史料によれば、二条大路の北側から九条大路にかけては、東西に走る各大路の北側の四町幅の街区を、大路名と同じ数字の「条」と称していました。ただし、一条大路と二条大路間は一〇町の間隔があり、他とは異なっていました。二条大路北側には、四町幅の「二条」があり、その北側にやはり四町幅の「一条」がありました。さらにその北側（一条大路に接した南側）に二町幅の「北辺坊」があったことが知られます。

また東西には朱雀大路から東と西に向かって、一辺四町の範囲ごとに、それぞれ一坊から四坊と称しています。

さて、『延喜式』巻第四十二、左右京職には「坊令」の職務を記しています。坊令は左右京職の下での職務にあたった行政担当者ですが、基本的に条ごと四坊分を基本として設定されていました。従って坊令は、左右京それぞれに各条に一人おり、配下の各坊の「坊長」を統括していました。「坊長」は各坊に一人でしたが、二町幅の北辺坊だけは全体に一人でしたので、一・二条の大内裏に組み込まれた分の各一坊も除いて、坊長の合計数は左京のみで三五名でした。

一つの坊内の計一六の町には一から一六の番号が付されました。朱雀大路に近い側の北の隅から始まって南へと数え進み、折り返して今度は北へと数え進み、これを繰り返して朱雀大路から遠いほうの北の隅の一六町に至る様式でした。『拾芥抄』にはこの状況を図示した「坊保図」が掲載されています。

大内裏周辺の各町には「諸司《しょし》厨町《みくりやちょう》」（『拾芥抄』などの表現）など官衙《かんが》が多かったものの、多くの町は基本的には貴族から庶人に至る各層の邸第《ていだい》（貴族・皇族の屋敷）・宅地に充当されました。身分によって邸第・宅地の面積は多様でしたが、庶人の場合、町の三二分の一の面積にあたる一五メートル×三〇メートルの区画（四五〇平方メートル、一戸主《へぬし》と称した）を単位としていました。約一三五坪ですから、家庭菜園も含めると、さほど広いとは言えません。四〇丈四方の町内を四列に区分し、各列を八分するのが基本で、このような区画の分割状況を「四行八門」と称しました。正式には遺存している「七条令解」[*3]のように、行・門にも番号をつけて表現しました。『拾芥抄』には「坊保図」と同様に「四行八門図」が掲載されています。

左・右京図の成立——九条家本『延喜式』

それでは、『延喜式』の「京程」条に記された平安京の状況はいつ頃のものを示しているか、伝本についての研究からみてみます。まず、『延喜式』で最も一般的に参照されているのが、黒板勝美の校訂による『新訂増補国史大系』所収のものです。しかし黒板校訂本には九条家本『延喜式』に含まれる左京図をはじめとする諸図は掲載されていません。この九条家本『延喜式』は現存の諸本のうちでも最も古いものと考えられ、国宝に指定されている貴重なものです。

この九条家本『延喜式』の特徴の一つは、巻第四十二の「京程」条に続く部分の同巻末に、左京図をはじめとする平安京図と宮城図が含まれていることです。具体的には、「左京図・宮城図・内裏図・（中和院付近図）・八省院図・豊楽院図・右京図」の順に掲載されています。

黒板は、九条家本『延喜式』に「書き加えられた古図」は、院政時代（一〇八六～一一八五年頃）に書写したものに、その折に作製した図を加えたもので、式文自体とは成立年代を異にすると判断しています。[*4] その結果、黒板校訂の『新訂増補国史大系』本（以下『国史大系』本）には、これら平安京に関わる地図類は載せられておりません。

黒板のこのような見解が示されてから程なく、この九条家本『延喜式』巻第四十二および九条家本『延喜式』自体の伝本について、いくつかの別の見解が示されました。概要を記すと次のような状況になります。

まず、桃裕行は、[*5]『北野天満宮史料』にみえる「延喜式宮城指図」が、鎌倉期の延喜式左京図に相当するとして、遡ってこれが『延喜式』撰進当初の左右京職における条坊説明資料であったと推定しました。つまり桃は、左・右京図が『延喜式』本来の構成の一部であった可能性を考えていたことになります。

これに対して、福山敏男の考えはむしろ黒板に近いものでした。[*6] 福山は、巻第四十二そのものが京程の部分を抜粋して図を加えた勘文のようなもので、『延喜式』の一写本の断簡とはなしがたいとみなしました。

しばらく時期を経てから、田中稔は左京図における邸宅の記入状況を検討して、[*7]新たな見解を提示しました。田中は、左京図において朱郭で囲まれた院宮邸宅名が写本作成当初のものとみられるとし、何種類かの追筆があるが、基本は一一四〇年代に成立したと考えました。

さらに近年になって、鹿内浩胤は料紙の紙背文書に全面的な検討を加えて、九条家本『延喜式』が八グループからなっていると推定しました。[*8]巻第二十六・二十七・二十八のグループが一〇世紀末頃に書写されたグループであり、その後六グループの書写が加えられ、一三世紀前半頃に藤原為家《ためいえ》の下で巻六・七（乙本）の二巻が書写されて、主家である九条家へ献上され、それに最後の巻第四十二が加えられて、現状の基礎が成立したと推定したのです。つまり鹿内の研究によって、九条家本『延喜式』は書写年代の違うものを集成して構成した、いわゆる「取り合わせ本」であることが明確になったことになります。

鹿内はさらに巻第四十二の諸図について、『延喜式』の撰進当初から付属していたとは考えられないとしつつ、院政期には京程条に付図が作製されて、それを含む写本がみられるようになり、九条家本にも本来付図はなかったが、一四世紀にこれを書写して加えたのであろうと考えました。

これらの見解はかなり意見が分かれているようにみえますが、共通して認められている点もあります。少なくとも、九条家本『延喜式』はいわゆる「取り合わせ本」であって、一〇世紀末頃から一三世紀前半頃にかけての、いくつもの書写からなっているとすることは、現時点での共通する評価と考えてよいと思われます。

なお現状の付図そのものは、田中稔が明らかにしたように、基本は院政期の一一四〇年代頃に成立し、その後も何回かの加筆がなされているとみられることになります。この点については、筆者も確認したことがあります。[*9] 付図が撰進当初の条坊説明資料に遡る可能性を指摘した桃裕行も、九条家本の中における付図の存在を鎌倉期に推定しているので、諸見解に大きな差違があるわけではないことになります。つまり九条家本『延喜式』所収の左・右京図は依然として、現存する最も古い時期の平安京図と考えられます。

さてこのような基本的情報を得たうえで、その左・右京図そのものについて、さらに具体的な特徴を検討し、当時の京都の様子を再現してみたいと思います。

方格状街路——九条家本『延喜式』左・右京図の特徴

すでに述べたように京程条の記載に続いて、まず左京図が描かれ、宮城図等の各種施設群の図を挟んで、最後に右京図が配置されています。両図とも、巻子に仕立ててある九条家本の右側を北（各図から見れば上を北）として描かれています。並べられている位置は離れていますが、それぞれが平安京の左京と右京を長方形に表現していて、縮尺は同じとみなすことができます（図一―3・4参照）。

したがって平安京中央北辺の宮城（大内裏）は、左京図の北西隅と右京図の北東隅に分割して表現されていることになります。宮城の東西にそれぞれ三か所あった門の位置と名称は、両図に分けて標記されています。南北にもそれぞれ三か所あった門のうち、西側の二か所は右京図に、東側の南北一か所は左京図に描かれています。[*10]

全体として方格状の街路は、左・右京図ともに、大路・小路いずれも二本線で表現されています。しかしそれらの線は、宮城内を含め、京域の東西・南北を貫通して描かれており、また、大路と小路に表現上の差異はありません。

ところで、左右京の間を南北に貫く朱雀大路は、右京図に表現されていて、左京図における道幅の表現はありません。このように、右京図にあって左京図にないというような標記の違いは、検討を必要とする事柄の一つであろうと思います。しかも、右京図には朱雀大路の道幅とともに「朱雀門」の名称と、「朱雀大路」の名称が記され、左京図には道幅の表現がないままで、「朱雀門」と「羅城門」の名称、並びに「朱雀廿八丈《にじゆうはち》」という道幅が標記されているのです。

さらに両図の街路表現の差異をあげれば、右京図の街路の表現は境域内の大路・小路のすべてが同様で画一的ですが、左京図では九条大路と一条大路が幅広く描かれ、隣接の町の区画が狭くなっています。その一方で左京図には、前述の朱雀大路とともに京極大路も道幅が表現されていないことになります。

ところで左京図には図一―3のように、すべての大路と小路に名称が標記されています。坊の中央部の坊門小路西寄りに、西を上にして、例えば「一条一坊」と記され、二坊以下は「二ノ、三ノ、四ノ」と略されているのです。三条から九条にかけては、数詞条坊の冒頭に「教業坊、永昌坊、宣風坊、涼風坊、安寧坊、崇仁坊、陶化坊」といった固有の坊名が加えられていますす。ただし、北辺・一・二条に相当する「北辺坊、桃花坊、銅駝坊」などの名称が記されていないことにも気がつきます。

一方の右京図では、大路名はすべて標記されているものの、小路には名称が標記されていないものがあります。南北街路の名称は、北側に二か所と南側に二か所の記入のないところがありますが、その場合でも、北側か南側のいずれかには記入があるので、すべての名称が判明します。東西街路の名称は、記入されているものはすべて「西二条」といった、左京と同じ街路名に西を冠した名称であることも一つの特徴です。しかも内裏西方の小路の場合、不確実に略していています。とはいえ、右京の街路名もまた、記入されていないものも含めて、すべての名称が判明することとなります。固有名詞の坊名も、左京図と同様に三条以南（二条大路以南）の「豊財坊、永寧坊、宣義坊、光徳坊、毓財坊、延嘉坊、開建坊」などのすべてが記入されてい

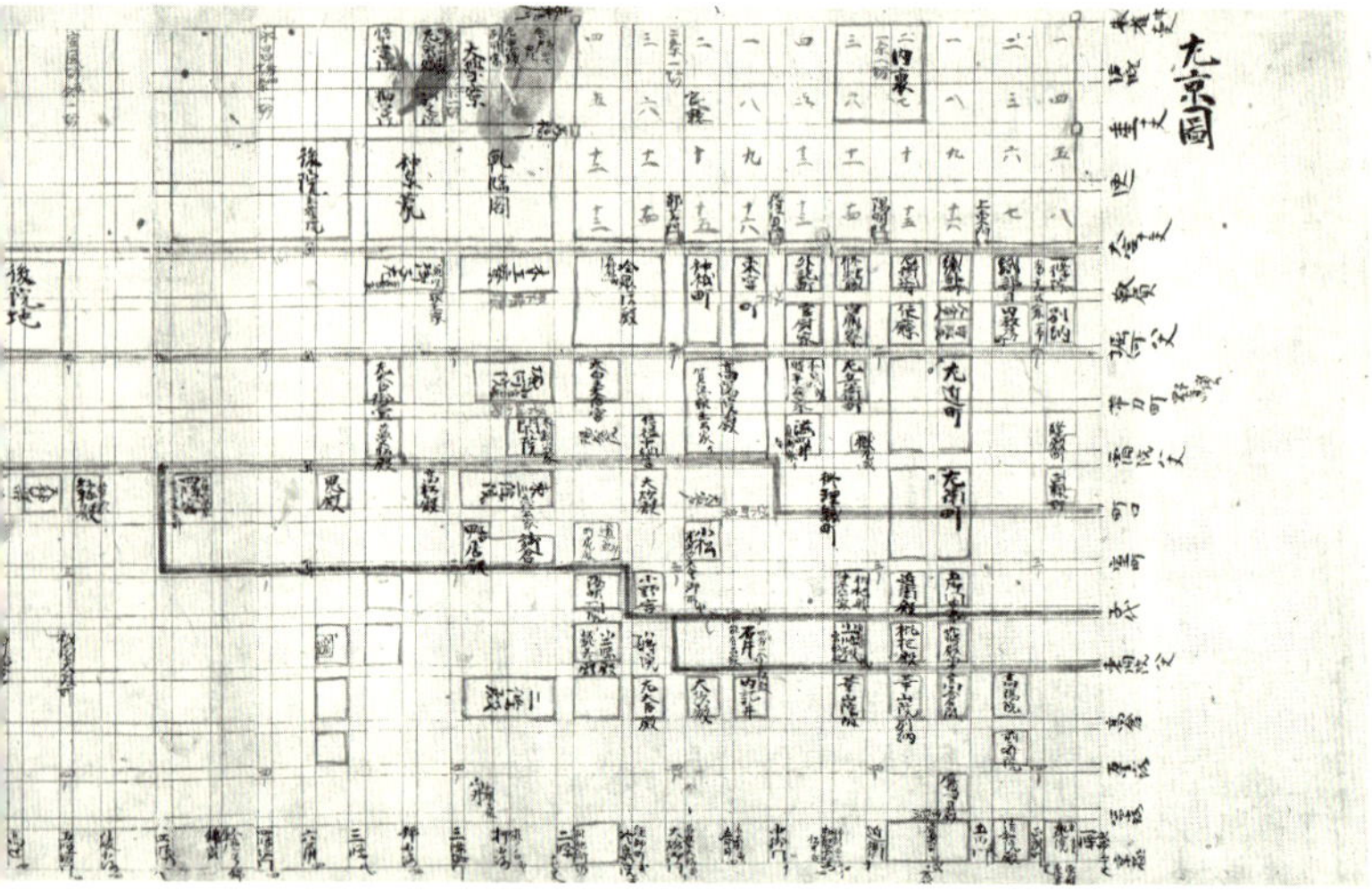
左京圖

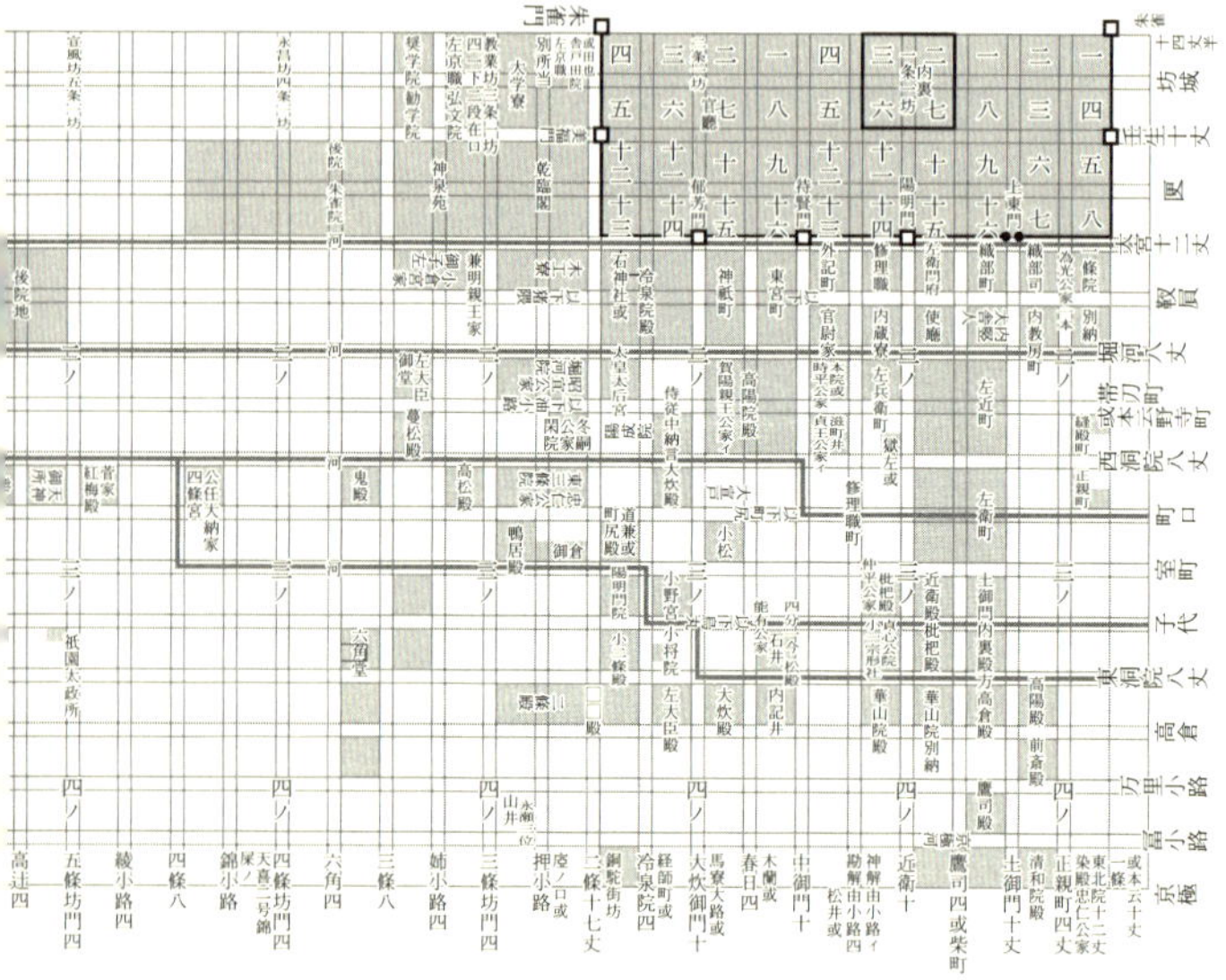
朱雀門
坊城
壬生十丈
大宮十二丈
堀河八丈
西洞院八丈
町口
室町
東洞院八丈
高倉
万里小路
冨小路
京極
大学寮
神泉苑
乾臨閣
後院地
冷泉院殿
神祇町
東宮町
修理職
内蔵寮
使廳
左近町
左衛町
高松殿
鬼殿
六角堂
祇園太政所
近衛殿枇杷殿
華山院殿
高陽殿
鷹司殿
高辻四
五條坊門四
綾小路四
四條八
錦小路
四條坊門四
六角四
三條八
姉小路四
三條坊門四
押小路
二條十七丈
冷泉院四
大炊御門十
春日四
中御門十
近衛十
鷹司四或柴町
土御門十丈
正親町四丈

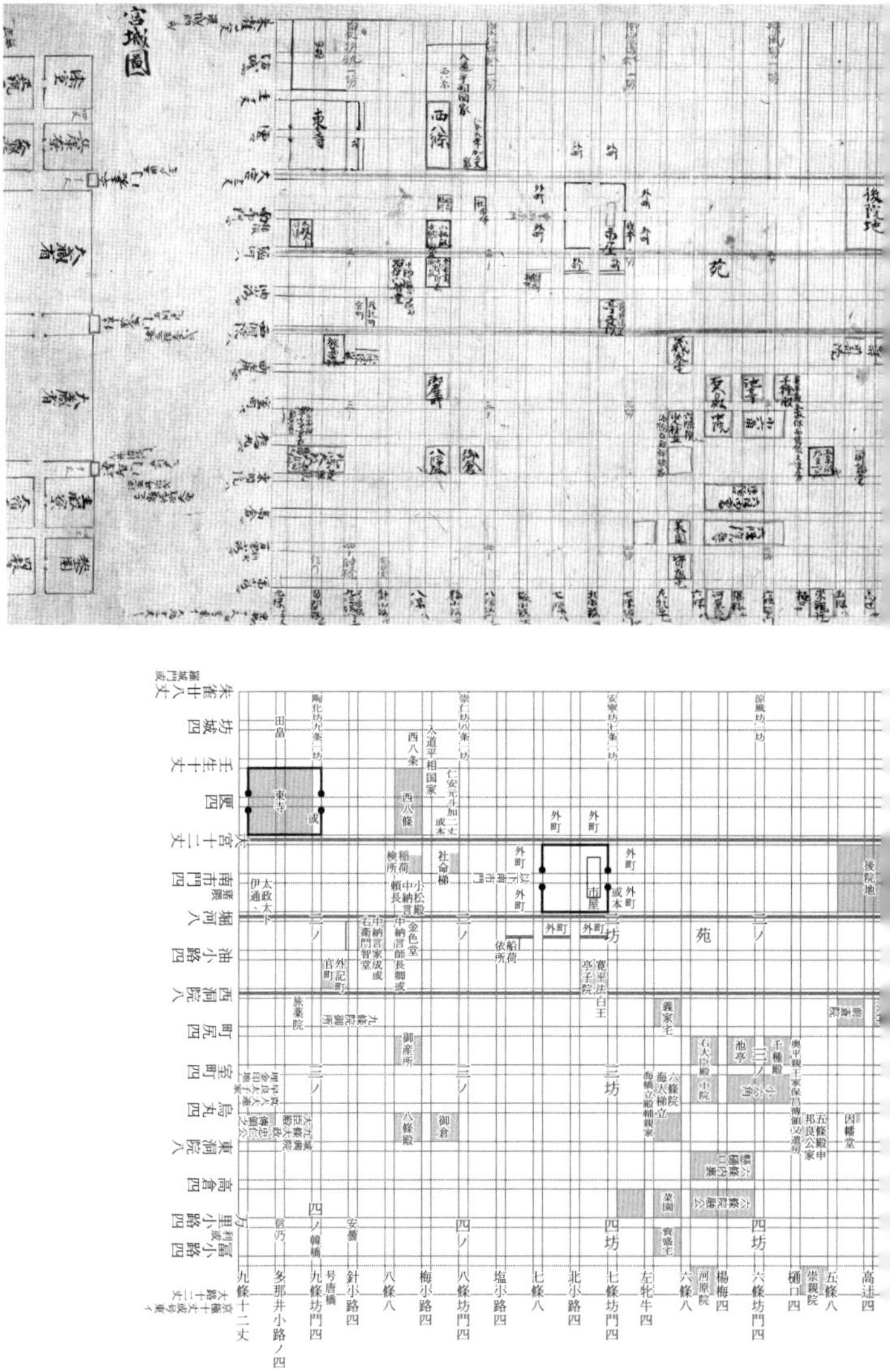

図一―3　九条家本『延喜式』左京図（東京国立博物館蔵）（上）と記載内容（下）

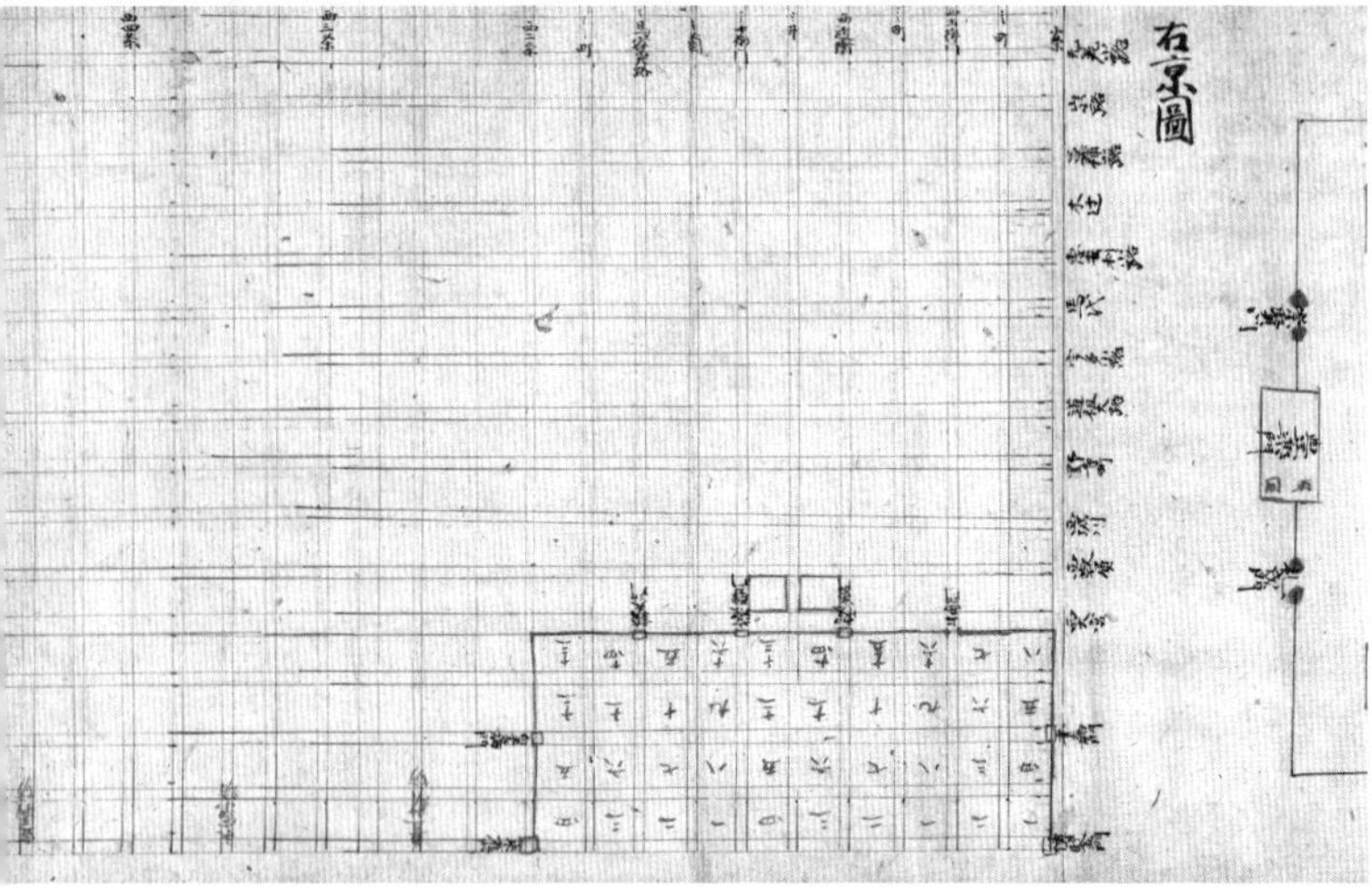
右京圖

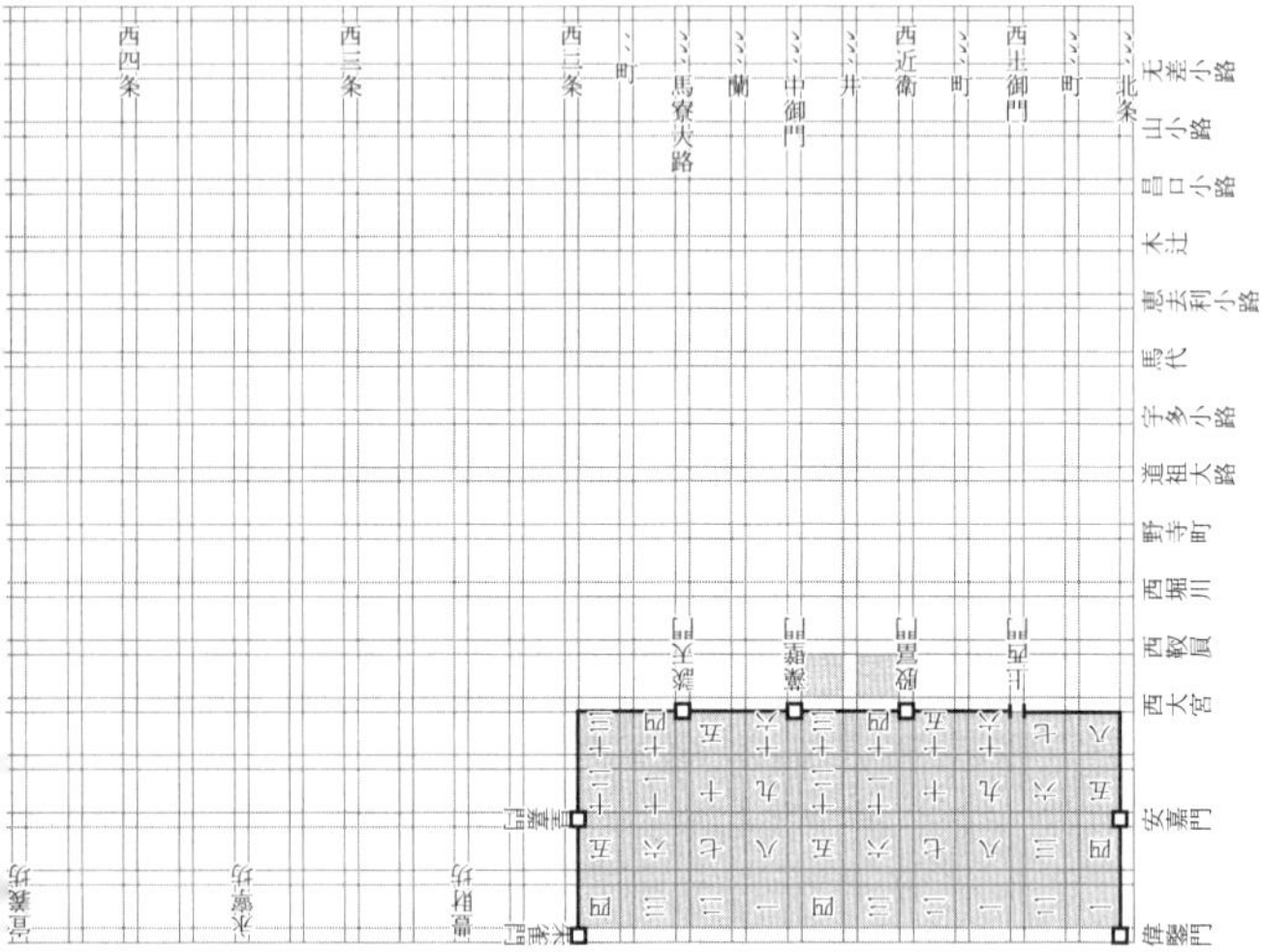
西四条
西三条
西二条
馬寮大路
中御門
西近衛
西土御門
北辺条
无差小路
山小路
昌口小路
木辻
恵止利小路
馬代
宇多小路
道祖大路
野寺町
西堀川
西靭負
西大宮
安嘉門
偉鑒門

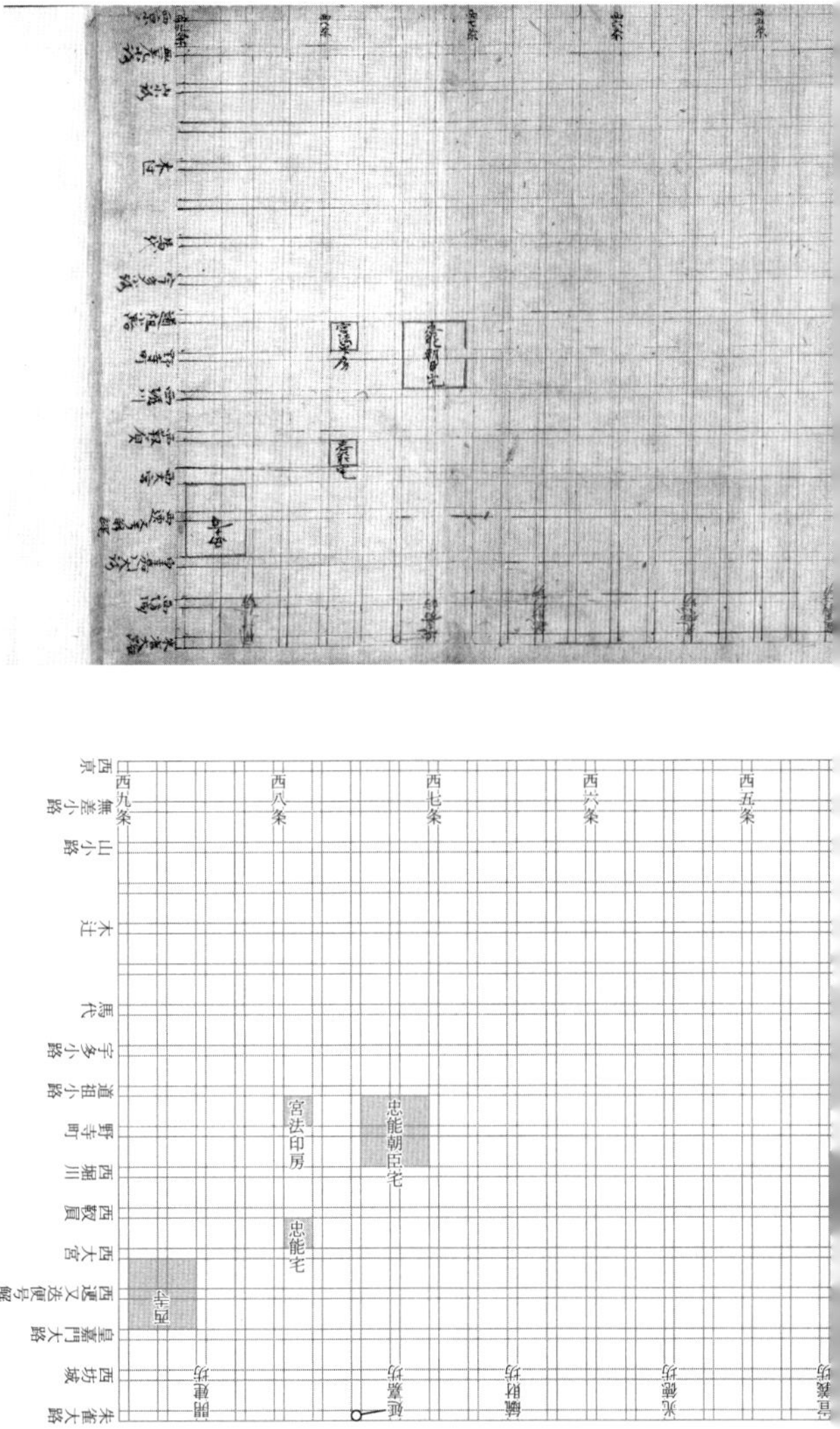

図一―4　九条家本『延喜式』右京図（東京国立博物館蔵）（上）と記載内容（下）

ます。ただし、数詞条坊名は記入されていないことにも気がつきます。

福山敏男はすでに紹介した論文で、右京図に書き入れがほとんどないとして「おそらく未完成の写しと思われる」としていますが、以上に示したように、街路に関する限り、形状と名称についての必要事項は示されていることになります。つまり左・右京図ともに、外形と方格状街路については平安京全体の初期の都市プラン（平面形態）を忠実に表現していることを確認しておきたいと思います。

ところで林屋辰三郎は、左・右京図に記されたような固有名詞の坊名が平安京当初からのものでなく、嵯峨天皇の時代の唐風《からふう》好みの中で成立したとしています。[*11] それにしても弘仁九年（八一八）のことですので、『延喜式』の編纂時期（九〇五〜二七年）以前のことであり、編纂時にはすでに存在していたことになります。

街路の名称——『延喜式』本文

街路名については、『国史大系』本、九条家本のいずれの『延喜式』においても次のような表現です。

京程

南北一千七百五十三丈　今勘千七百五十一丈　今二丈可尋之
四位大外記中原師重之本云除大路小
路各見式文定残卅八町一町卌丈
北際并次四大路、広各十丈
宮城南大路十七丈
次六大路各八丈
南極大路十二丈
羅城外二丈　垣基半三尺。犬行七尺。溝広一丈
路広十丈　今案大路北畔垣基半三尺犬行五尺溝広四尺両溝間八丈八尺
小路廿六、広各四丈
町卅八、各卌丈
東西一千五百八丈　通二計東西両京一
自二朱雀大路中央一、至二東極外畔一七百五十四丈
朱雀大路半広十四丈
次一大路十丈
次一大路十二丈　大宮

次二大路各八丈　東西洞院也
東極大路十丈
小路十二、各四丈　一路加㆓堀川東西辺各二丈㆒
町十六、各卌丈
右京准㆓此㆒
（下略）

このうち南北幅の一七五三丈については、一七五一丈ではないかとの注記があります。実際この記載幅をそのまま合計すれば注記のようになるので、先に平安京の概要を紹介した時にも注記の数字を採用しました。

南辺の東西道である南極大路一二丈については、大路幅一〇丈に加えて羅城外二丈があったと記しています。内訳は、羅城《らじょう》と称する垣（築地塀。京都御所などでみられる、基壇の上に泥土をつきかためて造り、屋根瓦をのせた塀）の中心から外側の半分が三尺、犬走りが七尺、溝が一丈幅としています。また南極大路の道幅一〇丈に対し、大路北側の垣の半分にあたる幅がやはり三尺としていますので、この羅城は、羅城と呼ばれてはいますが、実際には、その他の多くの大路の築地と同じ規模および呼称であったものということになります。また、引用を省略した他の大路の部分にも大路の垣を同じ規模で示しています。つまり、平安京の羅城が南辺だけであり、しかも基壇幅六尺という、通常規模の築地垣であったろうことが知られることになります。

南北道については、「次一大路」に「大宮」、「次二大路」に「東西洞院」の名称を注記し、小路幅「各四丈」に「一路加㆓堀川東西辺各二丈㆒」と注記しています。堀川小路が、本来の四丈幅の東西に各二丈を加えて、計八丈という大路並みの幅であったことを説明しているのです。これは「一路」とされていますから、左・右京の堀川ではなく、左京の堀川小路を指すと理解されています。

つまり式文には、「北極、宮城南、南極、朱雀、東極」の大路名がみえるのみですから、注記を入れても「大宮、東・西洞院」の名称がみられるに過ぎないことになります。しかもこのような『延喜式』本文と、九条家本左・右京図に標記された大路の街路名には、相互に異なるものがあることも知られています。

さらに『延喜式』以前に成立した書の表現とも異なったものがあります。『侍中群要』（『続々群書類従』第七）は、寛平二年（八九〇）に橘広相《たちばなのひろみ》が著したとされます。現存最古の写本は金沢文庫本で、嘉元四年（一三〇六）のものですが、本来は一一世紀後半に成立したものと考えられています。それにしても九条家本『延喜式』左・右京図より、成立が早い時期の有職故実《ゆうそくこじつ》書です。そこでは次のように記されています。

一条大路申二北辺大路一、
二条以下如レ恒、
大宮大路申二宮城東大路一、若二宮城西大路一、
陽明門大路、待賢門大路以下准レ之、
上東門大路東京、
上西門大路西京、
京極大路東西、
堀川大路申レ号二元小路一云々、
洞院東大路西京准レ之

これらは、『延喜式』式文とも同一ではありません。数詞の大路名を除けば、大路名すら必ずしも固定した名称ではなかったことが知られます。大路・小路の名称が固定・定着するまでには、かなりの時間を要したものと考えるのが実態に近いように思われます。

左・右京図の街路名——九条家本『延喜式』

さらに注目すべきなのは、式文には小路名がまったく記されていないことです。『侍中群要』でも同様です。ところが小路名については、九条家本『延喜式』左・右京図には多くの名称が記入されていることはすでに紹介しました。特に左京図には、すべての東西・南北の小路に名称が記されているのです。

九条家本『延喜式』に標記された大路小路の名称を、改めて列記すれば次のようになります。北端の標記名—南端の標記名——「現在の街路名」（九条家本『延喜式』と異なる名称、ないし参考名）の順です。現在も同位置で、同名のものは○印で示しました。（○）は若干の変化があるものの、一部あるいはおおむね現在まで踏襲されているものです。

「左京図」南北路名（東から）

京極—**京極**——「寺町通」
冨小路—冨小路——○
万里小路《までのこうじ》—万里（利）小路——「柳馬場通」
高倉—高倉——○

東洞院—**東洞院**——○

子代—烏丸《からすま》—○

室町—室町—○

町口—町尻——「新町通」

西洞院—**西洞院**—○

帯刀《たてわき》（野寺）町—油小路——○

堀川—堀川—○

靫屓《ゆきえ》（靭負）—南市門（猪熊）——「猪熊通」（○）

大宮—**大宮**—○

匣《くしげ》—匣——「日暮通」「神泉苑通」「櫛笥《くしげ》通」（○）

壬生—壬生——「智恵光院通」「壬生川通」

坊城—坊城——「浄福寺通」「坊城通」（○）

朱雀—**朱雀**——「千本通」

「右京図」南北路名（四条付近の現在名、東から）

（門名）―朱雀大路―――「千本通」

（なし）―西坊城―――「七本松（中新道）通」

（門名）―皇嘉門大路

（なし）―西匣《くしげ》

西大宮―西大宮

西靫屓―西靫屓

西堀川―西堀川―――（参考：「佐井通（春日通）」）

野寺町―野寺町

道祖大路―道祖大路

宇多小路―宇多小路

馬代―馬代―――（参考：「馬代通」）

恵去利小路―（なし）

木辻―木辻―――（参考：木辻北町―木辻南町）

昌口小路―（なし）

山小路―山小路

无差《むさ》小路―無差小路

（なし）——**西京極**

「左京図」東西路名（東辺の標記、北から）

一条——○

正親《おおぎ》町《まち》——「中立売《なかたちうり》通」

土御門——「上長者町通」

鷹司——「下長者町通」

近衛——「出水通」

勘解由《かげゆ》小路（松井）——「下立売通」

中御門——「椹木《さわらぎ》町通」

春日（木蘭）——「丸太町通」

大炊御門（馬寮大路）——「竹屋町通」

冷泉院（経師町）——「夷川《えびすがわ》通」

二条——○

押小路——○

三条坊門――「御池通」
姉小路――○
三条――○
六角――○
四条坊門――「蛸薬師通」
錦小路（屎《くそ》ノ）――○
四条――○
綾小路――○
五条坊門――「仏光寺通」
高辻――○
五条――「松原通」
樋口――「万寿寺通」
六条坊門――「五条通」
楊梅――○
六条――○
左《さ》牝《め》牛《うし》――「花屋町通」

七条坊門――「上数珠屋町通」
北小路――「下数珠屋町通」
七条――○
塩小路――「木津屋橋通」（「塩小路通」はやや南）
八条坊門――（八条坊門町）
梅小路――（梅小路）
八条――○
針小路（安曇《あずみ》）――○
九条坊門（唐橋）――「東寺通」
多那井小路（信乃）――（なし）
九条――○

なお右京図の東西路名は、北から二条までの大路・小路と、さらに南の大路名だけが標記されています。それらも基本的に、左京の東西路名に西を被せて標記されています。例外は、一条に相当する「西北条」と、勘解由小路の西に相当する「西井」、春日（木蘭）小路の西に相当する「西蘭」のみです。ただし後者は一部類似していますので、厳密には、例外は「西井」

だけです。

また左京図北辺に「子代、町口、帯刀町、靫屓（靭負）」などと記されている小路は、途中から南へ行くと、それぞれ「烏丸、町尻、油小路、猪熊」に名称が変わったことを記入しています。右京図でも、南北の小路の北辺に多くの名称が記されています。

左・右京図の南北路について両者を対比すると、左京図の南北路の位置と名称の多くが現在も踏襲されている（○印）のに対して、右京図にはそのような例がないことが分かります。極端な場合には、「馬代」「佐井」のように位置まで変わっているものがあり、のちに場所を変えて復活したものと思われます。

このように右京の街路名が踏襲されていない理由はまず、右京の大半の市街がいったんなくなって耕地化され、道路もまたその段階でいったん途絶したことにあると思われます。地割遺構として残る平安京の街路網も右京ではきわめて断片的であったことも判明します[*12]。ただし、大路と小路の道幅を反映した地筆（土地登記上の土地区画）の形状を確認できる場合が多いことが特徴です。

これに対して、左京の街路は位置・名称ともによく継続していますが、地割遺構からは、現在のほとんどの街路が、平安京の大路・小路の道幅を踏襲せず、ほぼ一律に狭くなっていることも判明しています。

東西道の場合は、ほとんど左京図にだけ名称があるのですから、まずそれについて概観します。東西道では、数詞となっている大路名が五条を除いてすべて現在まで踏襲されていることに、まず大きな特徴があります。例外である五条大路の名称は六条坊門に移動したことが知られます。このことについては後に改めて触れます。

固有名の東西大路名については、一条大路・二条大路間がすべて変化していることが次の特徴でしょう。これについての理由には、複数の可能性がありそうです。まず、これらの街路が基本的に宮城で途切れていたことが指摘できます。また、里内裏の多くが宮城の東方に設置され、その一帯が変化の多い地区であったことも関係します。それに何よりも、数詞の名称は伝承しやすく、これに対して正親町大路をはじめとする固有名が、伝承するにはやや難しい名称であったことも一因だと思われます。[*13]

東西の小路名には、遺存する例も変化した例もありますが、変化した例には二つのパターンが確認できます。

変化のパターンを代表する典型的な例は錦小路です。左京図には注記があって、「錦小路」は天喜二年（一〇五四）にそれまでの「屎《くそ》（糞）ノ小路」を改称したものであることを記しています。それ以前と考えられている『掌中歴』には、音のよく似た「具足小路」の名称を記しています。したがって時期的には、具足→屎→錦と名称が変遷した可能性が高いことになります。

具足から屎は、その音から自然に転じた可能性がありますが、屎から錦は、おそらく意図的な改称によると考えざるを得ません。変化のパターンはこの例に含まれているように、年月とともに自然に移り変わったものと、ある時期に意図的に変えられたものがあったとみられます。

これらの街路名が九世紀末・一〇世紀初め頃には、まだ確定あるいは固定していなかったことはすでに述べましたが、平安京の初期から付された名称であったのか否かは、厳密にいうと不明です。むしろ平安後期に成立した可能性が高いとせねばならないと思われます。式文にも、『侍中群要』にもまったく記されていない小路名についてはなおさらです。藤井このみは、小路名に商品名を冠したものが多いことから、小路名の成立の背景には平安京における商業の発展があった、と推定しています[*14]。

九条家本『延喜式』の左・右京図は、すでに述べたような成立の経緯からして当然のことながら、写本としてのみ存在しています。したがって、その原図ないし基図がどのような表現であったかは不明です。しかし、いずれにしろこれらは、九条家本『延喜式』左・右京図の原型ができたと考えられている一一四〇年代頃に新たに加えられたものではなく、写本が作成された折の原図にすでに記入されていたものであろうと考えられます。

直線状の川――九条家本『延喜式』左・右京図の特徴

左京図には、南北に流れる直線状の川が三本（支流を加えれば五本）描かれています（図一―3参照）。いずれも薄墨の太い直線で街路上に表現されており、西から列挙すると大宮大路、堀川小路、西洞院大路のそれぞれ中央に描かれています。以下、具体的にみてみましょう。

大宮、堀川の二河川は北辺から南辺まで貫流しているように表現されていますが、西洞院の川の上流は、中御門大路で一町分東に曲がり、町口小路を流れているように表現されています。西洞院の川には支流が描かれていますが、その支流は、子代小路を流下する川が東洞院大路を流下する川と、大炊御門《おおいごもん》大路で合流したうえで一町分南下し、さらに冷泉院小路で西に一町分流れています。さらにこの川は、室町小路を四条大路まで南下したうえで西洞院の川に流入しています。これらの三本の川にはすべて、六角小路上において「河」の文字（この位置では計四か所）が記入されています。

さて、堀川小路を流れる川は現在の堀川に相当します。現在もこの位置を直線状に南流している川です。堀川は、『延喜式』左・右京職に「杭」の敷設に関わる規定を掲載しています。「課戸」つまり課税対象の戸に対し、一九人以下の戸の場合「一株」、二〇人以上は「二株」、三〇人以上は「三株」の杭を輸す（負担する）ことを定めているのです。長さは七〜八尺、太さは五寸（末端で三寸）ですから、径約九〜一五センチメートル、長さ約二・一〜二・四メートルの杭を負担させ、それによっておそらく堀川の護岸工事をしたものと考えられます。堀川は人工的に掘削された部分が多かったでしょうから、護岸工事が重要であったものと思われます。それにしても、仮に負担を二〇人で一本と計算し、平安京人口を一〇万人として計算すれば、毎年五〇〇〇本もの杭を集めようとしたことになります。

西洞院大路の川は現在の西洞院川に相当し、三条・四条間より南では、やはり直線状に南下しています。ところが大宮大路を流下する川に相当する河川は現在みられません。また、堀川・西洞院の二本の河川は近世の京都を描いた地図にもしばしば描かれていますが、いずれにも大宮には川の表現はみられません。

そのほか、川の形状は描かれていませんが、鷹司小路と富小路の交点付近（京都では現在、このような場所を〈鷹司富小路〉といったように表現します）に、「京極河」との標記があります。

このように、京中のいずれの川も平安京の方格に従って流下していたように表現されているのが大きな特徴です。川の薄墨の線は、条坊呼称の朱文字を記入する以前に描かれているとみられます。また条坊の方格線と同一箇所で線が描き継がれていることも知られます。つまり川と街路の方格網は、ほぼ同じように、文字記入以前に描かれていることになり、おそらく平安京を描く地図の基本として表現されていたであろうことになるのです。支流が合流したり、屈曲したりしている場合においてさえも、街路の方格に合わせてすべて直角に描かれています。

以上のように、現存の九条家本では、方格街路と川がほぼ同様に、いずれも平安京の平面形態の基本として認識されていたとみるべきだと思われます。

邸第の位置と名称――九条家本『延喜式』左・右京図の特徴

九条家本『延喜式』の左・右京図に多くの邸第が標記されていることは、すでに多くの研究者によって注目されてきました。写本の成立年代の推定にも大きな役割を占めています。また貴族の邸第のみならず諸司の所在も標記されていますが、平安宮（大内裏）内には具体的な記入がなく、わずかに左京図に「内裏」「官廳（庁）」の文字の記入があるだけです。これは冒頭に述べたように、左京図に続いて宮城図・内裏図・（中和院付近図）・八省院図・豊楽院図が作製されていることに関わりますが、これらについては後に別途取り上げることにします。

まず諸司では、宮城の南の三条一坊の一・三町に「左京職」、二・七町に「大学寮」が標記されています。同坊にはこれに関わる「奨学院・勧学院・弘文院」などの施設も標記されています。奨学院は大学南曹、つまり皇親、諸王、皇別王氏などといった天皇一族の子弟の寄宿舎であり、勧学院は藤原氏の同じような機能を有した大学別曹でした。弘文院もまた和気氏が造ったもので、類似の機関あるいは図書館であったと考えられています。ただし源高明の『西宮記』によれば、一〇世紀にはすでに荒廃したとされていますので、すでに存在しないものを標記している可能性が高いことになります。

三条一坊には、「乾臨閣・神泉苑」なども標記されています。神泉苑は宮城の南に接する禁苑で有名ですが、乾臨閣はその正殿です。その南の四条一坊には、「後院（朱雀院）」の所在が記されています。後院は天皇退位後の公式の御座所で、その院の一種の家政機関でもありました。

宮城の東では、「織部司・織部町」をはじめ「大舎人《おおとねり》・左衛門府・使廳・修理職・内蔵寮・左兵衛町・神祇町・木工寮」などが標記されています。これらの省、職、寮、司、府、使はいずれも官司名ですので、それぞれの名称の該当機関の所在地を示しますが、町もまたその所在にちなむものでしょう。すでに引用した『拾芥抄』には、これらを「諸司厨町」として両者を一括して説明しています。

また宮城の東には「冷泉院、堀川院、陽成院、太皇太后宮」など、いくつもの院名、宮名が標記されています。宮城の南と東は、諸司厨町と院の御所が多いという意味で、宮城の延長部分のような性格を示していたと言えるようです。

例えば冷泉院は、神泉苑の南の四条の後院（朱雀院）と同じ性格ですが、後院としては、嵯峨太政天皇に始まる最初のものです。

宮城東北にあたる北辺二坊一町に標記された「一条院」は一条天皇（九八六〜一〇一一）の里

内裏であったところです。もともと藤原師輔《もろすけ》の「一条殿」でしたが、その子孫から購入した佐伯公行が一条天皇の母后東三条院（藤原兼家の娘・詮子）に献上した邸でした。長保元年（九九九）内裏が焼亡したために一条天皇は里内裏としてここに移り、その後の二度にわたる内裏の火災のため一条院を里内裏として使い続けたことが知られています。その後さらに、後一条天皇、後朱雀天皇、後冷泉天皇の里内裏となったこともありましたが、やがて一条院自体も炎上し、天喜三年（一〇五五）には、冷泉院の建物を解体して一条院に移築したとされます。[*15]

里内裏として有名なのは土御門殿ですが、九条家本の左京図は少し説明が必要な表現になっています。

一条三坊九町に「土御門内裏」との標記があります。ここはもともと源師時《みなもとのもろとき》の邸宅でしたが、永久五年（一一一七）に鳥羽天皇（一一〇七～二三）の里内裏となり、鳥羽天皇から崇徳天皇（一一二三～四一）、崇徳天皇から近衛天皇（一一四一～五五）への譲位はいずれもここで行われたとされています。[*16]つまり、九条家本の左京図が成立した時期の直前から同時代にかけての里内裏です。したがってこの表現は当然ですし、正しい表現であったことになります。

一方、一条四坊一五・一六町には、藤原道長の土御門殿があったことが知られています。北側の一六町は、妻倫子の叔父で源重信の邸宅であったところを道長が受け継いだと思われ、長徳二～三年（九九六～七）頃に南側の一五町の地を加えたとされています。孫の後一条天皇はじめ、太皇太后、皇太后、中宮の三后が道長の娘であったという前代未聞の隆盛の時期をここで迎え、行幸・行啓を得たことはよく知られており、さらにこの地は、後朱雀天皇（一〇三六〜四五）、後冷泉天皇（一〇四五〜六八）の里内裏として使用されたことも知られています。

ところが左京図には、この土御門殿がまったく標記されていません。土御門殿が焼失と再建を繰り返し、天喜二年（一〇五四）に焼失したことが理由の一つであるかもしれませんが、これ以前に焼失したものも標記されている例があるので、ほかの理由があったのかもしれません。

以上のように、左京図に貴族の邸第の標記が非常に多いことは、広く知られています。また、左京図の南端に「東寺」の所在が記されていますが、ほかに寺院は標記されていません。京内に寺院が多かった平城京とは大きく異なります。

これらはすべて左京図の表現内容です。右京図の宮城周辺には諸司・諸院の記載がまったくありません。すでに述べた街路名のほかは三か所の邸第と「西寺」が標記されているのみです。例えば左・右京のそれぞれ七条二坊三・四・五・六町には東西の「市」が、それぞれの市の四方の各二町分には「外町」が所在したことが知られています。ところがこれも、左京図には表現されていますが、右京図にはまったく標記されていません。左京図にはさらに、三・六町にわたって朱線の枠が描かれ、「市屋」との記入さえあります。

発掘調査の成果を整理した結果によれば[*17]、東西市のいずれの地でも、平安時代前期（八世紀末～九世紀頃）の遺物・遺構が出土の主体を占め、一〇～一一世紀の検出は稀だとされています。ところが一二世紀以降に、再び遺構・遺物の検出が増加する、とされています。西市のみならず、東市の外町でもその状況を示す遺物が発見されているとされています。つまり、西市の実態が右京図には十分に反映していない可能性があります。

ただし右京が市街地として衰微していたということを、慶滋保胤《よししげのやすたね》が『池亭記』に、すでに天元五年（九八二）当時の事実として記録していることは、よく知られています。

さらに、具体的な記述もあります。応徳三年（一〇八六）には、「西京」に「田三百余町」があり、検非違使《けびいし》を遣わして稲を刈り棄て、牛馬の飼料とした、との記事があります（『扶桑略記』応徳三年六月二六日条）。三〇〇余町とは、宮城域を含む右京の計算上の全面積、六〇八町のほぼ半分ほどの面積になります。これは、九条家本の左・右京図の基本ができる前に、すでに右京の多くが耕地化されていたことを示しています。

しかも、九条家本『延喜式』右京図は平安京右京を方形の外形と方格状の街路網からなる、都市の基本構造を有していたように表現しています。しかし実は南部には、街区がまったく建設されなかった部分があったことさえ知られています。貞観一三年（八七一）の太政官符（『類聚三代格』巻一六）に次のような記載があります。少し煩雑ですが、まず全文を掲げます。

葬送幷《ならびに》放牧地を定むる事
山城国葛野《かどの》郡一処、五条荒木西里、六条久受原里に在り、
四至、東を限る西京極大路、西南を限る大河、北を限る上の件の両里の北畔、
紀伊郡一処、十条下石原西外里、十一条下佐比里に在り、
四至、東を限る路幷古河流末、西南幷限る大河、北を限る京南大路西末幷悲田院南沼

詳しい場所は筆者がすでに述べたことがありますので繰り返しませんが、[18]この地を平安京の葬送放牧地に指定したことを定めたものです。葬送地とは、有名な鳥辺野《とりべの》のように、亡くなった人を打ち捨てたり、葬ったりしたところです。放牧地とは牛馬を放牧する草地です。場所は山城国紀伊郡と葛野郡にわたり、条里プランで表現されていますが、平安京西南隅付近です。北は平安京、西南は「大河」すなわち当時葛野川と呼ばれていた桂川です。

ここで取り上げたいのは、この葬送放牧地の北側を限っていた「京南大路西末」という表現です。京南大路〈西の末〉という表現は、京南大路そのものではなく、その西の延長という意味です（当時、四条大路東末という表現で、平安京の東郊外の鴨川の東側、後の祇園付近を表した例もあります）。この表現は、この部分の京南大路が大路として認識されていなかったことを示します。しかもこれは「太政官」という正式な役所の正式な規定です。

つまり、大路が建設されていなかったことは、右京図が作製された当時、計画通りの境域が完成していなかったことになります。平安京右京九条四坊とその周辺は市街としては存在しなかったことが、文献はもちろん、考古学的調査でも確認されています。にもかかわらず、九条家本『延喜式』右京図は、計画通りの右京として表現していたことになります。

このことは、九条家本『延喜式』左・右京図を作製して使用した宮廷人・貴族にとって、平安京は方形の外形と方格の街路からなる都市という概念でとらえられていて、縁辺の一部が市街地となっていたか否かの実情は、まったく関心の対象ではなかったことを示しています。

2 宮殿と諸院——宮城図と内裏図

「宮城図」——諸本の特徴

九条家本『延喜式』「左京図」に「内裏官廳（庁）」とのみ記されていた宮城域についてみていきます。同巻には、「左京図」に続いて「宮城図」、「内裏図」、「（中和院付近図）」、「八省院図」、「豊楽院図」、「右京図」が描かれていることはすでに述べました。『拾芥抄』「京程部」に含まれた左・右京図、四行八門図、坊保図などにもふれましたが、『拾芥抄』には、このほか「宮城指図、八省指図」なども収載されています。

　さらにこれらのほか、近衛家の所蔵資料を収めた陽明文庫や京都御所の東山御文庫などには、単独の「宮城図」や「大内裏図」などが存在することも知られています。これらは、一種の指図（配置図）ですので、建物と関連施設の配置や構造を表現したものですが、屋敷図の一種とみることもできますし、広大な内裏や官衙を表現していることから、都市図の一部分の図としての要素を有しているという側面もあります。

　とりわけ陽明文庫本は、奥書に「元応元年八月三日於二鎌倉大蔵稲荷下足利上総前司屋形一模レ之了　右筆《ゆうひつ》頼円（花押）」と記されており、元応元年（一三一九）という成立時期と、鎌倉大蔵稲荷下の上総前司であった足利氏の屋敷という、写本作成の場所が判明しています。ただし、何を模写したのかという系譜は、この奥書からは不明ですので、それぞれの内容そのものに立ち返って検討を加えることが必要になります。

　ところで、陽明文庫本や東山御文庫本などの「宮城図」「大内裏図」はそれ自体が単独で独立した図面として存在しますが、九条家本『延喜式』中のものは一連の地図・指図中の一部に含まれるものです。九条家本『延喜式』巻第四十二そのものに、その成立をめぐって議論があることはすでに紹介しました。議論が完了して定説を得ているとは言い難いものの、少なくとも九条家本『延喜式』巻第四十二の地図類が、陽明文庫本奥書の元応元年（一三一九）以前に成立していた、とみられていることを確認したうえで、各図の比較検討を進めてみたいと思います。

九条家本の「宮城図」――本図と紙背の記載

九条家本『延喜式』巻第四十二に描かれている「宮城図」、「内裏図」、「(中和院付近図――名称の記入なし)」、「八省院図」、「豊楽院図」、「右京図」などは、いずれも墨線と朱線が使用されています。

「宮城図」(図一―5参照)には南中央の朱雀門をはじめ、南北に各三門、東西に各四門が描かれています。北部の二区画の大蔵省はじめ各施設の輪郭は基本的に墨線で画されていますが、これらの門は朱筆の小さな長方形で描かれ、門名は墨筆で記入されています。門名が記入されていないところでも、朱筆の小さな長方形ないし二つの朱点で門ないし出入口の位置が示されています。施設間の道幅も「四丈」などと朱筆で記入されているのです。この表現の例外は「内裏」と「八省」であり、輪郭が朱線で描かれています。「内裏」「八省」「豊楽院」には、それぞれ「在別図」と別の詳細図を付していることを注記して、一見すると朱線の輪郭が別図の所在を意味しているようにみえます。しかし、実際には別図が所在している「豊楽院」は墨線の輪郭ですので、この例外的表現の意味は、現在のところ不明としなければなりません。また、中和院付近図が別図として付されているにもかかわらず、墨筆で施設の輪郭が描かれていて何の注記もないことも疑問です。中和院そのものも「中院」と標記されています。ただし後掲の「(中和院付近図)」の図中には、正しく「中和院」と記入されています。

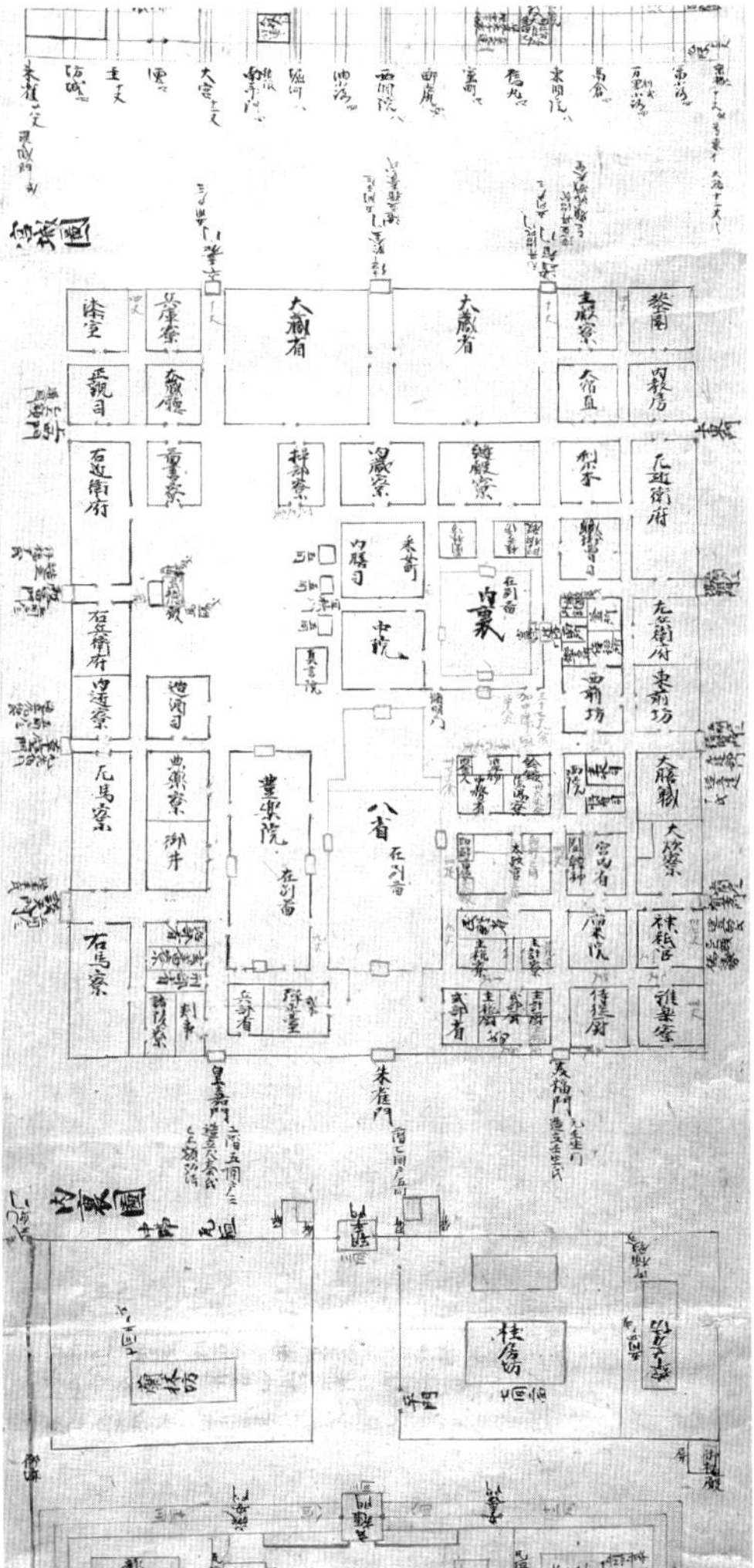

図一―5　九条家本『延喜式』「宮城図」。東京国立博物館蔵

九条家本『延喜式』「宮城図」には、紙背に記載があるのが特徴です。[*19] 改めて要点を記すと、次のような状況です。

「内裏図」の裏には、表の紫宸殿が描かれた部分に「御帳」の位置を示す小さな方形を描いたうえで、その前面に線を引き、その両側に「賢聖障子」「簀子敷」などと記入しています。さらにその上方にもこれと直交方向の線を引き、両側に「昼御座御帳」「夜御座御帳」「黒殿御所」「鬼間、壺、御台盤所、朝餅、朝餅壺」などと記しています。これと「御帳」を挟んだ反対側には、「脇陣」「内侍所」などが記されています。

この「御帳」などの表現の前にまず、次のような記載があることに注意しておきたいと思います。後に比較するために、記載の冒頭だけを抽出して紹介することにします。

㋐まず、「凝華飛香二舎――」と計三行の記載および、

㋑「式乾門――」以下の二行の記載があります。次いで段を落として、

㋒「今亦紫宸殿――」と三行の記載があります。「御帳」などの表現の後には、

㋓「蔵人町屋――」に始まる三行の記述があります。

続く「豊楽院図」の裏には、

㋔「豊楽殿元名乾臨閣也、而依為神泉苑正殿名改之云々」および、

㋕「不老門前當中御門大路云々」と記されています。

この裏書の次には、

㋖「造内（裏）国宛　付修理木工」として「修理職　紫宸殿并北面東西渡殿二字（割注）」以下、内裏修造の割り当て国が三段で記載されています。それぞれに割注が付されていますが、それを除いて記載順を示すと次のようです。

修理職	木工（寮）	播（磨）
近江	改二周防一伊与（伊予）	安木（安芸）
美乃（濃）	越後	備前
丹波	但馬	美作
尾張	備後	備中
讃岐	因幡	加賀
丹後	越中	上野
元摂津伊賀	元紀伊阿波	土左（佐）
和泉	参河（三河）	長門
武ノ（蔵）	相模	信乃（濃）
甲斐	大和	河内
出雲	乃（能）登	下野

伯ノ（耆） 越前 遠江
山城 淡路 若狭
上総 伊世（勢） 常陸
伊豆 出羽 下総
石見 筑前 肥後
肥前、の順です。

さらに裏書は、
㋗「内裏焼亡年々――」、
㋘「南殿賢聖図――」と続きます。[*20]

陽明文庫本「宮城図」――裏書の表図への統合

一方の陽明文庫本「宮城図」は、記載がこれと大きく異なっています。
陽明文庫本「宮城図」（図一―6参照）は、九条家本『延喜式』巻第四十二と異なって、単独で独立した図面として存在することをすでに述べました。正確に表現すると陽明文庫本は、「宮城図」、「内裏図」、「（中和院付近図）」、「八省院図」、「豊楽院図」の順に並び、そのあとに「造内裏国宛」が続く巻子です。この節の冒頭に述べたように、末尾に「元応元年八月三日於㆓鎌倉大蔵稲荷下足利上総前司屋形㆒模㆑之了　右筆頼円（花押）」と記されていて、元応元年（一三一九）に鎌倉で模写されたことを明示しています。そこで、陽明文庫本の各図とそれに続く記

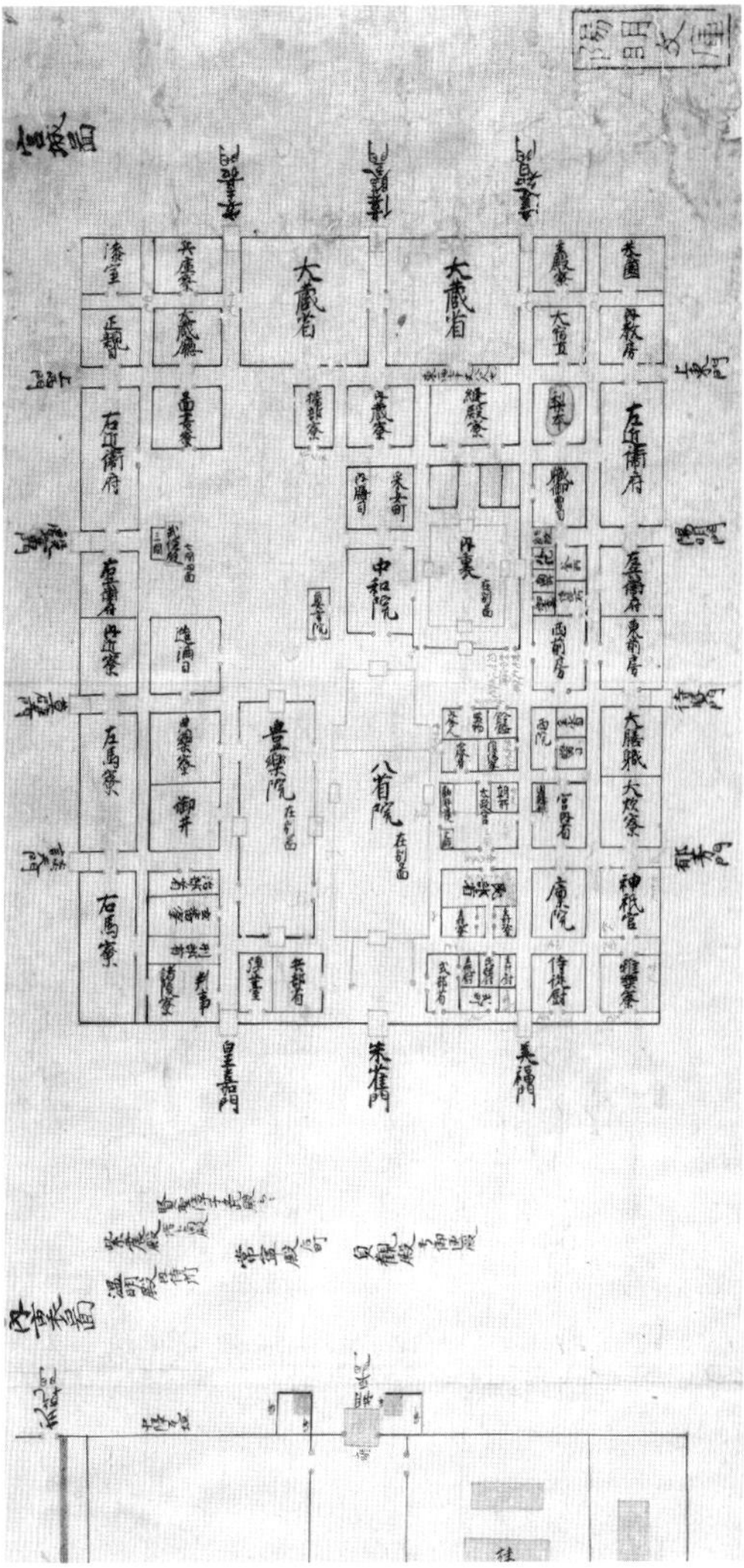

図一―6　陽明文庫本「宮城図」関東部分。陽明文庫蔵

載を、九条家本のものとまず対比したいと思います。

（1）陽明文庫本「宮城図」の内裏をはじめ各施設の区画の表現は、墨筆・朱筆の使い方を含めて、九条家本と基本的に同様です。ただし、九条家本は線描だけで描かれているのに対し、陽明文庫本では、主要施設を薄い朱塗としています。名称もまた、「在別図」の記入を含め、若干の例を除いて基本的に同様です。若干の例とは、九条家本の「中院」「八省」を、陽明文庫本では「中和院」「八省院」と表現している点ですが、意味は変わりません。

大きな違いは、周囲の一四か所の門名とその注記にあります。九条家本では例えば「朱雀門二階七間戸五間」などと構造についての注記が施されているのが普通であり、二階建て柱間七間、門扉五間分であったことが知られます。「上東門」以外のすべての門にこのような注記があり、門の旧名、造立の主体などが加えられている例もあります。ところが陽明文庫本にはこのような注記が一切なく、門名だけが記されているのです。

もう一つの大きな違いは、「内膳司」と「中院」の西に広がる、一般に宴の松原と呼ばれる空間の東端付近の表現です。九条家本には「宜秋門」前の両側に、「五間」と記された三個の小さな長方形があるのに対し、陽明文庫本には、門名も含めて、これらはすべて描かれていません。さらに西側にある、「右近衛府」「右兵衛府」間内側の「武徳殿」周辺の記入事項も異なっています。九条家本が「馬場」など周辺の記載を加えているのに対し、陽明文庫本では「七間四面」と建物の構造を示しているのです。

両本とも施設間の道幅などを朱筆で記入していますが、記入位置が多少異なる場合があるものの、内容も含めて基本的に同様であるとみられます。ただ一点大きな違いがあり、九条家本には記載がないのですが、陽明文庫本には、「上東門」「上西門」間の東西距離を「東西七十丈八尺也」と墨筆で記入していることです（図一―6参照）。

（2）「内裏図」もまた、基本的に両本における表現内容の類似性は高いとみられますが、やはり若干の相違があります。

一つの類型は九条家本にあって陽明文庫本にない表現・記載です。九条家本では、例えば内裏北東隅の「桂芳坊」に「七間二面」といった注記があり、類似の注記が各所にあるのですが、陽明文庫本にはそれらが全くないことです。「桂芳坊」東の施設名（九条家本では「華芳坊」）も陽明文庫本には記入されていない標記です。内裏東南隅の「竹」も九条家本では文字と群竹の絵で構成されていますが、陽明文庫本では「竹」の文字だけで絵はありません。

もう一つの類型は、陽明文庫本にあって九条家本にない表現です。まず「式乾門」脇から内裏西沿いに流れて「陽明門」脇から内裏内に入る「御溝」ですが、九条家本では、西南隅近くの「安福殿」南から内裏の外へ続く部分が描かれていません。さらに、陽明文庫本では「内裏図」の図名の右下に、「紫宸殿」「常寧殿」「貞観殿」「温明殿」の名称が、別称・旧称などの注記を付して書き上げられていることもこの類型に入ります。これは後述の（6）に関わるのですが、九条家本の裏書に、「紫宸殿」「常寧殿」「貞観殿」といった類似の記載があり、陽明文庫本は基本的にそれを表に移して記載した形です。ただし「温明殿」の名称は九条家本の裏書にはみられない名称です。

（3）「中和院付辺図」では、「内膳司」の文字が、九条家本では西を上にして記入されていますが、陽明文庫本では北が上です。また中和院の建物の規模・構造が、九条家本では朱筆で、陽明文庫本では（塀を除く）墨筆で記入されています。なお、九条家本では前述のように、「宮城図」で「中院」としていた名称を、「中和院」と記入しています。

（4）「八省院図」「豊楽院図」は基本的に両本の内容は同様とみられますが、若干の違いはあります。陽明文庫本の「豊楽院図」の名称の下に「豊楽院元名乾臨閣也、而依レ為二神泉苑正殿名一改レ之云々」、「不老門」下に「不老門前當中御門大路云々」との記載がある点です。これらの記載は、いずれも九条家本では裏書の「造内（裏）国宛《あて》」直前にあった記載でした。

（5）陽明文庫本には、「八省院図」「豊楽院図」に続いて、「造内裏国宛」の記載があります。前述のように、これは九条家本では裏書であった内容でした。しかし三段に書き上げる様式や注記も含め、内容にはほとんど変わりがありません。九条家本では国名の用字に後世の慣用と異なるものが散見しますが、これについては「安木（安芸）」以外のすべてが慣用の用字です。

（6）陽明文庫本では、「造内裏国宛」に続いて、次の順に記載しています。

①「南殿賢聖図」東西各四間各一六人の図柄の割り当て（計三行）
②「凝花飛香二舎――」以下（三行）
③「式乾門――」以下（二行）
④「蔵人町屋――」以下（三行）
⑤「朔平門――」以下（一行）
⑥「内裏焼亡年々――」「村上」以下七代（計五行）
⑦奥書・署名「元応元年――」（計二行）

⑦は陽明文庫本の由来を示したもので、前述のように独自の特徴です。しかし①から⑥の記載は、九条家本ではすべて裏書として記載されていたものです。九条家本裏書では、前述の

「御帳」位置に関わる表現の前に、②（前述の（以下同様）㋐）、③（㋑）、⑤（㋒の一部）の順に、またその後に、④（㋓）、（㋔、㋕、㋖を別に回して）、⑥（㋗）の順に記載しています。これに対して陽明文庫本ではこれらの記載を表書とし、しかも「八省院図」「豊楽院図」に続けてこれらを記載し、また㋖を先頭としてその順番を変更していることになります。さらに（4）の注記（㋔、㋕）は、もともと九条家本の裏書の「造内（裏）国宛」直前にあり、（2）の「内裏図」に付された「紫宸殿」以下の記載（㋒）もまた、御帳などの表現の直前にそれと一体的な位置に記載されていたものでした。これらを比較してみると、図一―7のようになります。

順番だけを示すと陽明文庫本では、九条家本における記載順を前記の㋐―㋘から、㋒（前半）、㋔、㋕、㋖、㋘、㋐、㋑、㋓、㋒（後半）、㋗、と変更していることになります。しかも、九条家本裏書では「凝華」（㋐）としていた用字を、陽明文庫本では「凝花」（②）としていることにも、些細な点ですが留意しておきたいと思います。

このような、九条家本と陽明文庫本における、記載場所と記載内容の異同の持つ意味は、後に改めて検討したいと思いますが、ここではまず一点のみ、重要な特性に留意しておきたい点があります。それは、両本とも内裏焼亡年の記載は天徳四年（九六〇）から始まり、永保二年（一〇八二）を最後にしている点です。九条家本の巻四二が基本的に一一四〇年代に成立したとの、前節で紹介した田中稔の推定によれば、六〇年余り前までの記載であることになります。

九条家本『延喜式』巻第四十二

「左京図」、
「宮城図」、「内裏図」、(中和院付近図)、
「八省院図」、「豊楽院図」、
「右京図」
紙背
㋐「凝華飛香二舎――」(三行)
㋑「式乾門――」(二行)
㋒「今亦紫宸殿――」(三行)
㋓「蔵人町屋――」(三行)
㋔「豊楽殿元名乾臨閣也、而依為神泉苑正殿名改之云々」
㋕「不老門前當中御門大路云々」
㋖「造内(裏)国宛　付修理木工」
㋗「内裏焼亡年々――」
㋘「南殿賢聖図」

陽明文庫本『宮城図』

「宮城図」、「内裏図」㋒(前半)、(中和院付近図)、
「八省院図」、「豊楽院図」㋔、㋕、
「造内裏国宛」㋖
①「南殿賢聖図」(三行)㋘
②「凝花飛香二舎――」(三行)㋐
③「式乾門――」(二行)㋑
④「蔵人町屋――」(三行)㋓
⑤「朔平門――」(一行)㋒(後半)
⑥「内裏焼亡年々――」「村上」(五行)㋗
⑦奥書・署名「元応元年――」(二行)

図一―7　九条家本『延喜式』巻第四十二の地図類と陽明文庫本「宮城図」の記載順

一方、⑦で陽明文庫本が元応元年（一三一九）の模写であることを記載していますが、その年次からすれば二五〇年ほども前までの記述ということになります。

したがって、九条家本の記述は成立過程を考慮すれば事実と記述が年代的に近いといえ、陽明文庫本のそれは時代が離れており、模写の原本が何であったかを示唆する事柄だと考えられます。

東山御文庫本「大内裏図」と「宮城図」

東山御文庫に収蔵されている宮城図は三点あります。そのうちの二点は「大内裏図」と題されて同じ箱に入れ

られている（勅封一六七―二）原本（勅封一六七―二―一）と、その写し（勅封一六七―二―二）です。勅封とは天皇による（天皇の下で侍従が担当したとしても）整理の結果を示します。この原本の成立時期は古く、中世のものと考えられますが、その写しの作成年代は近世と思われるものの正確には判明しません。

この二点の大内裏図の最大の特徴は、右上に「大内裏図」が配され、その下に「内裏図」、さらにその下に内膳司、采女町、中和院のある一区画が描かれ、左上に「八省院図」、左下に「豊楽院図」が配されていることです。つまり一幅に、縦二列に図が配置されていますので、便宜上、先のもの（勅封一六七―二―一）を〈原本縦書き本〉、後のもの（勅封一六七―二―二）を〈写し縦書き本〉と仮称することとしたいと思います。

もう一点の「宮城図」（勅封一六七―三）は中御門天皇（一七〇九〜三五）宸筆とされるものであり、巻物仕立てとなっています。ここでは便宜上、それを単に〈巻子本〉と仮称しておきたいと思います。

（1）まず、二点の大内裏図についてみていきます。原本と写しの両縦書き本では、「大内裏図」以下の図を縦書きに二列として配置したことに伴い、図名もまた縦書きとしています。「内裏図」名の両側に、「紫宸殿」等四つの名称が二つずつ記載されているのも、この変更に伴うものであろうと思われます。

さらに、これらの図の下に、やはり縦書きで「造内裏国宛」が一一行、五段に記され、さらに「賢聖図」計三行、続いて「凝花飛香二舎――」、「式乾門――」、「蔵人町屋――」、「朔平門――」、などが計五行に記され、そのあとに「内裏焼亡年々――」が三行にわたって記されています。これらが表に記されている点では陽明文庫本と同様であり、文面も基本的に同様です。ただし、陽明文庫本では、一文ずつ一行として、かつ文頭に朱点を打って、前述のような①から⑤の記載となっていました。ところが東山御文庫の縦書き本では、それが二段五行に記されている点が違います。「内裏焼亡年々」も陽明文庫本では、計五行ですが、東山御文庫の縦書き本では計三行となっています。

このような違いは基本的に、横に並べていた記載を縦に変更したために生じたことだと考えられますので、この限りでは当然とみなすことができます。しかしここで特に注意しておきたいのは、縦書き本のこのような記載順が、陽明文庫本のそれとまったく同一となっていることです。つまり、縦書き本の原本が、すでに一二世紀前半頃から存在していたことの判明しているる九条家本ではなく、陽明文庫本あるいはその原本などであった可能性を示すとの推定ができることになります。例えば細部にわたりますが、前述のように九条家本で「凝華」としていた記載は、陽明文庫本では「凝花」とされていましたが、東山御文庫本の縦書き本でも「凝花」

とされていることが知られます。

興味深いのは記載方式変更に伴う間違いです。原本縦書き本の「造内裏国宛」の国名記載順そのものは、基本的に九条家本とも、陽明文庫本とも同様です。しかし、国名に付された注記には若干の違いがあり、三段の記載を五段に変更したために、元の位置の注記を別の国に付したと思われる間違いがあります。例えば、元二行目上段に記されていた「近江」は原本縦書き本では一行目の四段目になりますが、その注記を書き写す時の間違いとして、「近江」の元の位置からすれば左隣にあたる、三行目上段にあった「美濃」の注記の一部「西軒廊一宇」を、間違えていったん「近江」に注記し、そのことを、おそらく原本縦書き本の作成者自身が気づいて、それを墨線で消去して訂正していた過程がみられるのです。形式を変えて模写する、といった作業中にきわめて起こりやすい、ありがちな間違いだと考えられます。

このことはこの原本縦書き本が、横書きから縦書きとした様式変更における、最初の写本であった可能性を示す点できわめて重要だと思われます。ただしこの間違いは、写し縦書き本ではすでに訂正されたものが写されています。二度目の写しがつくられた理由としては不十分ですが、少なくともそれに同じ勅封番号が付され、枝番を付して同じ箱で管理されていることに結びついた理由の一つかもしれないと思われます。

さて、原本縦書き本の「宮城図」は、ほとんど陽明文庫本と同様です。「内裏」と「八省院」

が朱線で表現されていることなどは九条家本とも共通するのですが、陽明文庫本特有の「大蔵省」南面における「東西七十丈八尺也」という東西距離の記載（東山御文庫の縦書き本にもある）があり、さらに、「内裏図」もまた、朱点や墨点の多少の違いを除けば陽明文庫本とまったく同様といってよい状況です。

ほかの図についても類似の状況ですが、陽明文庫本と多少異なる点もあり、例えば「（中和院付辺図）」では、中和院の正殿を「神嘉殿」と記入していて、陽明文庫本の「神壽殿」とは異なります。「八省院図」では、陽明文庫本にはない「昭訓門」の門名が記載され、「豊楽院図」では、陽明文庫本「豊楽殿」周辺の「廊八間」「七間」などの記入が欠落しています。なお「神嘉殿」と「昭訓門」は、いずれも九条家本には記載されている名称です。

（2）中御門天皇宸筆とされる巻子本は、ずっとのち一八世紀のもので、当然のことながら写しですが、その原本は明確ではありません。しかし改めて内容をみてみると、基本的に陽明文庫本に等しい点がいくつもみられます。例えば「大蔵省」前の「東西七十丈八尺也」といった記入など、九条家本になくて陽明文庫本にある記入もあります。「内裏図」と「豊楽院図」などの注記の在り方も陽明文庫本と同様とみられます。末尾の「造内裏国宛」以下の記載も同様です。ただし、最後の模写年等の奥書はありません。

つまりこの巻子本の原本も、少なくとも九条家本ではなく、陽明文庫本またはその原本の系統であったと考えるのが、内容からは妥当であろうと思われます。

「宮城図」諸図の系譜

これまで比較検討を試みてきたのは、九条家本『延喜式』巻第四十二の「宮城図」、陽明文庫本「宮城図」、東山御文庫本「宮城図」「大内裏図」です。

このほかにも「宮城図」をめぐる史料は多いことが知られています。村井康彦・瀧浪貞子は、現在の陽明文庫本とは別に、かつて「大内図」と称されたものが存在したことを指摘し、それが興福寺一条院院主実信の側近であった行賢の手になったものと推定しています。[*21] さらに、興福寺一条院の坊官であった二条家に伝わった「古本」と表現された図がこの「大内図」のことであり、それが霊元天皇(一六六三〜八七)の耳に入って官庫に奉納されるようになったこと、現存の南都二条家本「宮城図」はその折の二条家の写本であろうこと、などを推定しています。すでに福山敏男は、この「古本」が東山御文庫本(原本縦書き本)であるとし、室町時代の写本と推定していました。[*22]

さて、ここまで比較検討をしてきた結果を取りまとめてみると、「宮城図」諸図の系譜について、次のような推定が成立するであろうと思われます。

（1）九条家本と陽明文庫本とを比べると、前者のほうが裏書などの原初的様式を有しており、後者はそれを模写再編し、また記載の一部を省略したものである可能性がまず指摘できます。しかし、陽明文庫本には九条家本にはない記載があります。従って、九条家本そのものが陽明文庫本の原本であった可能性は残るのですが、陽明文庫本の原本は九条家本と同系統の別本であったと考えたほうが理解しやすいと思われます。

（2）東山御文庫の原本縦書き本は、記載内容からみて陽明文庫本に近いのですが、陽明文庫本そのものであった可能性はないと思われます。ただし、類似の原本によった可能性は高いとみられます。そして、この原本縦書き本は、内容は模写であるものの、横配列であった記載から、縦書きに様式を変えた最初のものであった可能性が高いことはほぼ確実です。写し縦書き本は、原本縦書き本の忠実な写しですが、原本縦書き本の間違いは訂正してあります。

（3）東山御文庫の巻子本は、様式と内容の類似性から、陽明文庫本の模写である可能性が高いとみられます。

以上が比較検討によって知り得たことですが、この段階でこれらを図示すれば図一―8のようになります。

ただし、この推定と前述の村井・瀧浪、および福山の推定とを対照すると、いくつかの問題

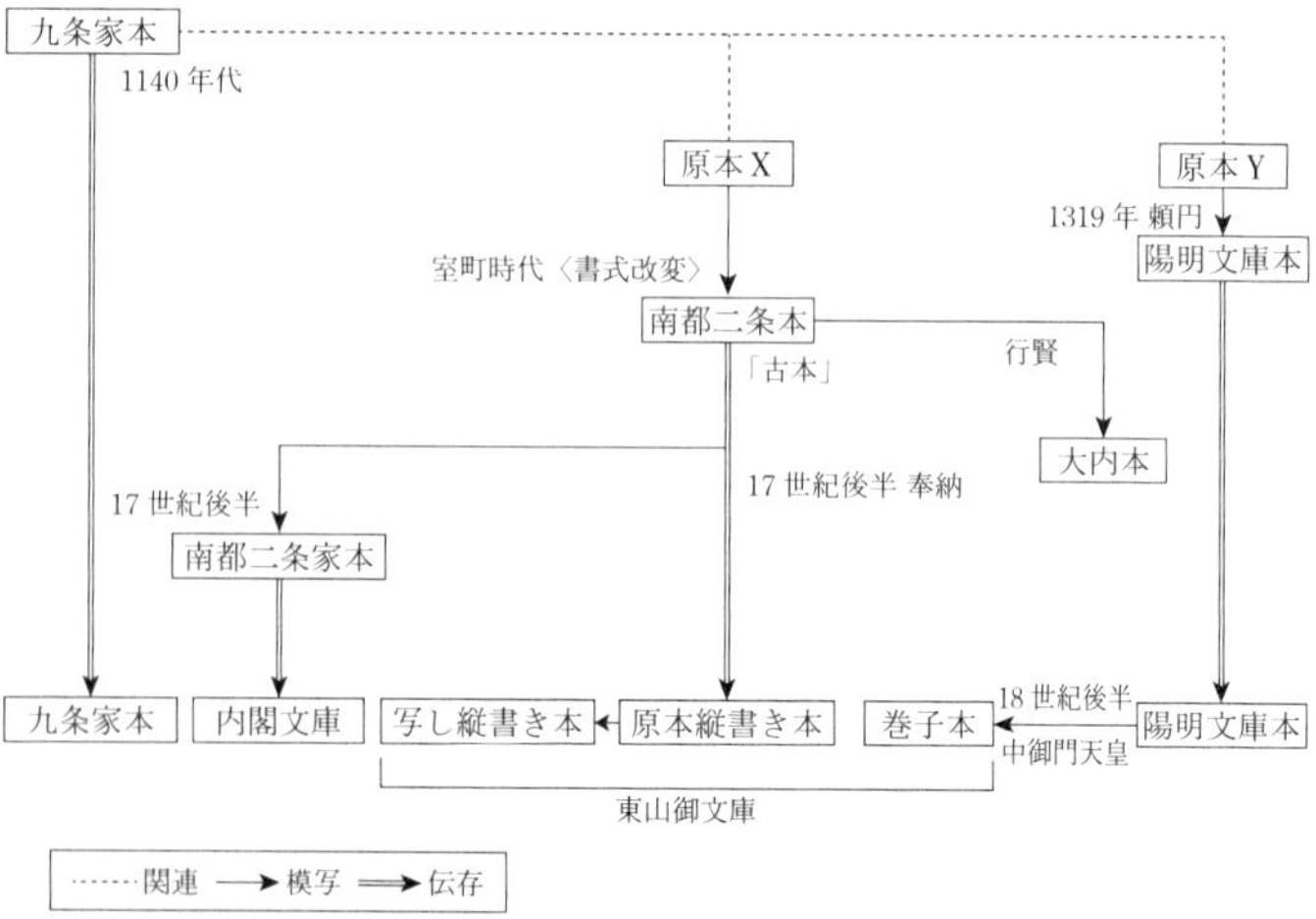

図一―8　宮城図の系譜私案。著者作製

点ないし課題が残ることになります。村井・瀧浪は、「大内図」が興福寺一条院院主側近の行賢の手になったものであるとしか指摘していませんが、東山御文庫本の原本縦書き本がそれを指す「古本」であるとの福山の推定からすれば、それが「大内本」そのものであったことになるという点です。

仮にそうであるとすれば、さらに次のような疑問が生じます。つまり、「大内本」が行賢によって最初に縦書き様式に変更されたとして矛盾がないのか、その写しが陽明文庫本と別に東山御文庫にあったとして矛盾がないのか、といった検討が必要となってきます。そのうえで、先に確認した三系統の宮城図の記載内容の異同についても、その理由を改めて検討する必要があることになろうと思われます。そのためには宮城図そのもの以外の関連史料の検討も必要でしょうが、本書の目的からは少し離れることになります。

ここではひとまず、宮城図や各種の官衙図が、系譜や内容に多少の違いがあったとしても九条家本『延喜式』左・右京図と同様に、いずれも平安京完成時の整った様相を描こうとしていることを確認しておきたいと思います。

当時の貴族層、宮廷人たちにおける平安京の認識は、あくまでその典型的な方格の形状と方格パターンであったことになると思います。平安京左・右京図はこの認識を明確に表現しているとみられることは前節で述べました。ここでみてきた宮城図や各種の官衙図もまた、それと一体となった「あるべき実態」を表現し、それを転写し続けていたのだろうと思われます。

それは、現実の実態とは必ずしも同一ではなく、かつてあった状況を含む、「あるべき様相」であったとみられることを再確認しておきたいと思います。

第二章　平安京の変遷

1　認識と実態

平安京の呼称――「京都」の成立

桓武天皇は、延暦一二年（七九三）三月「葛野《かどの》」へ御幸して「新京」を巡覧し、翌年一〇月には、「葛野乃大宮地」を「平安京」と号しました（『日本紀略』）。「平安京」の都市と呼称の成立です。以前の平城京の時代においては、平城京のほかに難波京、恭仁京、紫香楽宮、保良京などがあったので状況が複雑でしたが、平安京は長く単一の都として続き、単に「京」あるいは「京中」と呼ばれるのが普通でした。

京都とは、平安京の東方、鴨川東岸（「鴨東《おうとう》」と呼ばれた）の「白川《しらかわ》」や、やはり五条付近の鴨川東岸一帯の「六波羅《ろくはら》」など、鎌倉時代頃から、市街縁辺を含めた平安京の全体を意味する場合が多かったことがよく知られています。

平安京の左京・右京は『延喜式』に記された正式名で、京職が左・右からなっていたこともすでに述べました。『拾芥抄』が記すように左京は「東京」、右京は「西京」とも呼ばれることがあり、左京が東に位置するので、それを唐の東の都であった洛陽に擬して「洛陽」、右京を唐の西の都であった長安に擬して「長安」と称することもありました。その一方で、貴族・宮廷人の認識は、あくまで、「本来のあるべき平安京」という理念的なものであったことは、前章でみてきました。

平安時代後期（一一・一二世紀頃）には右京が衰微し、左京が都市の中心となったことから、京と洛陽が同義語化して、「洛中《らくちゅう》」とも呼ばれることが多くなりました。「洛中」に対し、郊外は「辺土《へんど》」あるいは「洛外《らくがい》」と呼ばれました。この頃には京中の北部を「上辺《かみわたり》」、南部を「下辺《しもわたり》」とする表現が出始め、それぞれがやがて、「上京《かみぎょう》」、「下京《しもぎょう》」と呼ばれるようになりました。とりわけ応仁の乱（応仁元年（一四六七）～文明九年（一四七七））による戦火は、市街の構造を大きく変えたとされています。図二―1のように、この頃の市街はかつての左京に偏在しただけでなく、上京と下京に分離した状況を示したとされています。

一方、鎌倉時代には「京都」という表現が頻繁に使用されるようになりました。鎌倉幕府の公式記録である『吾妻鏡』には初期の五〇年ほどの間でも、「上洛、洛中」という語とともに、「京師、在京、出京、京都」といった語が出てきます。特に京都は、「京都より」、「京都へ申し」、「京都に」、「京都巨細《こさい》」などといった表現に、単に都市としての京都はもちろん、宮廷人・貴族を含めた社会ないし政治権力を意味するニュアンスさえ感じます。

その後もさらに、京・洛陽・京洛・洛中・京師・花洛などさまざまな呼称が用いられてきました。

このような呼称の変化は、漢語的表現への言い換えや通称などの場合もありますが、常に単なる呼称変化に留まるものではなく、平安京の構造そのものが変化したことを反映している場合もあります。右京が衰微した結果、洛陽に擬《なぞら》えられた左京と京中が同義語化した、ということなどはその典型的な例です。

市街の変化

京都における市街変遷についての研究はずいぶん進んでいて、古地図ではありませんが、研究成果を図示した地図も作られています。平安京—京都の呼称の変化に加え、古地図の理解に便利なように、ここで市街変遷の概要にふれておきたいと思います。

中世末の市街を考えるうえでしばしば参照されるのは、洛中洛外図と総称される屏風絵です。

とりわけ上杉家本「洛中洛外図」はその中で最も早い時期のものとして有名です。この洛中洛外図は、狩野永徳の作とする有力な見解もあり、絵画的にすぐれた作品です。冒頭の「はじめに」に述べたように、屋敷や街並みの様子を生き生きと描いていますが、絵画的なデフォルメも多いことが知られています。したがって、描かれた表現対象が何を指すのかについて、いろいろな議論がありました。

図二—1はこの上杉家本「洛中洛外図」に描かれた町通りが、模式的な平安京の街路のどこに相当するのかを推定し、それを図に示したものです。加えて、元亀三年（一五七二）頃の上

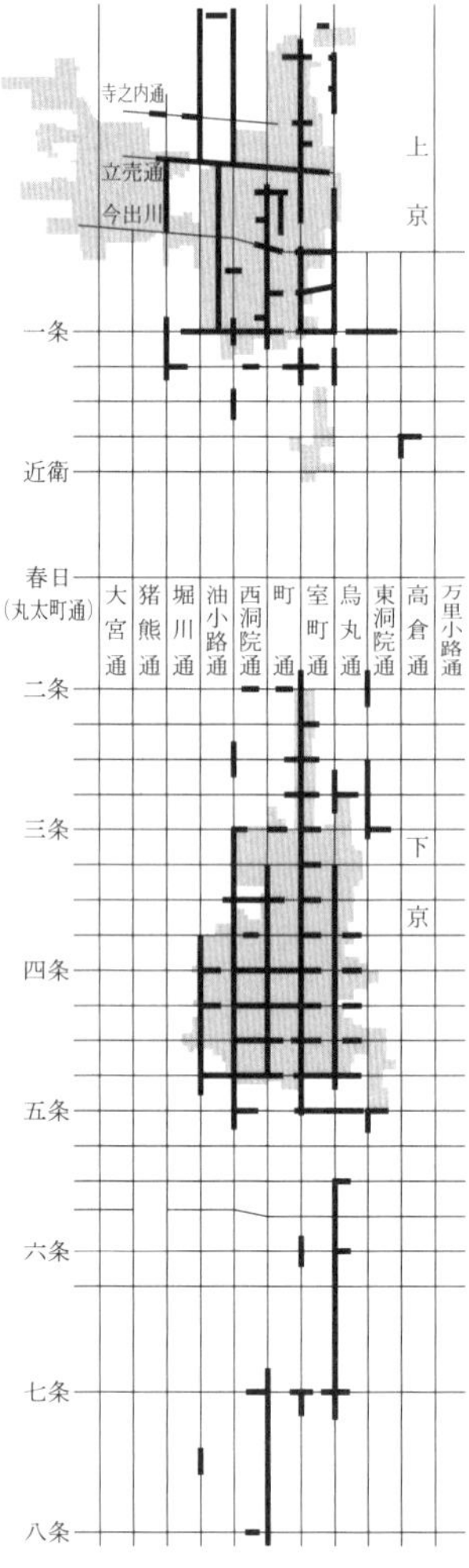

図二—1　上杉家本「洛中洛外図屏風」に描かれた町通りと元亀三年（1572）頃の上・下京の町組の範囲（網掛け部分）

京と下京の町組の範囲をも入れてあります。[*1] この地図によれば、一六世紀後半頃の京都の市街は、一条付近より北側の堀川・室町間一帯と、二条付近から五条付近にかけての油小路・東洞院《ひがしのとういん》間付近一帯の二か所に分離してそれぞれがかたまりをなし、それ以外では、市街地は散在的だったことになります。北部の市街のかたまりが「上京」、南部の市街のかたまりが「下京」でした。

これは応仁の乱の戦乱による兵火を被った後の状況で、常にこのような状況であったわけではありません。図二―1は、すでに織田信長が京都に入部していた時期の史料による推定です。史料が示す時期によって状況は相当に異なりますが、一六世紀後半にはこのような状況になっていたことを念頭に置くことが、市街の変化をたどる際には有効なように思われます。

このようなさまざまな変化に伴って、貴族や宮廷人による「本来のあるべき平安京」のイメージと現実の都市の実態との関係を明示したり、あるいはその隔たりを埋めたりすることも、平安京―京都の人々にとって、現実における大きな課題となってきました。この「人々」には、貴族や宮廷人だけでなく、武士層や商工に関わる町人も含まれます。

2　京の道、京からの道

大路の中の狭い「大道」

図二―2は、左京南端付近を描いた大永三年（一五二三）の地図「左京九条四坊一町屋地図」[*2]です。東西は東洞院大路と高倉少（小）路、南北は九条大路と信濃少（小）路（「九条家本左京図」では「信乃」）少（小）路に囲まれた区画、左京九条四坊一町の一帯です。町内にいくつかの屋敷地があり、二つの墨点で門を示し、「門」あるいは「釘貫《くぎぬき》」と書き込んでいます。南を九条大路に面して釘貫を有した「石井摂津守敷地」は、北に「門」を開き、その敷地を経て信濃小路にも面していたもののようです。石井摂津守が大永元年（一五二一）、九条家によって罪を問われて殺された後、その跡目に関わって作製された地図と考えられているものです。

興味深いのは、東洞院から九条大路にかけて本来の大路の範囲内に細い道が描かれ、それに「大道」と記入されていることです。この道は、本来の東洞院を外れ、九条大路の範囲に入ってから分岐し、一本は南へ、一本は東へ向かっています。驚くべきは、その九条大路側に屋敷の門と同じ表現があって、「木戸」と記入されていることです。九条大路や東洞院大路は本来道であるのに、その中に細い道があって、しかもその細い道に木戸が設置されていたのです。

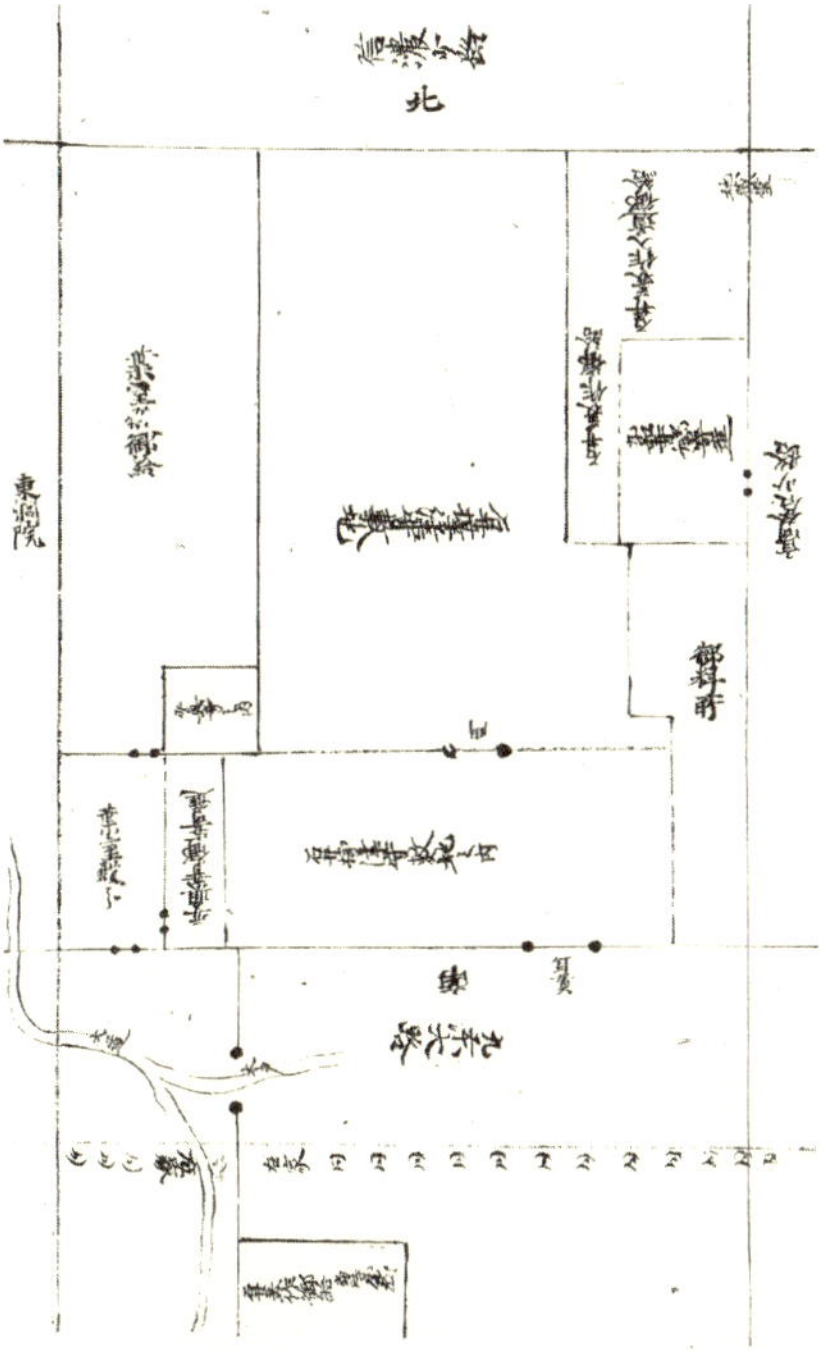

図二―2　「左京九条四坊一町屋地図」大永三年（1523）。宮内庁書陵部所蔵

ここでの門、釘貫、木戸の違いはにわかには分かりませんが、一般的には門に比べて釘貫、木戸は簡便なものでしょう。この道の途中の木戸とは、後世の用例からみても、明らかに関のような交通管理の施設だと思われます。

なお、九条大路の南の外側には「在家《ざいけ》」が並んでいるように表現されています。在家とは、仏教用語では、出家していない俗界の人々をさします。荘園では、課税対象となる、税負担の単位となる農家をさしました。家・屋敷と農地を有した、どちらかと言えば有力な農民でした。
市街地での在家の具体的様相は分かりませんが、この「左京九条四坊一町屋地図」に記入された「在家」を、ここでは一般の住人と考えておいても実態とは大きく離れないと思われます。したがって、九条大路の南の表現は、京域の外に住んでいた人々の存在を示しているとみられます。また、東洞院から南へ向かう道が、やや東側へ曲がっているのは、京内の条坊プランの大路と、京外の条里プランの方格に乗った道との接合のためです。このルートは、後の竹田街道に踏襲されています。[*3]
中世の道路には、古代の官道のような、整然とした、また直線状の道路を建設するような意図や努力は必ずしも働いていなかったようです。この「左京九条四坊一町屋地図」に表現されているように、本来幅一二丈（約三六メートル）の広い九条大路が、そのまま大路の道路敷として認識されてはいても、京中においてさえ、実際に使用されているのはその中の狭くて細い、しかも湾曲した道でした。
このような状況は他の史料からも知ることができます。いわゆる軍記ものが描く中世の武者の世において、道を行き来したなかで目立ったのは、何と言っても騎馬を中心とした大小の集団でした。南北朝の内乱を描いた『太平記』は、山崎攻めの一節を次のように描写しています。

四月二十七日には八幡・山崎の合戦と、兼ねてより定められければ、名越尾張の守、大手《おおて》の大将として七千六百余騎、鳥羽の作道より向かはる。足利治部大輔高氏は、搦手《からめて》の大将として五千余騎、西岡よりぞ向かはれける。（『日本古典文学大系　太平記』（岩波書店）による。以下同じ）

騎馬の大軍が、鳥羽の「作道《つくりみち》」をはじめ、京郊の諸道を所せましと駆けていたことが知られます。平安末の源平の合戦にしろ、『太平記』が語る鎌倉末にしろ、行軍や合戦は騎馬を中心とした集団を基礎に展開していました。

京の朱雀大路から南へ直進する鳥羽の作道は、現在の城南宮近くで、南西方向へと直進する「久我《こが》畷《なわて》」に接続していました。平安時代に新設された山陽道です。この鳥羽の作道が一三世紀初期の坪付帳では、すでに条里の各坪の一～二段ないし五段の面積、つまり幅一〇～二五メートルのさまざまな道路敷と記録されています。つまり道路敷が隣接の耕地に取り込まれた結果、すでに場所によってさまざまな道幅であったことが知られます。本来は整然とした直線道が、周囲の水田に蚕食されて狭くなっているところが多かったと推定されるのです。この作道から続く久我畷もまた、同じような状況になっていたものでしょう。

大手の大将名越尾張守の大軍は、この道を山崎へ向かったわけです。搦手の大将足利高氏

（尊氏）軍に先を越されまいとして、軍を鼓舞した情景が描かれています。その折の情景を次のように記しているところが興味深いところです。

さしも深き久我畷の、馬の足もたたぬ泥土の中へ馬を打入れ、我先にとぞ進みける。

山陽道のような大道が「馬の足もたたぬ泥土」であるというのです。作道はもともと幅八丈（二四メートル）程度の立派な道であり、久我畷もまた、その半分程度はあったはずです。これに先立つ三月一五日にも『太平記』に、

久我畷は、路細く深田なれば、馬の懸引も自在なるまじとて

と、官軍が久我畷を避けたことを記しています。現在も久我畷は狭い直線道として遺構を伝えていますが、その原型はすでにこの頃に出現していたものでしょう。

この頃の道は久我畷に限らず、本来の道路敷の一部が耕されて田畑になったり、整備が悪くて一部しか通れない状況だったりしたことが、ほかの地図からも知られます。先に掲げた九条大路と東洞院大路の例のみならず、東寺近くの左京九条一坊八町の周囲にあたる、八条大路、

壬生《みぶ》大路、針小路などについても、後に掲げる図二―7のように、同じように細い湾曲した道が描かれています。[*4]

大正時代に作製された大縮尺（三〇〇〇分の一）の地図によって確認できる京都の街路は、左京部分では旧大路であれ、旧小路であれ、一〇～二〇メートルほどの同じような道幅となっています。左京部分では街路が概して継続的に使用され続けてきたことが推定されるのですが、そこでは実用的な道幅として継続したものと思われます。これに対して平安時代にすでに耕地化した右京部分では、断続的ですが大路・小路の本来の道幅を反映した地割形態を残しています。[*5]

このような後世の状況からすれば、平安京―京都の市街でも遅くとも一四世紀には、街路は都市計画の原型を離れて実質的に変化し始めていたと考えられることになります。これに伴って貴族・宮廷人もまた、彼らの認識のなかの平安京と、変化しつつある現実とのギャップを埋める努力が必要になったと思われます。

不審の子細――認識と実態のはざま

永正一六年（一五一九）の年紀を持つ「山城国東九条領条里図」は図二―3のような地図です。平安京南辺付近における、北は「唐橋」小路から、南は「信乃少路、九条」一帯を描き、さらに京南における、紀伊郡の「大副里、三木里」付近を描いています。東は「富少路」の東の町

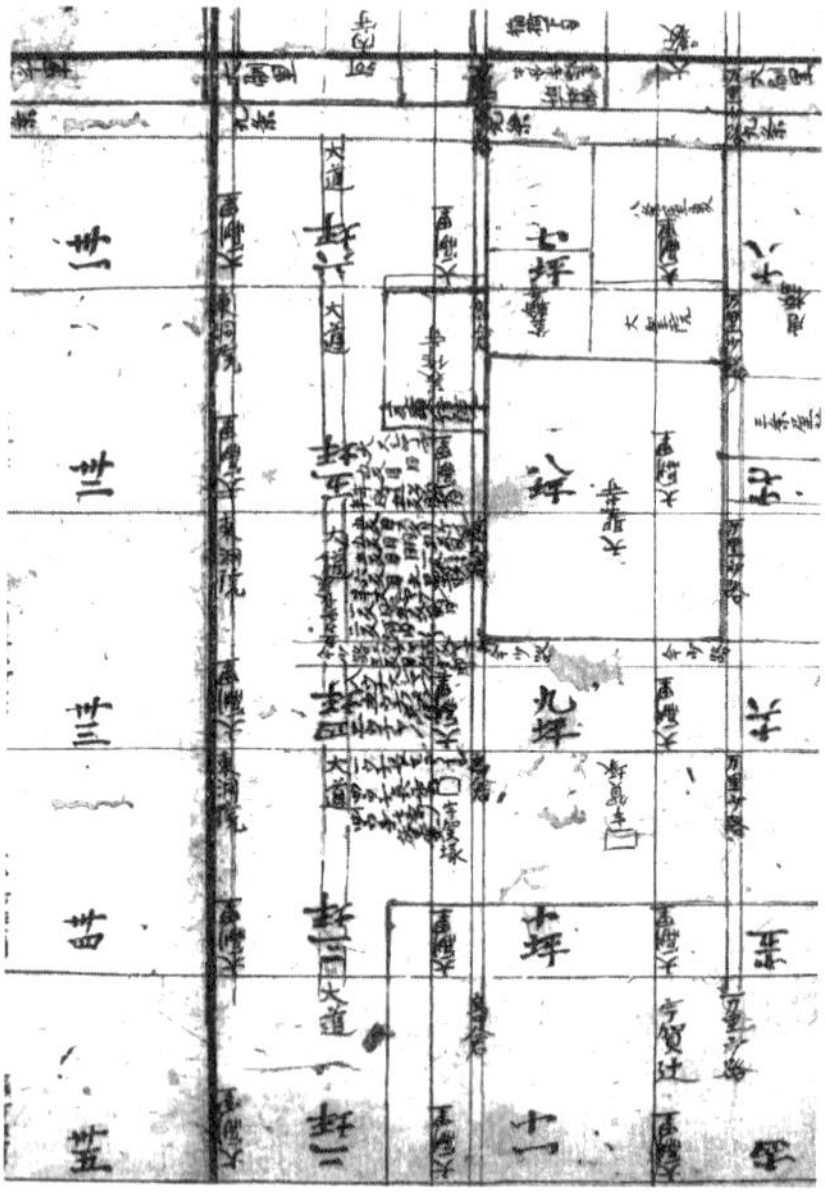

図二―3　「山城国東九条領条里図」（部分）永正一六年（1519）。宮内庁書陵部所蔵

から、「万里《までの》少路《こうじ》、高倉少路、東洞院」を経て、東洞院大路の西側の町までの範囲です。これについてはこの図の裏に説明があるので、地図作製の意図が判明します。興味深いので、その説明をまず再掲してみます。

上《かみ》唐橋、下《しも》三木里の一の坪まで、東洞院の通りを限りて十四丁の分、不審の子細あるに依りて、検知せしめんと欲するの処に、里坪の境め無案内の間、使者の廃忘に備えんが為、本来の図の内を省略せしめ了《おわんぬ》。

すなわち、領地に不審のところがあるので確認しようとしたところ、条里の境界がよく分からないので、備忘のためにこの地図を作ったというのです。確かに、平安京の条坊プランと周辺の農地部分の条里プランの関係を示し、坪並みの番号（農地の一町方格の中央下部の数字）を標記して、屋敷や寺社などの位置を記入しています。京内の左京九条四坊三町に相当する部分と、条里プランの大副里三・四・五坪付近には、所有状況を詳しく記入しています。おそらくそれが制作者の主要な関心対象であったものと思われます。

この図では、大副里の北側の坪列の半分ほどが京域の条坊プランに削られている位置関係も、ほぼ正確に表現されています。ところが特徴的なのは、富少（小）路、万里少（小）路、高倉少（小）路、東洞院などの平安京の街路を、そのまままっすぐに京外の条里プランの部分へと、大副里の南部あるいは三木里の北部に至るまで延長して描いていることです。

確かに富小路の延長は、実際に大副里の坪の境界線とほぼ合致しますが、それ以外は図二―4のように食い違う位置です。[*6]したがって「山城国東九条領条里図」の理解では、左京九条四坊三町の部分については説明が可能であっても、大副里三・四・五坪付近については必ずしも

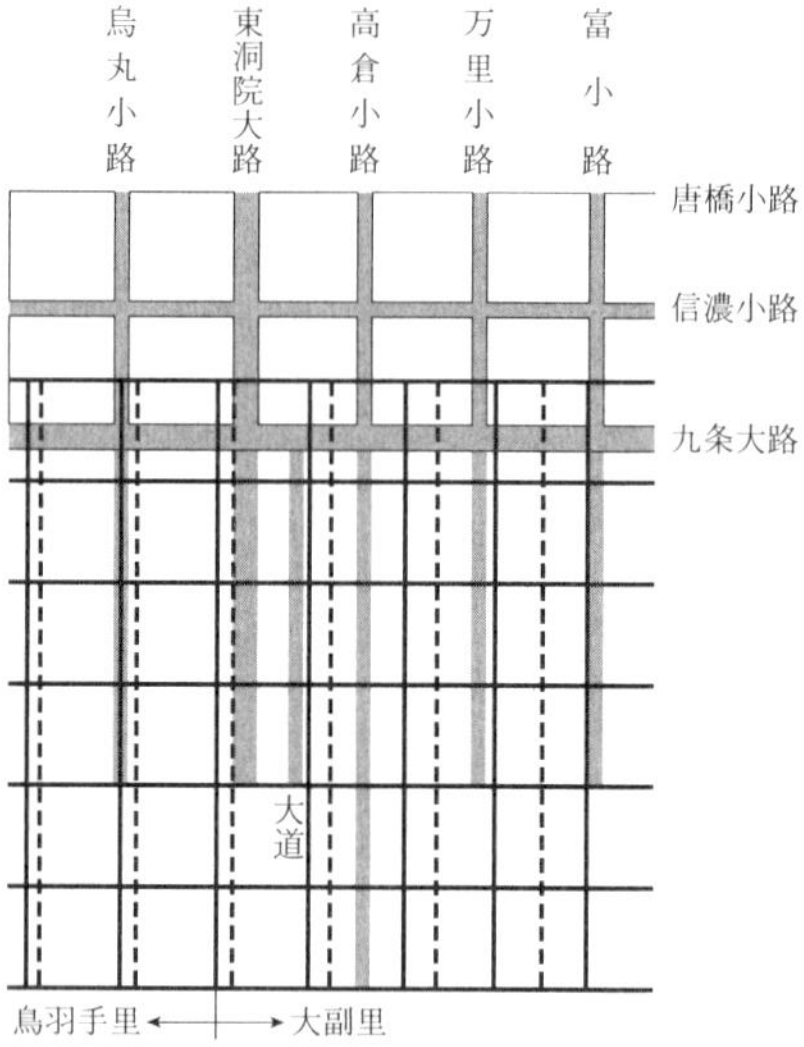

図二—4　平安京南辺の条坊プランと大副里付近の条里プラン（実線）、点線は「山城国東九条領条里図」の表現の位置。著者作製

実態認識の問題解決には至りません。

一方で、東洞院の延長と高倉少路の延長の間における大副里内に、別途に広い幅の南北道を描き、五か所にわたって「大道」と記入しています（図二—3参照）。実際には図二—4のように東洞院とは位置がずれていますので、東洞院からは湾曲しないとこの「大道」に続くことはできません。この「山城国東九条領条里図」では別々の道として表現しているのです。現実に存在する連続した道としての理解には至っていなかったとみられます。

以上、裏書の説明のように、「不審の子細」が生じたことは当然でしょうが、変化しつつある京都南郊の現状把握と本来の平安京の認識とのギャップが、十分には埋め切れていなかった例の一つとみられます。

この地図は九条家（「山城国東九条領条里図」裏書の花押はおそらく九条尚経《ひさつね》）のものとみられますが、平安京の貴族・宮廷人の流れを強く引く人々にとって、一六世紀に至っても、「本来の平安京」の観念的理解が重要であり、一方で平安京とすぐ縁辺との関係を理解することさえもきわめて難しかったようです。

図二―5は「九条御領辺図」[*7]と名づけられた、一六世紀前半頃の地図です。「後慈眼院殿（九条尚経）御筆」とこの図に記されている尚経が、永正一六年（一五一九）に「山城国東九条領条里図」を描いたと考えられることはすでに述べました。この尚経は享禄三年（一五三〇）に没したと考えられているので、この「九条御領辺図」を描いたのは一六世紀前半頃と考えられるからです。

この図には、平安京の南部付近が描かれています。北は平安京の「樋口」小路から「九条」大路までが描かれ、東西は、東・西「京極」間のすべてが描かれています。平安京の大路名、小路名はわずかな用字の違いを除けば、すべて九条家本『延喜式』左・右京図と同様です。九条大路は西京極まで貫通していたように表現されていることも同様です。

この「九条御領辺図」では、平安京の周囲の郡境を記しているのも特徴です。図二―6（下）に、同図の表現（下）と復原した実際の状況（上）を対比しました。朱雀大路の位置が東の愛宕郡と西の葛野郡の境界として、また「大副里」などの北辺の位置が、東では愛宕郡と紀伊郡

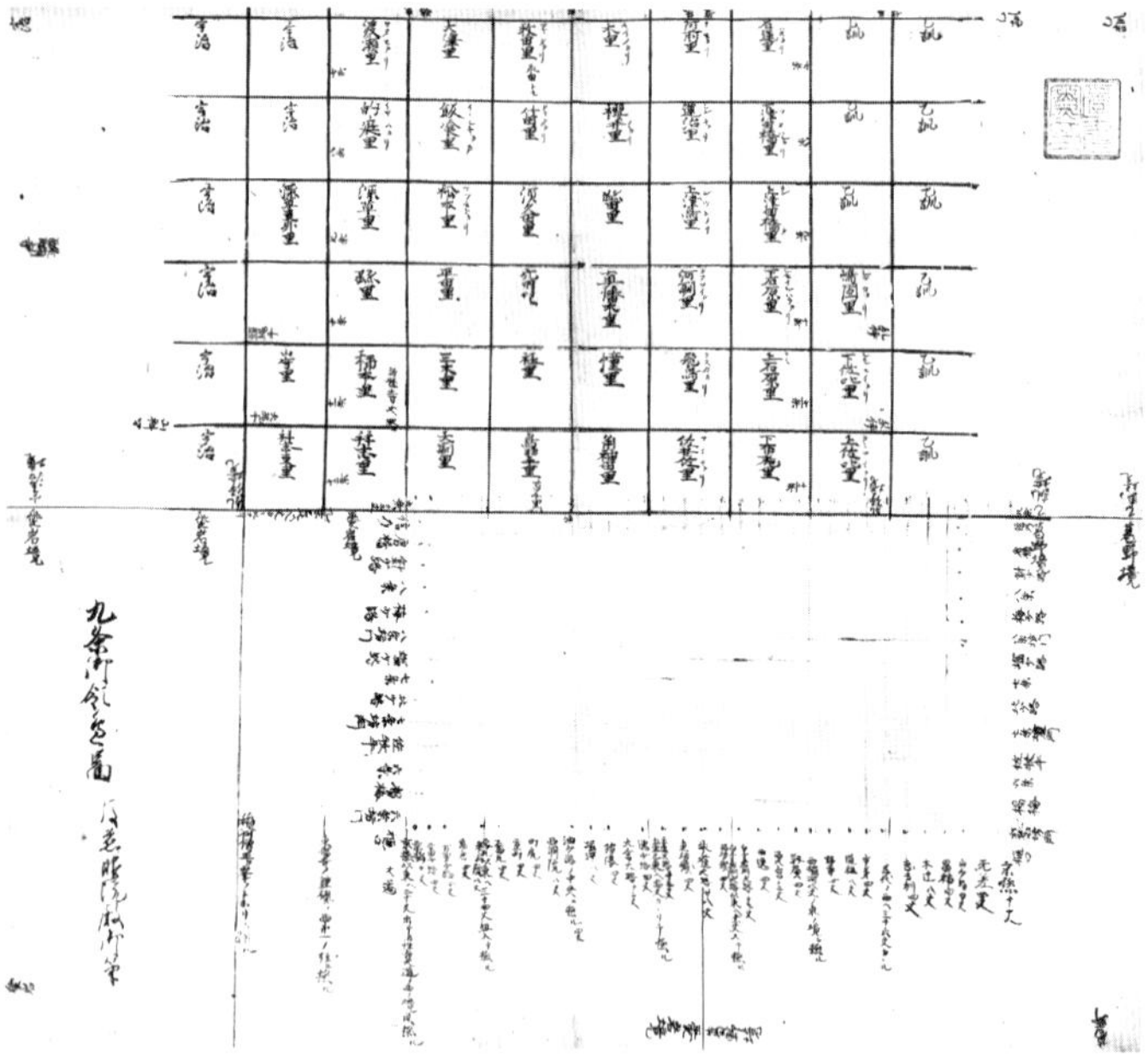

図二―5 「九条御領辺図」と紀伊郡条里プラン。東京大学史料編纂所編『日本荘園絵図聚影 二 近畿一』「京都九条領辺図」東京大学出版会、1992年、所収

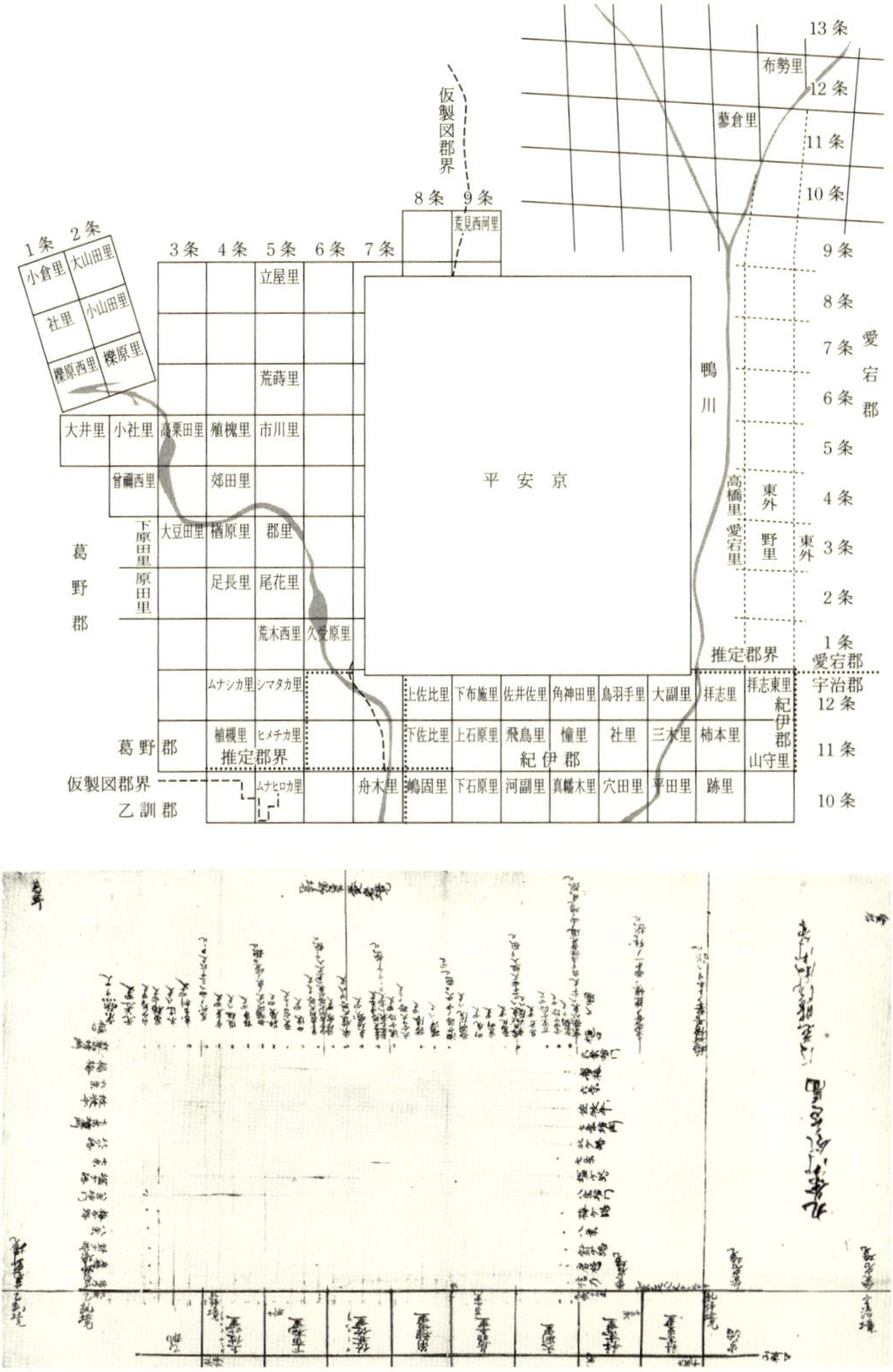

図二―6　平安京と周辺四郡の条里プラン（上）と「九条御領辺図」（上図と合わせ、上を北とする）の郡界表現（下）。東京大学史料編纂所編『日本荘園絵図聚影　二　近畿一』東京大学出版会、1992年、所収

の境界として、西では葛野郡と乙訓《おとくに》郡の境界として表現されています。実態としても、愛宕郡と紀伊郡の境界は九条大路より少し北側の紀伊郡大副里の北側付近にあたりますが、実際の葛野郡と乙訓郡の境界はこの表現とは大きく異なり、九条大路より二里分ほど南側の葛野郡「ヒメチカ里」と乙訓郡「ムナヒロカ里」の境界線と考えられます。*8

この説明も地図にしたほうが分かりやすいので、図二―6に掲げます。愛宕郡と葛野郡の郡境には不明の点が多いのですが、朱雀大路の線であったとする説はありません。「九条御領辺図」の表現は、あくまで平安京からみたおおよその位置ないし、その状況の認識だったとみられます。

紀伊郡の条里プランについては、「九条御領辺図」に非常に詳しく表現しています。図中に、「九条巳北へ八丈カ、ルナリ」と平安京条坊に削られた（平安京条坊と重なった）里の位置を説明しています。しかし、里の境界線と条坊との関係の表現は正確ではありません。特に西のほう（右京の側）に行くほどずれが著しくなっています。*9すでに述べたように、右京の西南では、平安京条坊自体が建設されなかった部分があり、実態そのものが不明確であった部分も多かったと思われます。これに加え、西側では農地に施された条里プランの区画も不明確になっていたことも関係していたかもしれません。

しかしいずれにしろ、この地図に表された宮廷人・貴族の平安京認識において、実態ないし現実の変化、特に平安京の条坊プランと、京外における条里プランとの関係の認識は、きわめて不十分であったと思われます。

3　洛中の町と洛外の町

東寺の寺辺

先に大路中の細い「大道」を表現した例として掲げた図二―2は、九条東洞院北東付近ですから、左京南辺の東側の一帯です。ここに、「門、釘貫《くぎぬき》」を備えた石井摂津守の旧屋敷があり、これに向かい合った九条大路の南側に「在家」が並んでいたらしいことはすでに述べました。しかし図二―2をみると石井の屋敷以外にも門・釘貫様の表現があり、ほかにも屋敷があり、さらに「地蔵堂」などもあったことが知られます。つまり、この付近には市街が形成されていたとみられます。

ほかにも市街の細部を表現した古地図があります。図二―7は、地図中に記されているように、寛正五年（一四六四）に描かれたものです。「山城国東寺寺辺水田幷屋敷指図」と名付けられたこの古地図が示すのは、北（左）は「八条」と南（右）の「針小路」の間、東西は「壬生」

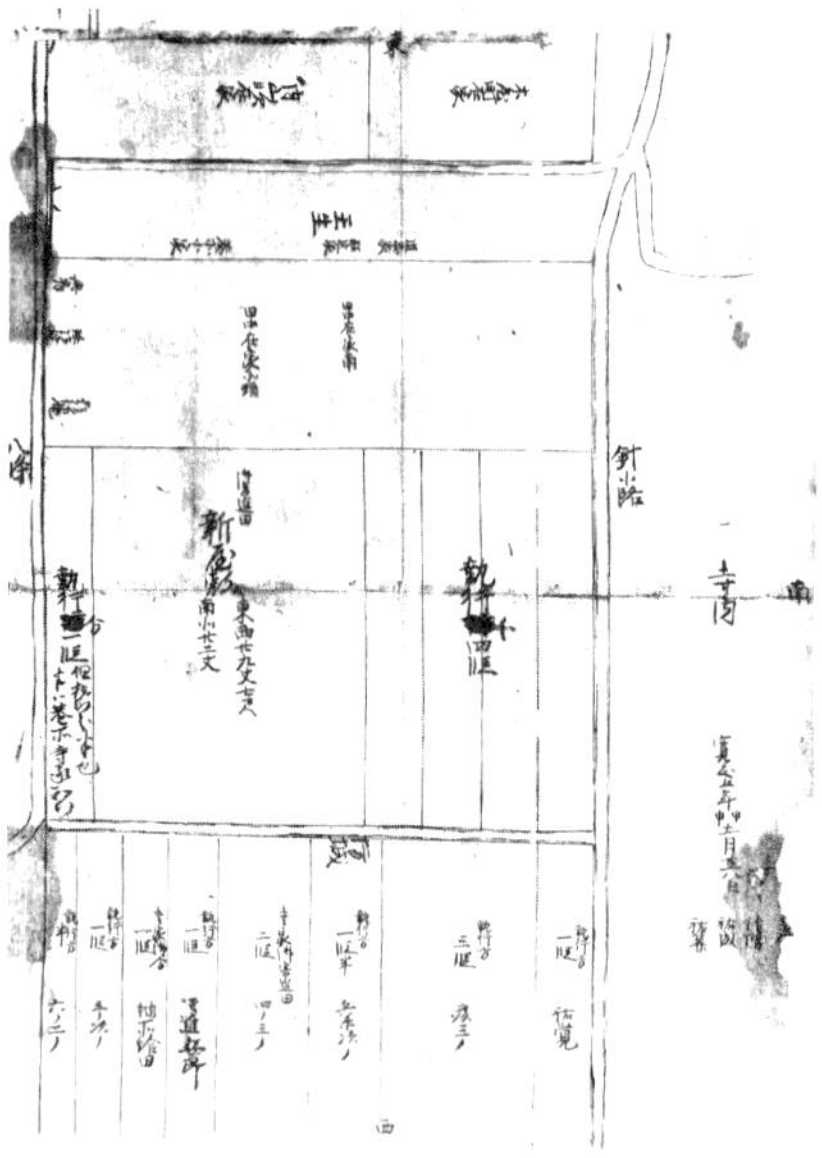

図二―７　「山城国東寺寺辺水田幷屋敷指図」寛正五年（1464）。京都大学総合博物館所蔵

（上）大路付近と「坊城」（下）小路付近の間です。針小路の南に「寺内」と記されているように、東寺境内のすぐ北に接しているようですが、本来の東寺敷地からみればその北西、平安京左京九条一坊八町にあたる部分ですので、本来同坊の一一・一二・一三・一四町を占めた東寺の「寺内」が拡大していた可能性があります。

さて、同図の「坊城」より西（下）側には、「執行方《しゆぎようかた》」の田と「寺家御寄進田」が一段〜三段の地筆として並んで描かれ、「坊城」の東にも八条沿いに「執行分」の一段と、南の針小路沿いに四筆四段が描かれています。

　この図にも細い道が描かれていることは、すでに述べた状況と同様です。この八条と針小路の間には、「新屋敷、田中在家」などが記され、さらに東の「壬生」大路沿いには、その西側に「道忠家《みちただのいえ》」など三か所の家が、東側には「木屋町在家」などの区画に在家が記されています。「壬生」と書かれた南北に通じた地筆は、本来一〇丈の幅であった壬生大路ですので、この地図が描く実際の道はその東端の狭い部分になっており、本来の道路敷の大半が三か所の「家」となっていたことを示していると思われます。本来の大路・小路などを占拠してできた、「巷《こう》所《しょ》」と呼ばれるところです。

　東寺の近くには、左京内でありながら、このような巷所や新屋敷・在家・田地などが混在した町が、でき始めていたとみられます。「執行」という用語が示すように、東寺との関わりの中での現象とみられますから、本来の平安京の邸第や一般の宅地とも違います。東寺の「寺辺の町」と、とりあえずは呼んでおきたいと思います。

　中世には大寺付近に、このような寺辺の町がいくつもできたと考えられています。嵯峨・嵐山付近がその典型的な例です。何種類かの古地図がこの付近を描き、やがてそこに展開した寺辺の町の状況を示しています。では、古いほうの古地図からたどってみたいと思います。

嵯峨・嵐山の町――平安・鎌倉初期

嵯峨・嵐山付近については、古い時期のものとしては、「山城国葛野郡班田図[*10]」と呼ばれる地図が伝わっています。この班田図がもともと作成されたのは天長五年（八二八）と考えられていますが、一〇世紀中頃までの事象の記載が加えられていると考えられています。葛野郡一条小倉里、社里、櫟原西里、大井里、および同郡二条大山田里、小山田里、櫟原里、小社里、曾禰西里の計九里分の班田図が基本です。筆者はすでにその現地比定や土地利用の分析をしたことがありますから[*11]、まずそれに従って概観します。

天長五年の班田図に表現された主たる土地利用は、基本的に田、畠、山、野でした。しかしそれに加えて、一条小倉里から一条社里にかけて「棲霞寺《せいかじ》」、一条社里に「檀林寺」が標記されています。それらに関連して、「棲霞寺路、檀林寺路」が描かれています。また、宇智（有智子）内親王墓も標記されています。棲霞寺は源　融《みなもとのとおる》（八二二〜八九五）の棲霞観の地に建立されたものであり、檀林寺は嵯峨天皇の皇后であった橘嘉智子によって建立され、承和三年（八三六）頃に完成したものでした。また有智子内親王は嵯峨天皇の第九皇女で、承和一四年（八四七）に亡くなっていました。棲霞寺は現在の清凉寺の一堂であり、以上のほかに、大覚寺の地が嵯峨天皇の離宮の嵯峨院でもあったことを補記しておきます。つまり、これらが、九世紀から一〇世紀初めにかけての、現在の嵐山渡月橋付近から大覚寺付近一帯での主要な建造物であったことになります。

これより時期は相当下がりますが、建永二年（一二〇七）の「山城国嵯峨舎那院御領絵図」と称される古地図があり、現在のJR山陰線・嵐山トンネル東出口付近に相当する場所に、舎《しゃ》那《な》院《いん》と称する堂舎があったこと、そして周囲の田地や道、ほかの在家様の家があったことを描いています。

いずれにしてもこれらの地図によって、平安時代から鎌倉時代にかけて、嵯峨・嵐山一帯にはいくつかの寺院やその前身の邸第があったものの、基本的には農村的景観が広く展開していたことが確認されます。

嵯峨・嵐山の町――南北朝期

一三世紀中頃からこの地は大きく変化して、都市的様相を強めました。建長七年（一二五五）における、後嵯峨上皇の亀山殿造営が大きな転機でした。元徳元年（一三二九）の「山城国嵯峨亀山殿近辺屋敷地指図」は図二―8のようにこの地を描いています。同図「西」に描かれた「亀山」の麓の一番南側に「亀山殿」の大きな区画があり、「南」の文字付近には「亀山殿」の南を画する緩やかな曲線が表現されていて、名称は書いてありませんがおそらくは桂（大堰）川だと推定されます。

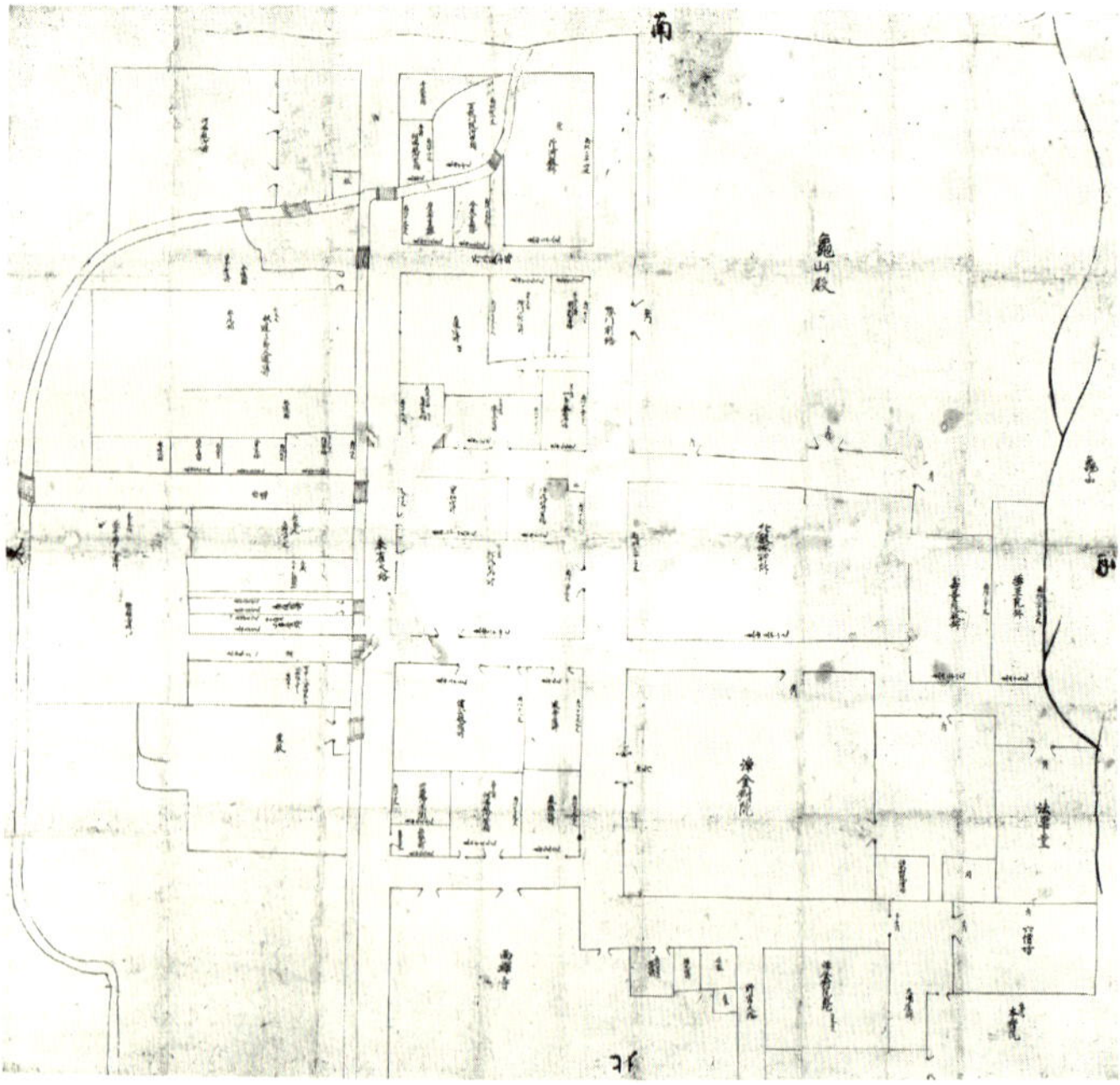

図二－８　「山城国嵯峨亀山殿近辺屋敷地指図」元徳元年（1329）。東京大学史料編纂所編『日本荘園絵図聚影　二　近畿一』東京大学出版会、1992年、所収

亀山殿東側「惣門《そうもん》」のすぐ前に南北道があり、「惣門前路」と記入されています。この道は「浄金剛院」の角で屈曲し、さらに北へ向かう「野宮大路」に続きます。惣門前路の南のほうでは、門前からは少し南にずれているようですが、これと直交する道が描かれ、「芹川殿小路」と標記されています。

さらに、惣門前路と記された道と平行する直線道が東側に描かれ「朱雀大路」と記入されていることも注目されます。朱雀大路とは、中心となる主要施設から南へ向かう大路の一般的な呼称でした。この朱雀大路は位置からすれば、北方の棲霞寺（清涼寺、釈迦堂）の南へと向かう道に相当し、現在の渡月橋―釈迦堂間の道路に相当することになります。*12 朱雀大路と三叉路をなす形で、東へは「作道」（新たに作った道の意）が伸びていたように描かれています。

西が亀山、南が桂川によって画されていることにはすでに言及しましたが、東側が湾曲する小流で画されていることにも注目しておきたいと思います。おそらくは、現在の瀬戸川に相当する流れであり、葛野郡班田図が標記するような田の灌漑に重要な役割を果たし、嵯峨天皇の嵯峨荘においても重要な用水源だったと考えられる川です。桂川に流入する直前に、朱雀大路添いの溝のような直線状の小流と合流しています。

このように山と川に画された亀山殿の町には、亀山殿の北側や東側に、いくつもの「―院跡、―殿跡」の区画が描かれています。この古地図の時点でどのような状況であったのかは不明ですが、実際に「―坊、―寺、―院、―殿、―御所」などと記入された区画も多いので、これらの邸第や堂宇が存在したことは間違いないでしょう。さらに注意したいのは、「在家、―宿所、武家人―宿所」などの記入がいくつもあることです。朱雀大路に面して「土蔵」の所在まで標記されています。在家については、東寺寺辺についての説明に関連して、すでに述べました。「山城国嵯峨亀山殿近辺屋敷地指図」に標記された「宿所」は武家に関わる施設とみられますが、屋敷が一般的に専用の住宅を示すのに比べると、短期的ないし「殿、院、御所」に関わる武士の詰所的な印象を与えます。ここには、紛れもない町が形成されていたと考えられます。

二〇年弱後の貞和三年（一三四七）作製の「山城国臨川寺領大井郷界畔絵図」（図二―9）では、「天龍寺」や「臨川寺」の敷地が描かれ、ほかにもいろいろ変化が著しいことが知られます。臨川寺は、後醍醐天皇によって建武二年（一三三五）、夢窓疎石《むそうそせき》を開山として建立された寺院です。

天龍寺のほうは、足利尊氏によってやはり夢窓疎石を開山として建立されました。康永四年（一三四五）に落慶供養が行われたといいますから、臨川寺より新しく建立された大寺院でした。「大井郷界畔絵図」作製の二年前のことです。「大井郷界畔絵図」では、前掲の図二―8にみられる亀山殿の区画の中央付近から北側一帯とそのさらに北側、その東側の「出釈迦大路」と名称を変えた旧朱雀大路に至るまで、新しい天龍寺の敷地が描かれています。

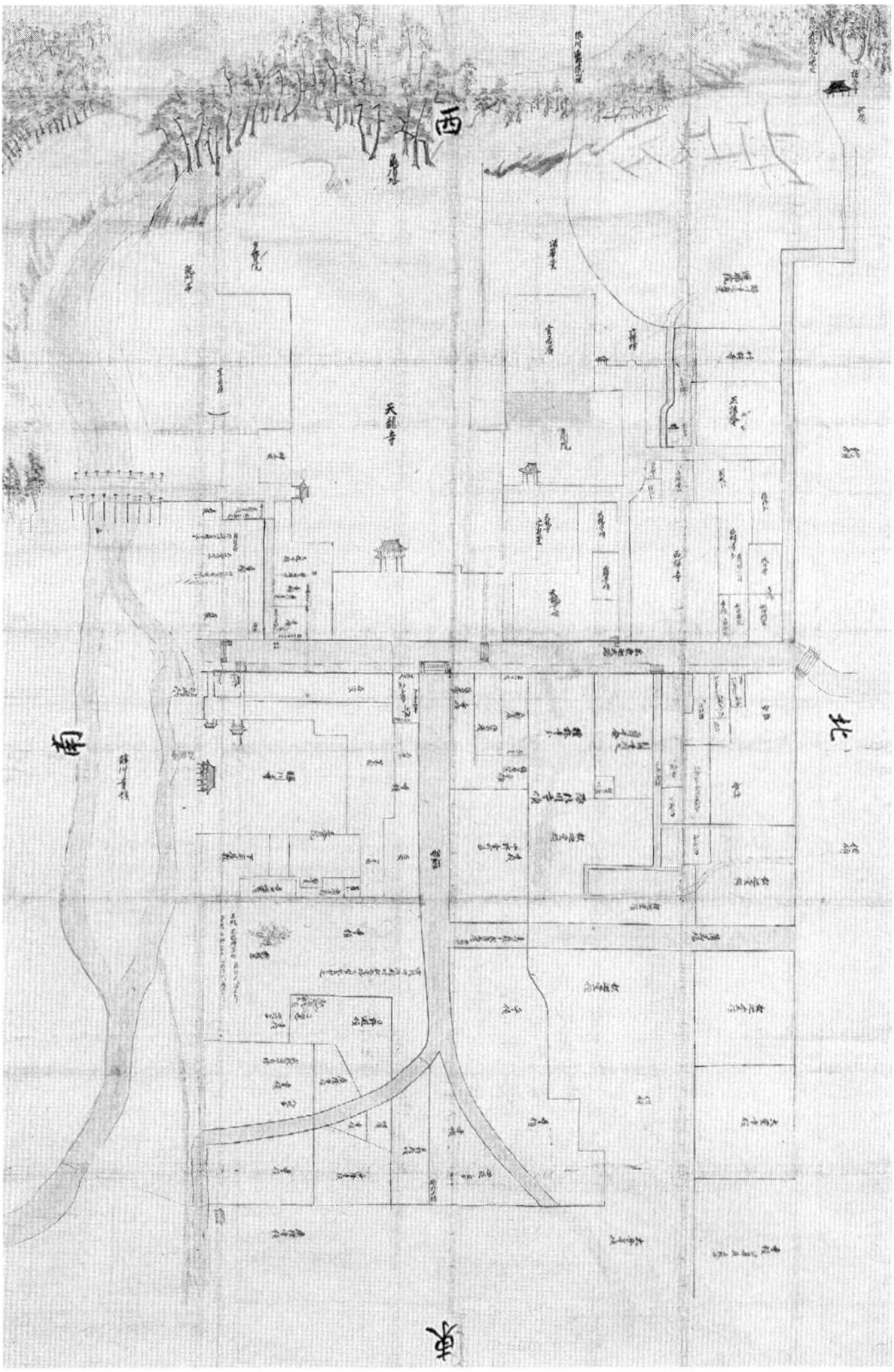

図二—9　「山城国臨川寺領大井郷界畔絵図」貞和三年（1347）。東京大学史料編纂所編『日本荘園絵図聚影　二　近畿一』東京大学出版会、1992年、所収

臨川寺の寺領の境界をやや太い線で囲っていますので、この地図は臨川寺が自領の境界を確認するための絵図だったようです。臨川寺は新しい権力者・尊氏によって、自領が脅かされることを恐れたのかもしれません。また、寺院の門には絵画的に表現されたものがありますが、臨川寺の門はとりわけ立派な形で絵画的に描かれています。さらに、「大井郷界畔絵図」からは、「―跡」という標記はなくなり、代わって「―寺分、―寺領、―領」といった標記が目立ち、領有者を明示することに目的があったとみられます。

先の「山城国嵯峨亀山殿近辺屋敷地指図」（図二―8参照）に朱雀大路と記された道の名称は図二―9にはみられませんが、図二―8に作道と記されていた道には「造路」と標記され、瀬戸川に相当すると思われる川の東側に「薄馬場《すすきのばば》」と称する道が描かれています。出釈迦大路沿いの水路と合流していた瀬戸川相当の川は別々に桂川へ流入しているように描かれています。また、桂川に欄干付きの橋が描かれていますが、旧朱雀大路・出釈迦大路より上流側の天龍寺の南門から南へ直行した位置です。

「在家、院町」が、出釈迦大路沿いや造路沿いなどに、連続した区画として表現されている点も「山城国嵯峨亀山殿近辺屋敷地指図」と少し違う点で、町が拡大ないし発展しているようにみえます。

嵯峨・嵐山の町——室町中期

さらにこの地については、八〇年ほど後の応永三三年（一四二六）に描かれた「山城国嵯峨諸寺応永鈞命《きんめい》絵図」があります。図二―10のようにこの絵図は、南は桂川の南岸から、北は「釈迦堂（清凉寺）」にまでおよび、また「大覚寺」の文字を記入し、北と東が山に囲まれた広沢池《ひろさわのいけ》まで描いていています。さらに、西は亀山の連山と山中の「三宝院」や麓の「二尊院」から、東は、広沢池から流れ出て、有栖川《ありすがわ》に合流する川まで描いていています。一般的に嵯峨と呼ばれる範囲のほぼ全域といってよいでしょう。川では、釈迦堂の北西から流下し、釈迦堂の北と東に沿って流れた後に南へ向かい、臨川寺の東を流れる小流も描かれています。

この絵図は、道を黄色で着色し、川や池を水色で示しています。山や桂川の中洲、さらに広沢池の背後の山には、松のようにみえる樹木を描いています。天龍寺の南側の門からまっすぐ南に向かう位置に橋が描かれているのは、「大井郷界畔絵図」と同様です。やはり欄干付きの立派な橋です。天龍寺、臨川寺、釈迦堂などの門も立派に表現されています。それだけでなく多くの寺院の区画にも、基本的にそれぞれ門が表現されています。

道に名称が記されているのは、「造路《つくりみち》」、「薄馬場」、「仐《かさ》厨子」、「紺屋厨子」だけですが、造路と薄馬場の位置は「大井郷界畔絵図」と同じです。厨子は辻子あるいは図子とも書き、本来は横町や、屋敷沿いの通り抜けの道を意味します。「応永鈞命絵図」の二つの厨子は、景徳寺

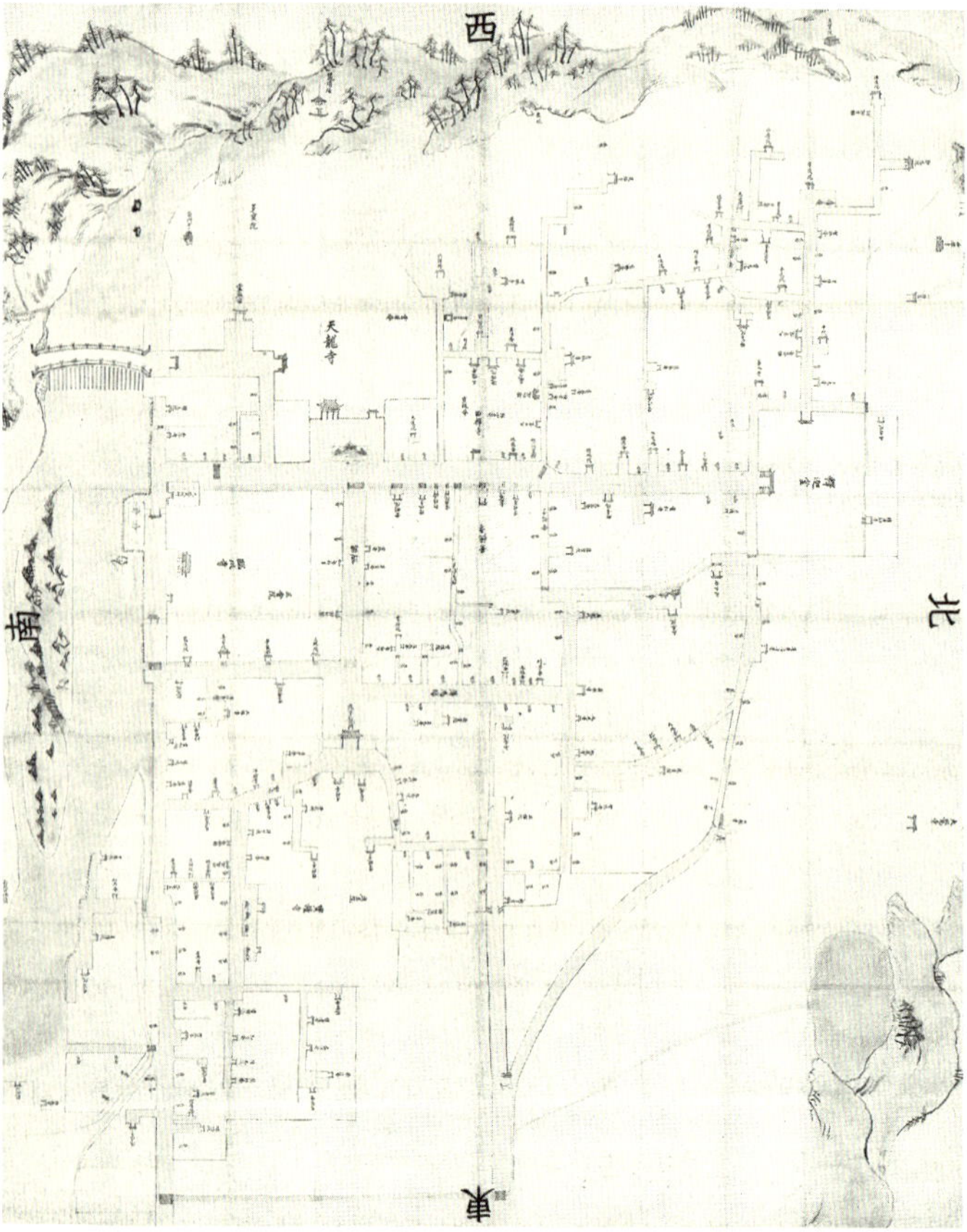

図二—10　「山城国嵯峨諸寺応永鈞命絵図」応永三三年（1426）。東京大学史料編纂所編『日本荘園絵図聚影　二　近畿一』東京大学出版会、1992年、所収

境内の東西を通じる、おそらくもともとは堺沿いの道です。

この絵図の表現で特徴的なのは、天龍寺東側の門前付近から東へ延びる造路の先に「天下龍門」の文字と門の絵が描かれていることです。門の左右には、湾曲した道が描かれ、右方に「今堀」、左方に「小溝」と注記されています。湾曲した道は「大井郷界畔絵図」にも描かれているものと同一でしょうから、道に間違いありません。しかし道と溝・堀は別のものですから、道沿いに溝や堀があったものである可能性もありますが、ここの注記については疑問が残ります。また、これほど立派な門として描かれてはいませんが、桂川の橋から天龍寺の南の門に向から道の途中、この橋の袂《たもと》付近から桂川沿いに東へ向から道にも二か所の門が描かれています。前者と造路の門はそれぞれ、天龍寺の境内の門に向から手前に、後者は臨川寺の境内の門の両側にあたる位置です。

「応永鈞命絵図」には、寺院の門をはじめ数多くの施設が描かれていることはすでに述べました。寺院名も細かに標記してあります。あまりに多いので、数を数えてみました。「―寺」と記された名称が、天龍寺、臨川寺はじめ二七か所、「―院、―庵、―堂」と記されたものが、釈迦堂はじめ一四七か所、「―宮、―神」などが四か所、といった具合です。「―寺」と「―院、―庵、―堂」などを名称だけで区別するのは本来無理なので、一括するとすれば、両者の総数は一七四か所に上ります。一七四か所もの大小の寺院の存在とは、多くの寺院が立地するかなりの規模の町を想像せねばなりません。

さらに驚くべきは「在家」の数で、一四四か所に及びます。個々の寺院は固有名詞ですから、一七四は文字どおり寺院の総数ですが、「在家」は固有名詞ではありません。しかも一語の標記が、寺院などのような大きな一区画に対応するとは言えません。おそらく、標記された付近に在家つまり一般人の家がある、という意味で記されたものと考えられます。そうだとすれば、一つの「在家」の標記の付近には多くの人が住んでいた可能性があります。「在家」の標記はすべて道路沿いです。つまり、道路に沿って商工業者が住んでいたと考えるのが妥当だと思われます。

先に、景徳寺境内沿いの厨子のことを指摘しました。その厨子の名称が、「紺屋」と「仐」でした。想像にすぎませんが、いかにも染物屋や傘屋の存在に結びつきそうな名称です。

いずれにしても嵯峨嵐山には、二〇〇近い寺社と最低一五〇軒に達する一般住人、おそらくはその何倍かの商工業者などの住人が居住した、かなりの規模の町が存在していたことになります。

洛中洛外の町――不連続の市街群

中世京都の市街は、時期にもよりますが、平安京の市街に比べて、かなり縮小した状況のようにみられることはすでに述べました。上杉家本『洛中洛外図』や元亀三年（一五七二）頃の上京と下京の町がそれぞれ、図二―1のように、東西南北とも一〇区画程度の広がりに凝縮していたらしいことも述べました。応仁の乱の兵火の被災前と以後では様子が異なることは事実でしょう。と同時に、宮廷人・貴族の認識する本来の平安京とは、すでにずいぶん異なった様相へと変化していました。

さらにつけ加えると、外部勢力であった武家の新支配者は、既存市街の縁辺に拠点を構えたとみることができそうです。室町幕府は上京の北部ですし、発掘調査によって明らかになった織田信長の建設した二条城はこの上京・下京の中間でした。豊臣秀吉の聚楽第《じゅらくだい》は、平安京の宮城の位置でしたが、信長の二条城からみれば、その西方でした。徳川家康が建設した現在の二条城もまた、信長の二条城の西方ということになります。秀吉の聚楽第と家康の二条城の位置が、相当重複していたことも知られていますが、上京・下京の中間ということは共通しています。室町幕府が上京北部であったのを除けば、いずれも上京・下京の中間ないしその西方です。これら新権力者の拠点施設の位置について検討することは本書の課題ではありませんが、概要を念頭に置いておくことは必要でしょう。

一方で、平安京の北部や鴨東の白川・六波羅に市街が形成され[*13]、さらに九条辺の東寺寺辺や東九条付近などに市街が存在したこと、嵯峨嵐山一帯における一五世紀中頃の町が相当規模に発達していたこともすでにみてきました。古地図が作製されていない町も多かったと思われますが、古地図が残されていない町については、本書ではまったく取り上げていません。

すでに紹介した中世の町では、「左京九条四坊一町屋地図」（図二―2参照）、「山城国東寺寺辺水田并屋敷指図」（図二―7参照）や「山城国嵯峨諸寺応永鈞命絵図」（図二―10参照）に標記された「在家」のように、一般の住居は基本的に街路に沿って並んでいました。

図二―7にみられるように、「八条、坊城、針小路、壬生」の大路・小路に囲まれた正方形の区画は、平安京の左京九条一坊八町に相当する区画でした。本来であれば、四行八門の三二戸主《へぬし》に区分されて宅地として給される土地です。寛正五年（一四六四）には、先に述べたようにこの区画の西側に、「執行方」の田五段の中央に「新屋敷」が造られました。この区画の東側にも田がありました。その中に、「田中在家南」、「田中在家北頬」といった記載があり、田の南と北頬《つら》つまり北辺に在家があった、と読み取れます。

このように、大きめの屋敷は別として、住居は町の区画周囲の道路沿いに造られるようになっていたと考えられます。このような道路沿いに並ぶ家々とその背後に存在した空地は、町田家本「洛中洛外図」などにも描かれています。政府が宅地を給する律令以来の制度が崩壊した後は、このように道路沿いの宅地こそが都市の商工業者にとって重要となったものと考えられます。

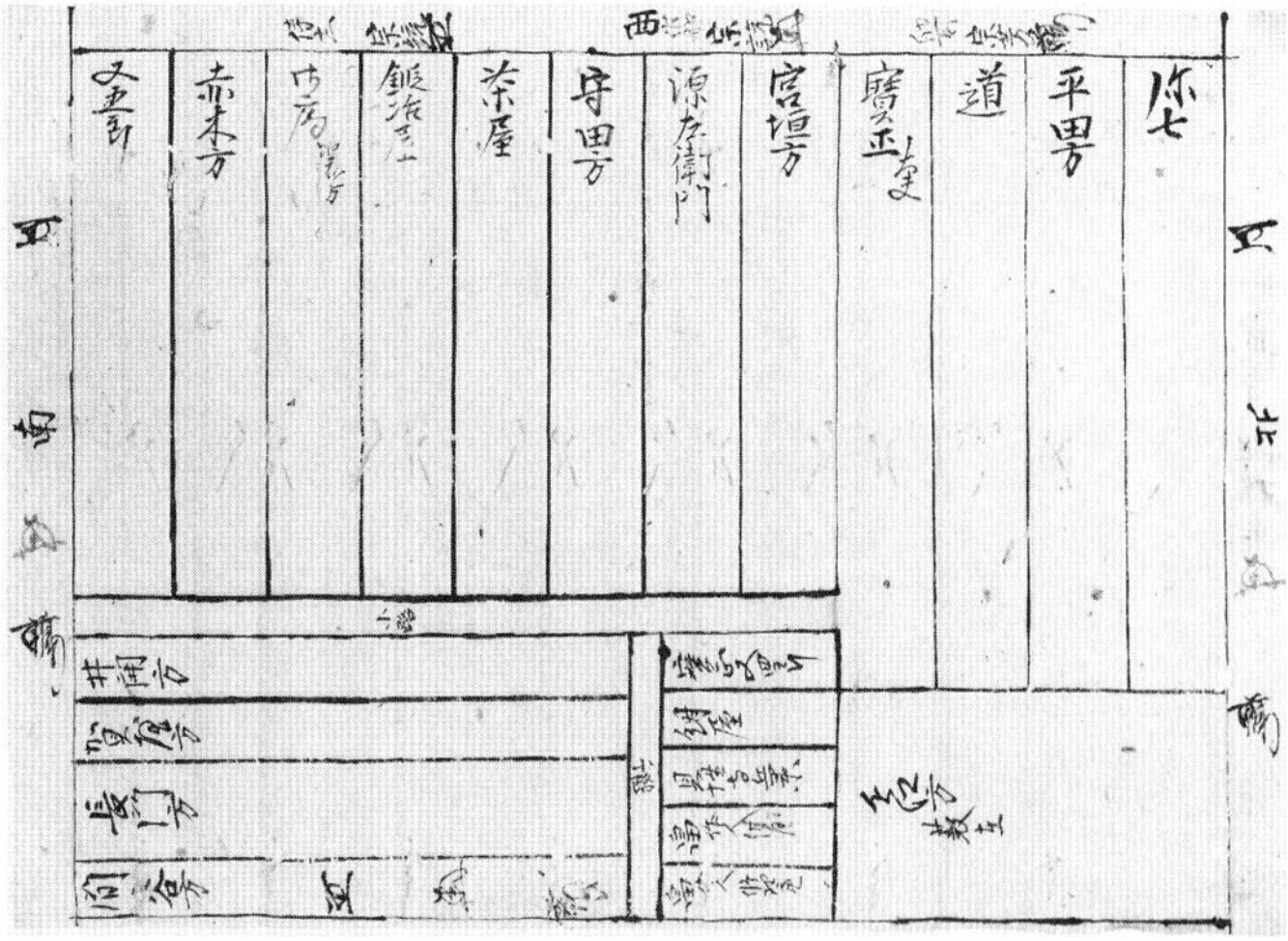

図二―11　「山城国五辻大宮妙覚寺跡屋敷地指図」文正元年（1466）。東京大学史料編纂所編『日本荘園絵図聚影　二　近畿一』東京大学出版会、1992年、所収

図二―11は、文正元年（一四六六）の「山城国五辻大宮妙覚寺跡屋敷地指図」です。平安京の一条大路より北側の旧京域外に相当しますが、大徳寺南方の大宮通（西）沿いに間口を並べた敷地と、これと交差する五辻通（南）に間口を開いた敷地、さらにその背後に「小路」を介した地筆が描かれています。小路に面した地筆には「畠作人―」と標記した耕地もありますが、大宮通沿いには「茶屋、鍛冶屋」などの標記もあって、街路沿いの町並を表現していると思われます。

京域内の烏丸三条の南でも、一六世紀後半には、六角堂に近い烏丸通に面する町で、間口が二間（約三・六メートル）前後、奥行き一〇～一二間（約一八～二一・

六メートル）の宅地が大半を占めたことも知られています。[*14] このように、住居の在り方や宅地面積からみても、洛中の市街の構造自体が大きく変化しつつあったことが知られます。

中世の京都は、このように構造までも変化した市街が成立して、それがいくつも分散して存在しており、分散した市街の集合体として存在したと考えてもよさそうです。

4　御土居と間之町――外形と街路の変化

洛中絵図――手書き実測図

宮内庁書陵部と京都大学附属図書館に、「寛永十四年　洛中絵図」あるいは「寛永後万治前洛中絵図」と称される、いずれもきわめて大型の手書きの京都図が伝わっています。いずれも本来、「畿内総大工頭」を称した中井家に伝えられた京都図です。

中井家とは、徳川家康の作事方として城郭建設などに関わった、中井大和守正清の家系です。正清は永禄八年（一五六五）大和国生まれで、慶長五年（一六〇〇）、関ヶ原の戦いの後、五畿内近江六か国の「大工大鋸支配」を命じられたとされます。「畿内総大工頭」という別称も伝えられています。

「寛永十四年　洛中絵図」は、十間四分の縮尺ですから一六二五分の一の下書き図と考えられています。「寛永後万治前　洛中絵図」は、十間四・七五分の縮尺ですから、一三六八分の一になります。これは前者を下絵図とした、清書絵図の控絵図であろうと理解されています。[*15] この「寛永後万治前　洛中絵図」には、「中井役所」という名称とともに「中井扣《ひかえ》」と記されていることが有力な根拠です。

さて図二―12は、寛永一四年（一六三七）の「洛中絵図」です。市街全体が描かれ、周囲を二重線が取り巻いているのが大きな特徴です。二重線には「土居」と標記されています。豊臣秀吉が建設した、いわゆる御土居《おどい》です。

御土居は同時代に、「洛中惣構、京之惣廻土居、京惣堀、京廻ノ堤、京中惣ほり、洛下四方新堤」などと表現されていたことが知られています。[*16] このうちの惣構《そうがまえ》とは、城郭と城下の周囲を取り囲んだ施設のことです。要するに、京都を城下町のように改造したことになります。

近衛《このえ》信伊《のぶただ》は、天正二〇年（一五九二）頃に次のように記録しています（『古今聴観』、これは後に『三藐院記《さんみゃくいんき》』として知られます）。

天正十九年壬正月ヨリ、洛外ニホリヲホラセラル、竹ヲウヘラルル事モ一時也、二月ニ過半成就ナリ、十ノ口アルト也、

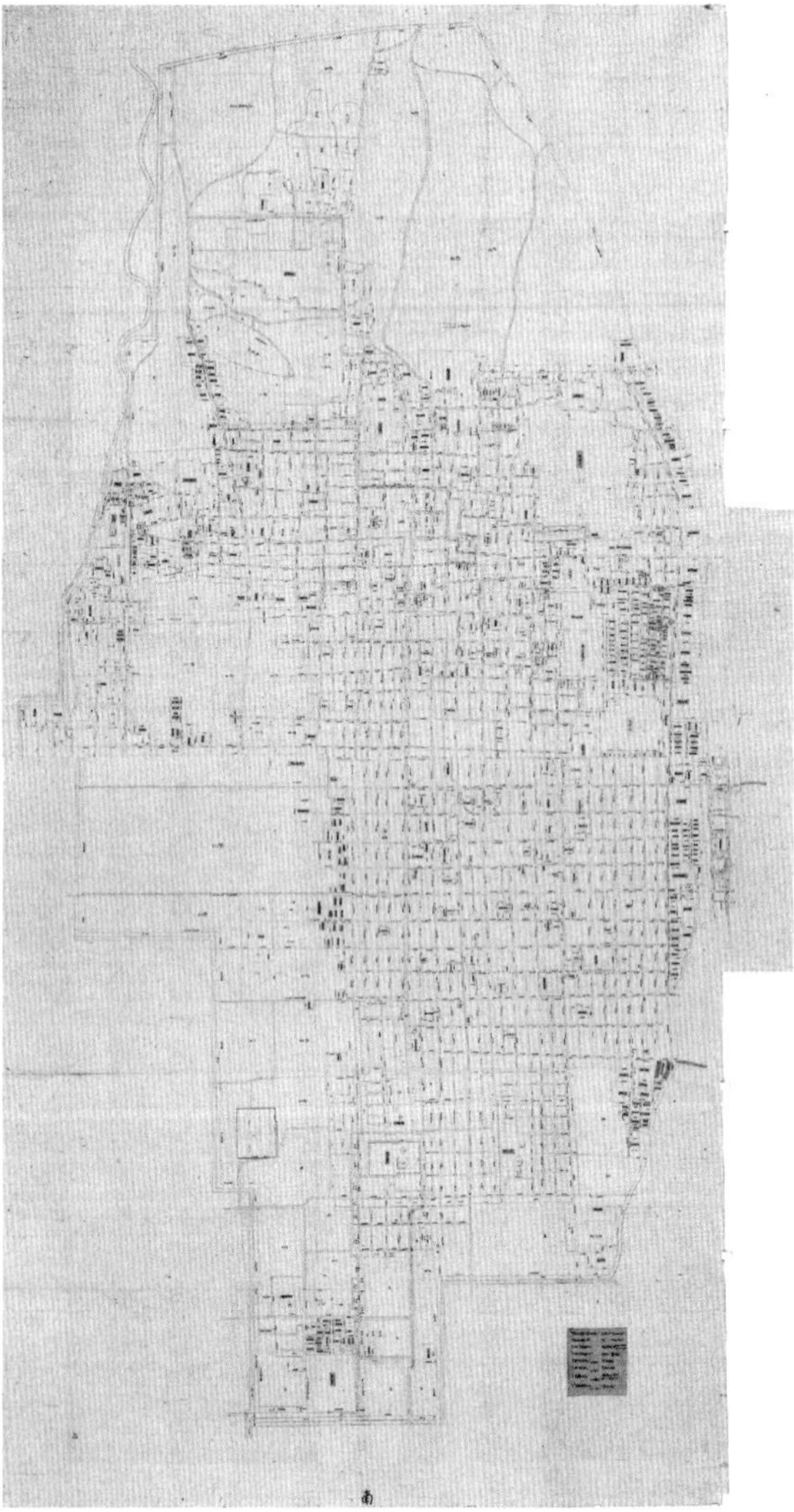

図二—12　「洛中絵図」寛永一四年（1637）。内閣文庫所蔵

つまり、天正一九年（一五九一）年正月に着工し、二月には過半が完成したと記録しているのです。わずか二か月で過半が完成したことも驚きですが、護岸に竹を植えたこと、一〇か所の出入り口があったことも記しています。

御土居は「洛中絵図」に、北は大徳寺のさらに北側まで、南は東寺まで描かれています。東は鴨川左岸の一部、西は北野天満宮付近にまで及んでいます。ほぼ中央に二条城（徳川家康の建設）、北東に相国寺およびその南に「禁中御位御所」と「院御所（貼り紙）」などが描かれています。平安京とは外形が大きく異なっていますが、上京と下京は接続している表現となっています。

町と街路などが細かに記入されていますが、大徳寺周辺、二条城西方から東寺周辺にかけては田、畠、野畠、山林、林、藪などが多く、市街が描かれていないのが目につきます。「洛中絵図」の東側を流れていた鴨川がまったく描かれていないのも一つの特徴です。いずれにしろ、「洛中絵図」は御土居の中を洛中としているのですから、かつての方形の外形を持つ平安京の認識から、大きく異なった形状の認識です。

図二―13は「洛中絵図」の中央部東寄りの部分です。右端に「土居」が描かれ、「院御所」の中央部東側にあたる部分で、土居が途切れているのがみられます。近衛信伊の記録にみえる

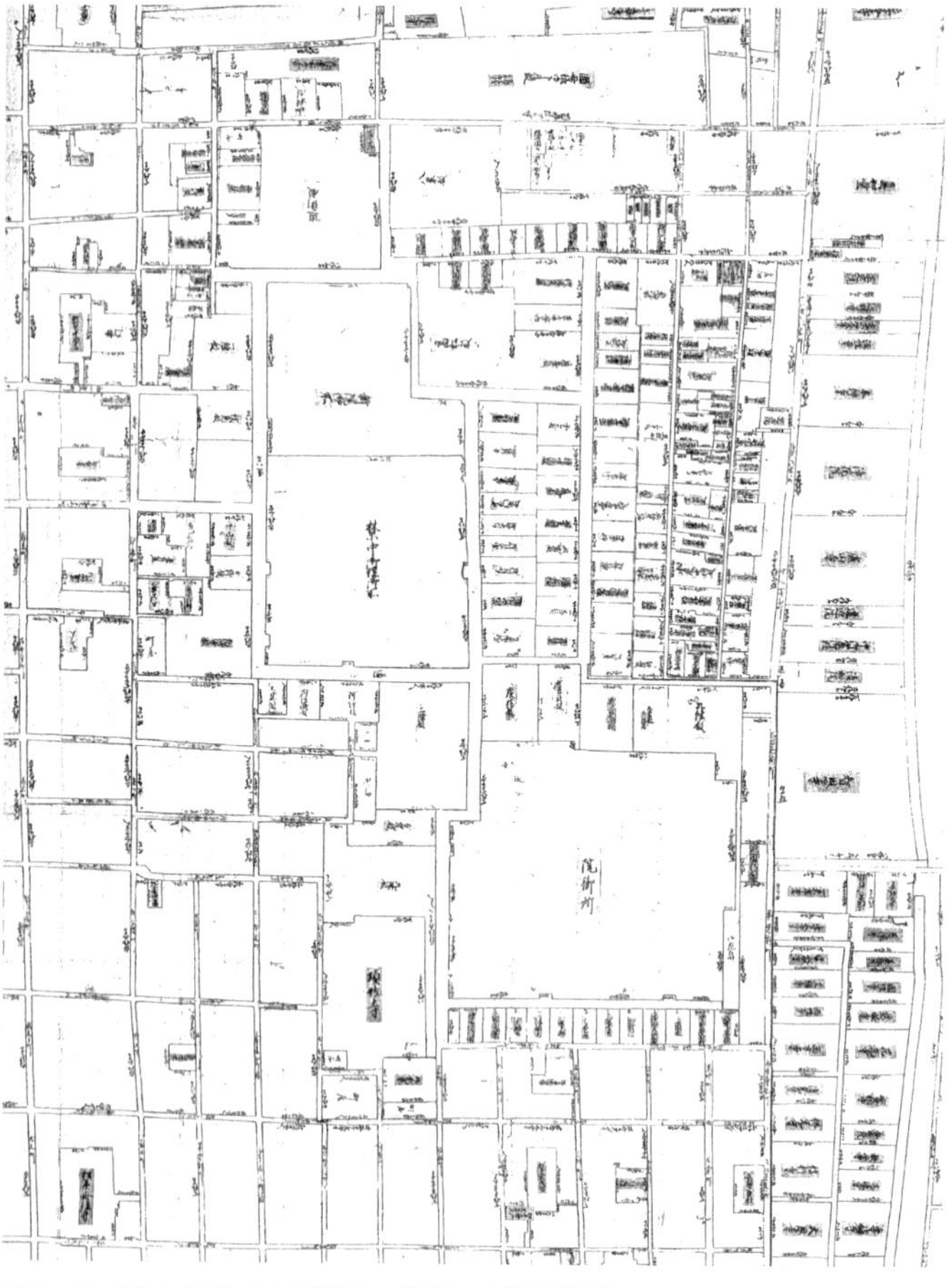

図二—13 「洛中絵図」(中央部東より部分)。内閣文庫所蔵

「十口」の一つでしょう。現在の荒神口《こうじんぐち》に相当するところで、鴨川を渡って、北東の山中越《やまなかごえ》へ向かう街道の出入り口でした。現在も東大路一条角に道標が残り、さらにそこから北東に向かう斜行路の、今出川通といったん交差した後の分岐点に、大きな地蔵のある旧道を、今でもたどることができます。

　「洛中絵図」には、院御所西北の「禁中御位御所」の北側に「新院御所」、さらに北側に「近衛殿」が表示され、これらの周辺や「院御所」の周囲に、黄色の貼り紙で多くの公家屋敷を表示しています。藤井譲治によれば、公家屋敷の数は一六九軒に及び、また後に述べる武家屋敷は、一五一軒と数えられています。[*17]

　御土居沿いには、柿色の貼り紙で寺院が並ぶ様子を示しています。寺院の列は現在も残る寺町です。これらの大きな公家屋敷、寺院、武家屋敷などのすべての敷地には、それぞれの間口と奥行の寸法が記入されていて、「洛中絵図」が実測図であったことを雄弁に示しています。禁裏・院御所には門の位置も表現されています。また、それぞれの敷地の東西南北各辺の長さが記入されています。

　「禁中御位御所」の北側の「新院御所」のすぐ北側には道を挟んで「近衛殿」が、道を挟んだその東には「八條殿」が描かれています。さらに「新院御所」の東には「高松殿」、西には「一條殿」と「伏見殿」があり、「禁中御位御所」の南には「二條殿」の屋敷地が描かれています。

「禁中御位御所」の東側、その南の「院御所」の北と南には、やや小さめの公家屋敷が並んでいることが記されています。

また、大名屋敷は青色の貼り紙で標記されていますが、これらの屋敷は平安京以来の正方形の区画の中央にあるのが典型的な立地でした。図二―13では、「禁中御位御所」の西北にある「加賀中納言」や、「院御所」西南にある「松平丹後守」の屋敷などがその例です。すでに述べたように、中世の洛中洛外の街並みは街路沿いに形成されていましたので、その背後は空地であった場合が多く、少なくとも建物で充塡されてはいなかったとみられます。「洛中絵図」では、一七世紀に新しく武家が屋敷を構える時、そのような空地の部分を利用したことが分かります。図二―13ではさらに、加賀中納言と松平丹後守の屋敷のある街区が正方形であるのに対し、その東側の禁裏・院御所の南一帯では、街区が南北に細長く、平安京以来の町の半分の大きさとなっていることにも、注意しておきたいと思います。この点には後に改めてふれますが、平安京の町を引き継いだ正方形の街区に対して、これらの南北に長い長方形の区画は、秀吉の街路新設によって生じたものと考えられていて、院御所の南側一帯では、その街区の中央付近に武家屋敷が設けられていることが知られます。ただし、街区が狭いので武家屋敷が街路沿いになっていますが、正方形の街区の場合と同じ理由による立地（区画の中央）でしょう。

「洛中絵図」から知られる武家屋敷分布のもう一つの特徴は、それが二条城の周辺に多いことです。広大な二条城の北西には、京都所司代板倉周防守の、やはり広大な屋敷（四万九七八坪＝約一三・六ヘクタール）があります。周囲にはほかの武家屋敷もありました。[*18] 所司代の屋敷が広大であったのに対し、例えば先の加賀中納言（前田利常）は最大の大名でしたが、京都屋敷の面積はわずか七〇二坪（二三二〇平方メートル）でしかありませんでした。一般に、幕府役人の広大な屋敷面積に対して、一般大名の場合はきわめて小規模であったことが知られています。

さらに、それぞれの街路には基本的に町名が標記されています。きわめて多くの町名が標記されているのもこの図の一つの特徴です。ただし禁裏・院御所周辺にはこのような町名標記はありません。

「洛中絵図」は、古地図とはいえ詳細な実測図ですから、さまざまな京都の実態を表現しています。とりわけ注目されるのは、表現された京都の外形が、御土居に囲まれた不整形な長形となっていることです。当時の京都を、かなり正確に表現しています。この実測図をみる限り、宮廷人・貴族によるような、方形の外形の平安京の認識は払拭されているとみられます。御所や貴族邸も詳細に標記されていますが、武家の京都屋敷が詳細に示されていることも大きな特徴です。御土居、武家屋敷などの詳細な表現は、実測図であることが最大の理由ですが、同時に武家の認識が色濃く反映した地図であったからである、とみることができます。しばしば言われるように、京都が城下町化したという表現も、これらの要素に関する限り正鵠を射ているることになります。

「洛中絵図」自体は寛永一四年（一六三七）の作製ですが、京都の外形と都市構造を大きく変えたのは、天正一九年（一五九一）の秀吉による御土居建設であったことは間違いないでしょう。「洛中絵図」は改造された京都の構造を克明に表現した京都図です。

「都記」——現存最古の刊行都市図

「洛中絵図」は手書き図でした。しかも内容からみて、幕府による実態の把握という目的によって作製されたとみられます。作製を担当したのが、自ら「中井役所」とも記載するような、畿内総大工頭でした。前述のように、「洛中絵図」は武家の認識を表現した地図であったといってもよい京都図でした。この図には、すでに述べたように控図がいくつか作られたことが知られますし、現在でも二点残っています。しかしこれらが必ずしも、広く利用されたとは言えないようです。

その理由の一つが、この「洛中絵図」と前後する時期に、まったく別の京都図が印刷して刊行されていたことです。それが図二—14の「都記《みやこのき》」と題された古地図（一一七×五六センチメートル、京都大学附属図書館大塚京都図コレクション）です。同図には、図名とともに、次のように記述されています。

疇昔（ちゅうじゃく）ノ京ノ條通・小路、種々有ト雖《いえ》トモ、當京ノ條通・厨子・小路・町ノ名付、此の如く也

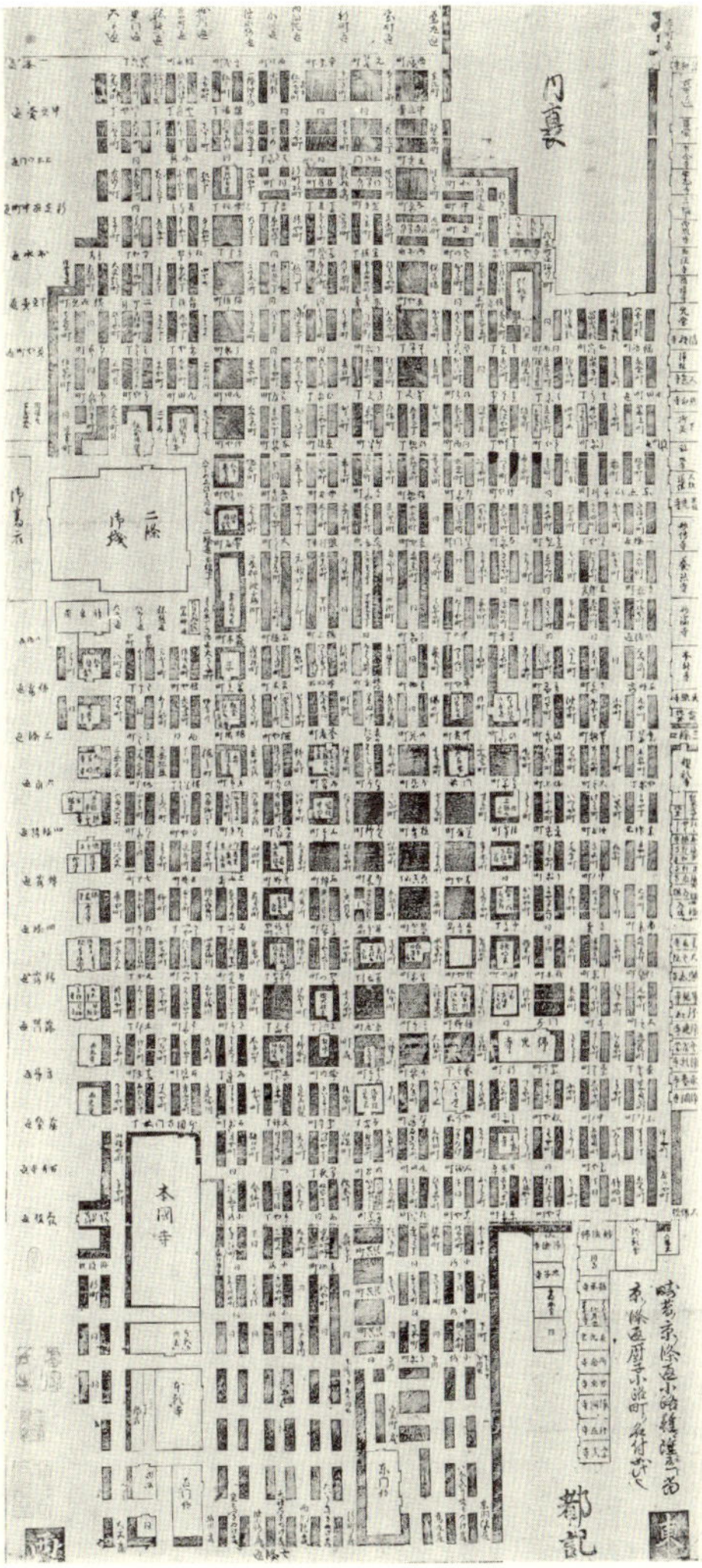

図二―14　「都記」寛永元～三年（1624-26）頃刊、版元不記載。大塚京都図コレクション、京都大学附属図書館所蔵

要するに、昔の「條通・小路」はいろいろあったが、現在の「大路・小路・厨子・町」の名称はこのようである、というのです。

「都記」は、全体が縦長の長方形で、右上に「内裏」、右端に寺町、中央左端に「二条御城」、下端東側に「東門跡（東本願寺）」、下端西側に「古門跡」と「本願寺（西本願寺）」を配した墨刷りの地図です。街区を黒く刷り出して、街路を広く刷り残しているのが特徴です。刷り残した街路部分には、道路名と町名が数多く標記されています。

ところがこれには、刊行年、刊行者名がいずれも記されていません。かつては寛永一八年（一六四一）以前の刊行、とだけ考えられていましたが、その後、寛永元年（一六二四）から同三年の間と考えられるようになりました。その最大の理由は、二条城の地に「二条　御城」とだけあって、本丸天守閣整備の前と考えられていることです。[*19] 確かに、後にふれるこの後の地図では、「御本丸」の標記があります。これに従えば「洛中絵図」より少し早い時期となりますが、ここでは相前後する時期と考えておきます。いずれにしても、印刷・刊行された都市図としては、現存する日本最古のものでもあります。

さらに「都記」の伝来には、木村蒹葭堂《けんかどう》（一七三六〜一八〇二）、富岡鉄斎（一八三七〜一九二四）などの著名人の手を経ていたことも、興味深いところです。蒹葭堂は、書画・詩文・篆刻《てんこく》・煎茶・本草学・物産学など多様な関心を有して、多方面に造詣《ぞうけい》が深く、和漢洋に関わる書籍・標本・器物類のコレクターでした。自伝によれば「本邦諸国地図」など、地図類もコレクションに含まれていたことが知られています。[*20]

一方、鉄斎は文人・画家・儒学者として著名な人物です。彼ら四人の所蔵印が地図の左下に整然と並んで押され、「都記」がそうそうたる旧所蔵者の手を経た事実を示しています。

「都記」の東西・南北道——左京図の範囲

では、具体的にみていきましょう。図の上端には西（左）から東へと、「大宮通、黒門通、猪熊通、吉や町通、堀川通、油小路通、小川通、西洞院通、新町通、室町通、烏丸通」と順に記され、続いて「内裏」西南には「東洞院通」、「材木町通」が標記され、「内裏」の東北端に「寺町通」の名称が記されています。大宮通の西側でも「二条御城」より三区画上方に、南北通「日暮通」の標記が見られます。

図の下端では大宮通から東洞院通まで、街路名は基本的に上端の記載と同じ名称ですが、例えば「大宮尻」といったふうに、「―尻」という表現になっています。またさらに、「堀川尻」と「新町尻」の間、「烏丸尻」と「東洞院尻」の間の小道には、「―つきぬけ尻」といった、突き抜けと呼ばれる小道、つまり通り抜けできる小道ができていたことを表現しています。

九条家本『延喜式』の左京図（図一―3）に標記された南北道の名称と対比してみると次のように、すでに左京図にみられた名称と同じ場合と、変化しているものがあった場合とがあります。なお対比する際、平安京の町区画中央に新設された南北道は省略しています。

「都記」南北道（上端西より）

大宮通
猪熊通
堀川通
油小路通
西洞院通
新町通
室町通
烏丸通
東洞院通
（標記なし）
（標記なし）

（標記なし）
寺町通

「左京図」南北道（西より括弧内南側）
朱雀
坊城
壬生
匣《くしげ》
大宮
靫負（南市門猪熊とも）
堀川
帯刀《たてわき》（油小路）
西洞院
町口（町尻）
室町
子代（烏丸）

東洞院
高倉
万里小路
冨小路
京極

「**都記**」東西道（北より）

一条通、中立売通、上土御門通、新在家中町通、出水通、下立売通、
魚や町通、丸田町通、竹や町通、（不明）、
二条通、（東押小路）、御池通（八幡通）、姉小路通、
三条通、六角通、四条坊門通、錦小路通、
四条通、綾小路通、五条坊門通、高辻子通、
五条松原通、万寿寺通、大仏橋通、
（六通標記なし）、
七条通

「**左京図**」東西道（北より）
一条、正親町、土御門《つちみかど》、鷹司《たかつかさ》、近衛、勘解由《かげゆ》、中御門《なかみかど》、春日、大炊御門《おおいみかど》、冷泉院、
二条、押小路、三条坊門、姉小路、
三条、六角、四条坊門、錦、
四条、綾小路、五条坊門、高辻、
五条、樋口、六条坊門、
（五路省略）、
七条

ここから知られることはまず、南北道では、「都記」には前述の日暮通を除き大宮以西の街路名が記されていないことです。これは市街が連続していたかどうかに関わります。「都記」に南北道名が標記されている部分では、それらが九条家本『延喜式』左京図に、すでに別称等として出現していた街路名です。

一方、東西道では一条・二条間の小路の変化が特に多いことが知られます。すでに左京図の説明（第一章―1）において述べたように、宮城域東西の街路名の多くが継承されなかったこ

とを示しています。

「都記」の町――墨刷りの街区

個別に標記をみていくと、堀川通と油小路通の間の新在家中町通に「常羽丁」とあり、この部分に朱筆で「紹巴《じょうは》」との後の追記があります。この新在家中町通は九条家本「左京図」の鷹司小路（現在の下長者町通）にあたり、堀川通の東側で、現在もここに「紹巴町」があって、里村紹巴（一五二五～一六〇二）の旧宅にちなむとされています。里村紹巴は一六世紀末前後の有名な連歌師ですので、「都記」の歴代の所有者の誰かがこの地図を使って紹巴の旧跡をたどり、朱筆で記入した可能性があります。詩文に造詣が深かった旧所有者とすれば木村蒹葭堂が思い浮かびますが、これは単なる想像でしかありません。

図二―14のように、「常羽丁」の南北両側には正方形の街区が刷り出されていて、ここでは平安京の町の区画が基本的に維持されてきていたものと考えられます。この記入がある北側の区画には「水日向殿宿」と刷り出されていて、街区中央に武家関連施設があったことが知られます。この武家が水野日向守とすれば、福山藩主であった勝成（一五六四～一六五一）だと考えられ、後述する、すぐ後の時期の古地図にも同じ場所に水野の名前があります。

武家の所在地のこのような状況についてはすでに説明しましたが、ここではむしろ「―宿」

という表現に注意したいと思います。表現からすれば、堂々とした武家屋敷よりは、一時的な宿所のような印象を与えます。先に述べた元徳元年（一三二九）の「山城国嵯峨亀山殿近辺屋敷地指図」（図二―8）にみられた「宿所」という表現とも共通するものと思われます。「都記」には一方で、二条城の周辺には例えば、「紀伊大納言御屋敷」などの「―屋敷」の標記もあり、宿と屋敷は別のものと思われます。屋敷は文字どおり役宅や大名屋敷、宿は連絡所ないし支所であったと想定してよいと思われます。

これらの街区の周囲にはすべて町名が標記されており、各町は街路の両側を町域としていたと思われます。いわゆる両側町です。すでに述べたように、街路沿いに宅地が並び、家並みの背後に空閑地ができやすい構造ですが、街路を挟んだ両側の街並みの結びつきはむしろ強く、これが両側町を構成した理由と考えられています。「都記」にみられるように、京都の市街のほとんど全体が両側町でした。その具体的な構造については、後に改めてふれます。

新町通と室町通の間、大仏橋通から南への三区画には、「けいせい町」と標記されています。周囲はいわゆる間之町通が通されて、長方形となった街区ですが、ここだけは正方形の街区です。当時ここに傾城町すなわち遊郭があり、寛永一八年（一六四一）に洛外西南に島原遊郭が造られて、そこへ移動するまでの遊郭の所在地であったことを示しています。

このほか「都記」では、東側の寺町通の東側に多くの寺院が並んでいること、東洞院通の東、大仏橋通の南側に、「妙法佛」や多くの寺院が集中していたことも知られます。前者は現在の寺町、後者は現在の枳殻《きこく》邸やその北側一帯の寺院群に相当する場所です。「古門跡、（西）本願寺」北側の寺院群も目につきます。特に「本國寺」の広大な敷地は南北が条坊プランにして一坊（四町）分、東西はその半坊（二町）分に及んでいます。

「都記」で最も特徴的なのは、すでに述べたように、市街全体の外形が長方形であることです。北は一条通から南は七条通、西は大宮通の一区画ほどに西側（左京の壬生大路の少し東）から寺町通（東京極）の範囲を表現し、北東側に内裏、西側に二条城があります。ほぼ『延喜式』左京図の範囲だとみることもできます。新しい間之町を含めて、方格状の街路も表現されていますが、存在したはずの御土居は表現されていません。印刷するための版木や、印刷する紙の制約があったためかもしれませんが、伝統的な宮廷人・貴族層の認識を表現した、左京図の空間認識をどうしても想起させる形状と構造であり、少なくとも、京都の主要部についての認識を反映していることは確かでしょう。

全体として「都記」には、先にみてきた「洛中絵図」の影響はほとんどありません。外形も街路の表現方法もまったく異なっています。「洛中絵図」が、御土居に取り囲まれた京都の新しい実態を正確に表現していることはすでに述べたところです。「都記」の出版者が誰か、またこの印刷図の利用者がどんな人々であったか、については分からないことが多いのですが、少なくとも先に述べた実測図の「洛中絵図」における京都の認識を、「都記」が共有して表現しているとは言えないと思います。

このように一七世紀初頭には、「洛中絵図」のような新しい京都認識と、「都記」のような伝統を強く反映した京都認識の、二つの流れが併存していたことになります。

第三章　名所と京都

1　洛外の名所

「平安城東西南北町幷之図」――洛中を取り巻く名所

「平安城東西南北町幷之図」（図三―1）と、地図の上端に題額を刷り出した京都図があります。右下の刊記には、次のように出版の由来を記しています。

当京ノ條通・厨子・小路・町、名付此の如く新板開く者也

この刊記の表現にある、條通・厨子・小路・町という用語は、「都記」と同じです。「都記」

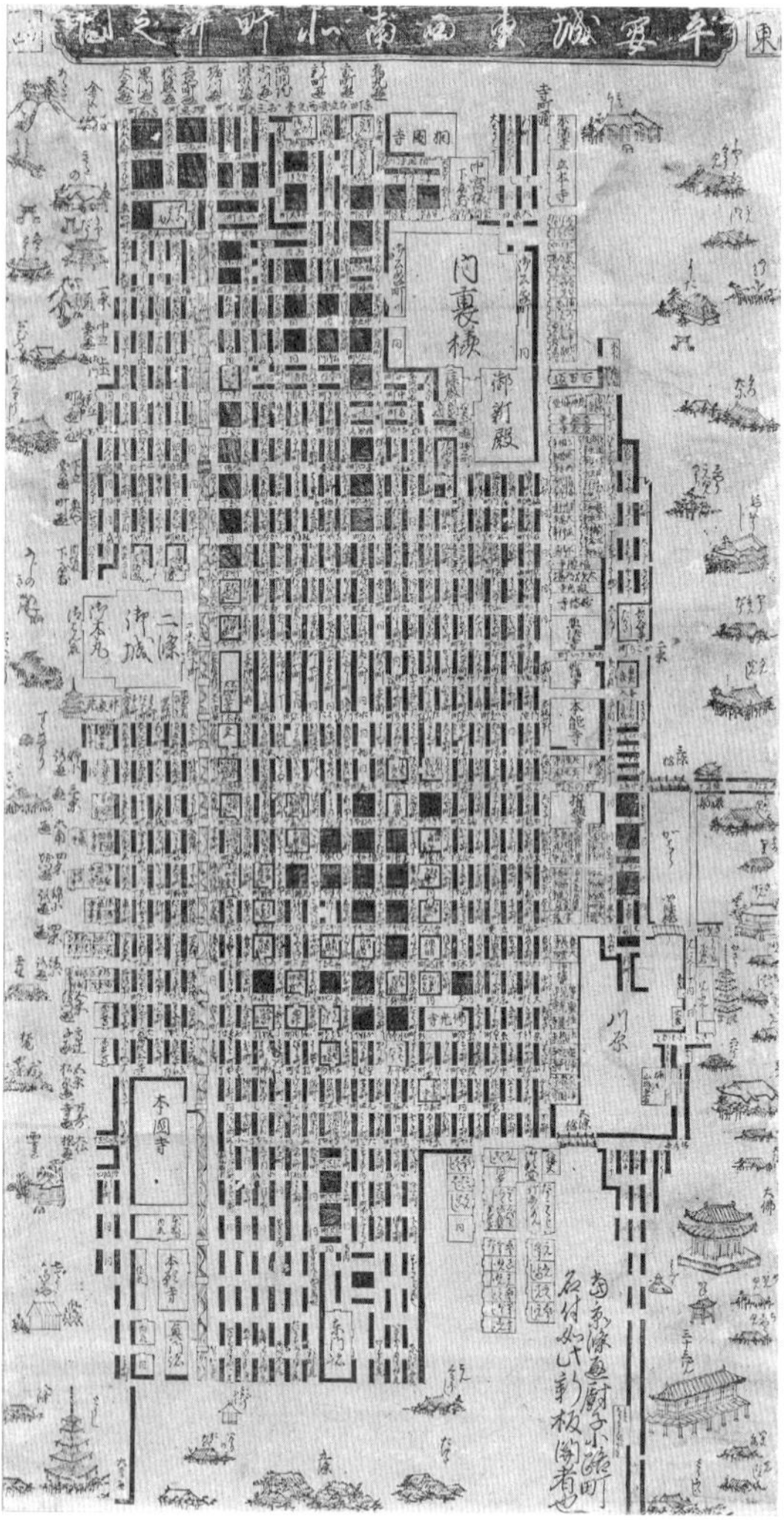

図三－1 「平安城東西南北町并之図」慶安五年（1652）以前、版元不記載。105×57cm。大塚京都図コレクション、京都大学附属図書館所蔵

と同じく刊年は記入されていませんが、一見して分かる大きな違いは、市街周囲にちりばめられた伽藍などが絵画的に表現されていることです。

この京都図（一〇五×五七センチメートル）と同じ版木を使い、南端部分のみを補充したと思われる京都図（京都大学総合博物館蔵）が存在します。大きさはほとんど同じですが、図幅の上下がわずかに小さくなっています。それには、「慶安五年（一六五二）辰正月、山本五兵衛之を開く」とありますので、ここに掲載した「平安城東西南北町幷之図」は慶安五年より前の刊行だと考えられます。

なお、この慶安五年の刊年と版元である山本五兵衛の名前を付した、「平安城東西南北町幷之図」のほうは、刊年と刊行者を明記した都市図として最初のものであることも指摘されています。[*1]

さて、図三―1では、「けいせい町」が「都記」と同じ位置にありますが、慶安五年の「平安城東西南北町幷之図」では、同じ版木であることによるのか、この表現はそのままですが、加えて七条付近の市街から離れた西方にも「けいせい町」があるように表現されています。したがってこの「平安城東西南北町幷之図」は、寛永元―二年（一六二四〜五）より後、島原の「けいせい町」が形成された寛永一八年（一六四一）より前かその頃刊行されたとみられます。

「都記」と違い、「二條御城」に「御本丸」の記入があることもすでに述べたところです。さらに、「都記」に「内裏」と表現されていた区画は「内裏様」と「御新殿」に分けられています。また内裏様の東西には「御公家町」が表現されています。

この京都図は全体が墨刷りで、街区を黒く刷り出していることも、街路を広く刷り残して町名を標記していることも「都記」と同様です。ただし、以下に述べるように、街区の表現の範囲が周囲に広がっているのが異なっています。

北側は正方形の街区にして、一条より五区画分北に相当する、現在の上立売通に相当する通まで表現されています。「内裏様」の北側に「中宮様」、さらに北側に「相国寺」の区画が描かれています。

東側は、寺町の東へ、正方形の街区にして一区画分拡張され、さらに鴨川東岸における、現在の大和大路に相当する「けんにんじ（建仁寺）丁」が標記されています。この街路は南へ延びて、図の南端付近には「ふしみ（伏見）」と記されています。鴨川は方格状街路の東側に相当することになりますが、「かわら」ないし「川原」と記されているだけです。ただしそこには、「三条橋、四条橋、五条橋」の絵と文字が記入されています。三条橋と五条橋は欄干のある橋として、四条橋は欄干のない板橋として描かれています。これらの橋から東へは、三条から「橋つめ丁、あはた（粟田）口」へ、四条から「きおん（祇園）町」へ、五条から「清水通」へと街路が延びている様子が表現されています。

南側が基本的に七条までというのは、「都記」と同じです。ただし、「都記」の「古門跡」が「奥門跡」となっていること、大宮通沿いに街区の表現が南へ延びていること、その南端に「大さか通（大坂への道）」と標記されていることなどが、わずかな違いです。

西側は「都記」とほぼ同様の範囲です。

このように周辺への市街表現の拡張はありますが、「平安城東西南北町幷之図」の表現は、「都記」ときわめてよく似ています。御土居をまったく表現していないことも同様です。

東側の社寺様の表現を北東隅から列記すると次のようになります。（　）内は漢字をあてたもの、その下の記載は現在の位置などを参考のために付したものです。

ミたらし（御手洗）―下賀茂神社
しやうくわゐん（照光院）―照光院興意法親王（元和六年（一六二〇）没）の御所
ぎんかくじ（銀閣寺）
しらかわ（白川）
よした（吉田）―吉田社
くろたに（黒谷）―金戒光明寺
志やうこんゐんのもり（聖護院の森）

にやくおうじ（若王子）―正東山若王子
やうくわんだう（永観堂）
なんぜんじ（南禅寺）
ちおんゐん（知恩院）
まるやま（円山）―円山安養寺
きをん（祇園）
□うれんじ
かふだいじ（高台寺）
やさか（八坂）―法観寺五重塔
けんにんし（建仁寺）
れうせん（霊山）
ろくたう（六道）―六道珍皇寺
きよミつ（清水）
（不明）
大たに（大谷）
大佛―方広寺大仏

みみづか（耳塚）
めうほんゐん（妙法院）
かね（鐘）―方広寺撞鐘堂
ち志やくゐん（智積院）
三十三げん（三十三間）―三十三間堂
いまく満（今熊）―今熊野社
せんにょし（泉涌寺）
とうふくじ（東福寺）

西側を北西隅からたどると次のとおりです。

あたご（愛宕）―愛宕山
金かくじ（金閣寺）
きよたき（清滝）
きたの（北野）―北野天満宮
きやうだう（経堂）

志やかどう（釈迦堂）──清凉寺
やうかうの松（影向松）──北野神社境内
おむろ（御室）──仁和寺
てん里うじ（天龍寺）
ふじのき（藤木）
（不明）
神泉苑
すすめのもり（雀の杜）
□□さい
壬生──壬生寺
松尾──松尾社
西芳寺
七でう□志やか（七条朱雀）──権現寺
八條
とうし（東寺）

南側を西から、

いなりの於たび（稲荷の御旅）―稲荷社御旅所

ふたうどう（不動堂）―明王院不動堂

九條

こんくわうじ（金光寺）

たけた（竹田）―安楽壽院ほか

この図は、周囲が少し擦り切れたようになっていたり、表装に際して左右がわずかに切れたりしていますので、判読できないところがあります。また、建物や樹木の表現があるだけで、名称のないものもあります。しかしここに列記したように、きわめて多くの寺社等が記されています。

これらの位置について、特に西側では、東西距離がほとんど無視されているのが表現上の大きな特徴です。最大の理由は、印刷上の版木と紙の幅であったと思われますが、それでも例えば、釈迦堂と御室、御室と天龍寺が、それぞれ南北に並んでいるかのような表現は、その結果でしょうが、きわめて不自然です。

いずれにしても名所と考えられていた寺社等を、京都市街の周辺にちりばめるように配置したものと思われます。この刊行京都図は、市街周辺の名所を、市街とともに表現した最初の地図です。京都図が観光図の要素を持ち始めたことを、非常に印象的に示すものです。

この京都図のもう一つの特徴は、市街の状況をよく反映した表現となっているにもかかわらず、「都記」と同様に御土居がまったく表現されていないことです。先に紹介した「洛中絵図」のような武家の視点が、きわめて希薄なのが強く印象に残ります。ただし武家の京都屋敷が標記されてはいて、その標記のために、「都記」ではすべて黒い刷り出しで表現されていた街区の中央部分を、白抜きとしていました。しかも「都記」と同様に、「平安城東西南北町幷之図」においても、「水野日向宿」のように「―宿」と標記されている例が多いことが目につきます。「―宿」とはすでに述べたように、一般的な大名屋敷でない、大名による家臣の詰所、つまり京都連絡所のような場所であったと思われます。

「新板平安城東西南北町幷洛外之図」――山と川に囲まれた京都

承応三年（一六五四）刊の「新板平安城東西南北町幷洛外之図」（図三―2）には、次のような刊記が付されています。

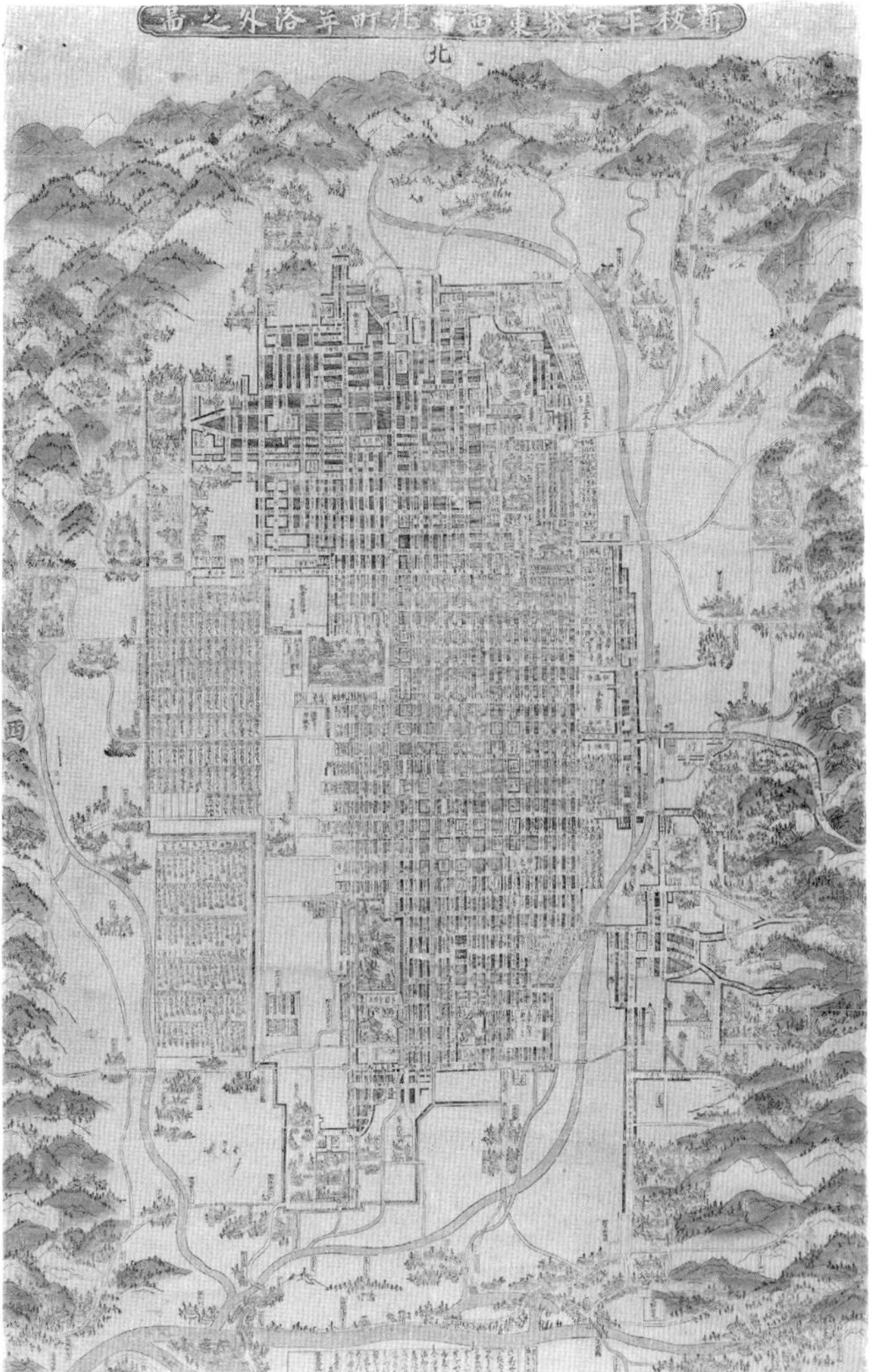

図三－2　「新板平安城東西南北町并洛外之図」（無庵版）承応三年（1654）刊。135×87cm。大塚京都図コレクション、京都大学附属図書館所蔵

此の図、世に四板ありと以《い》へども、御公家衆、名所之《これ》無く、一二三付を以て、公家屋敷残さず書付しめる者也、洛外の名所旧跡、方角あるいは山川道筋、相違ひ之あり、すなはち此度、粉骨をつくし、その所々を考へあらためて開板せしめる者也。
承応三年甲午五月吉日、板本、北山　修学寺村、無庵

「此の図」というのが明確ではありませんが、それがすでに四版あるけれども、公家屋敷や名所がないので、番号を付してそれらを記し、間違いも訂正したと言っているのです。「此の図」が「平安城東西南北町幷之図」と題した京都図を指すのであれば、確かにこの「新板」以前に四点が刊行されていたことは、京都図の目録[*2]によって知られます。また、刊年と板本（版元）名も記されています。

現存の「新板平安城東西南北町幷洛外之図」には、一部に手彩色が施されています。手彩色とは、墨の一色刷り印刷の後、一枚一枚に手書きで彩色したものです。この図の場合は、市街の街道に薄い朱が、山にやはり薄い茶色が施されています。川は水色です。この手彩色は、顧客の注文に応じて版元が施すことが多かったとされますが、すべてがそうであったという確証はありません。しかしこの図の場合、全体に彩色が丁寧に、かつ調和のとれた色彩と丁寧さで行われていますので、その可能性が高いと思われます。少なくとも素人による彩色ではないよ

うです。

さて、紹介した刊記のように、確かに公家町の各屋敷には番号が付され、市街中央西側に一覧表（図三―2参照）として屋敷名を記しています。またその下方に、カタカナとひらがなの文字記号によって場所を示した「横通」名と主要地点への距離が、やはり一覧表にして示されています。これまでみてきた、これ以前の京都図には存在しなかった表現法です。先に「洛中絵図」の表現でも紹介したような、大きな公家屋敷は地図上に直接標記してありますが、それ以外は次のように表示しています。

㈠平松殿
㈡出納
㈢舟橋殿
㈣木村
㈤堀川殿

というように、一一九までの番号で表示しています。公家屋敷の表現については、あとで（第四章―2）改めて検討することにします。

この京都図はこの点以外にも、それまでの京都図、例えば図三―1の「平安城東西南北町幷之図」と異なった、いくつかの大きな特徴があります。

まず、市街の西と南に御土居が描かれていることです。先に説明した公家屋敷名の表は御土居の内側、横通等の名称の表は御土居の外側に掲載されています。西側と南側の御土居には、土塁の外側に堀でもあるかのような表現になっています。一条通がこれと交差するあたりには橋のような表現がありますが、実際に北野天満宮付近では紙屋川と交差しますから、通の延長の表現をこのように理解することができると思います。東側と北側の御土居にはこのような表現がなく、また、一部が描かれていますが、途切れています。

市街は基本的に墨の刷り出しですが、「平安城東西南北町并之図」と比べると周囲への表現範囲の拡張が目立ちます。

北は上立売・相国寺付近まであったものが、本図では妙覚寺・鞍馬口付近まで市街の表現が広がり、すぐ接して「舟於《ふなお》か山（船岡山）」と「大徳寺」が描かれています。

南も、「平安城東西南北町并之図」では七条通付近までが市街の表現で、東寺が離れて郊外の名所の扱いであったものが、本図では市街が九条付近まで広がって御土居に取り囲まれた表現になっています。

西は、御土居が描かれていることはすでに述べましたが、その結果北西部では「きたの（北野）」までが市街の連続となっています。また西南部には、旧市街から離れた「志ま原（島原）」の正方形の街区が取り込まれています。六条付近の「けいせい町」の町名がなくなり、「上・

中・下ノ町」となっています。

鴨東は大きく変わりませんが、東南部では「建仁寺」と「大仏」の間において、市街が連続しているような表現となっています。

この京都図の最大の特徴は、市街を取り巻く山や川を絵画的に描いていることです。まず、北、西、東の三方が山に囲まれている様子を描いています。北山からは、「かも（賀茂）川」と「たかの（高野）川」が流れ出て合流して「加茂（鴨）川」となり、市街南方で西流して、西山から流れ出る「おおい（大堰）川」の下流の「かつら（桂）川」と合流する様子を描いています。合流した後さらに、南を西流する「宇治がわ」に合流し、さらに「大和川」と合流しています。この「大和川」下流には「き津大橋」が描かれていますので、今日の木津川が、大和国から流下することを正確に認知していた表現と思われます。

このように京都とその周辺を、三方を山、南を川で画された、いわば完結したまとまりのよい空間として認識しているように描かれています。平安京への遷都の理由として、かつて『日本紀略』は、「山河襟帯《さんがきんたい》」の地であることを記していますが、本図で表現された状況はまさしく「山河襟帯」です。

この範囲には、宇治川北部に「伏見」、宇治川南部の東南隅に「宇治」が描かれています。西南隅には「永井信濃守」の居城が描かれているので、淀までが含まれていることになります。

市街と周囲の山河との距離は、市街部分の縮尺と大きく違いますが、伏見・宇治・淀を含む南方については一層縮尺を小さくしています。郊外については版木内あるいは用紙内に入れ込むために、無理に表現したことになるとみたほうが実態に近いと思われます。むしろ縮尺という概念を無視したといったほうがよいかもしれません。

「山河襟帯」の状況を表現した点に次いで目につくのは、市街から周辺に向かう街道の表現が多いことです。

北へは、千本付近、大徳寺東側、妙覚寺東側の「清滝口」、および北東隅の「くら満くち（鞍馬口）」から向かう四道が描かれています。

東へは、「志らかわくち（白川口）」から出た道が三道に分かれて、「下賀茂、山はな（山端）、一乗寺」に向かっています。「こうぢんくち（荒神口）」、「二条川原」、「三条大橋」からも東へと道が延び、四条通から「ぎおん（祇園）」へむかう橋（名称なし）も描かれています。鴨川のさらに南には「五条はし（橋）」、七条通付近、「伏見よりの車道」の橋（名称なし）、「下鳥羽」の橋（名称なし）が描かれています。

さらに南でも、伏見の中書島（名称なし）へとかかる二つの橋、淀城へとかかる宇治川と「大和川」の橋が描かれています。

西側では、「きたの（北野）」のすぐ南、西ノ京付近、「山のうち（山ノ内）」、三条通、四条通、七条通、九条通などの西方へ道が延びています。ただし九条通からは、吉祥院へ向かう道と先に述べた下鳥羽への道が二つに分かれています。これだけでも市街から周囲へ延びる出入り口は一七ほどにもなりますから、いわゆる七口や、前章で紹介した御土居建設を記した史料の「十ノ口」よりもはるかに多い出入り口を描いていることになります。

これらの街道のほか、鴨川西岸の「二条橋」のすぐ下流から四条通の下流までと、「七条はし」下流から「伏見」へ向かう川（高瀬川）が描かれていることも、それ以前の地図と異なる点です。この高瀬川は、慶長一九年（一六一四）に角倉了以《すみのくらりょうい》・素庵の父子によって開削された運河です。淀川を通じて大坂や、宇治川を通じて宇治や琵琶湖からの物資の輸送に重要でした。しかしこれは、慶安五年（一六五二）の「平安城東西南北町并之図」にも、それ以前の同名の京都図にも描かれていませんでした。

この高瀬川の二条通と四条通の間には四か所の舟入が描かれていますが、舟入の名称はありません。高瀬川の舟入は一の舟入から九の舟入までが存在したことが知られていますが、この地図が出版された承応三年（一六五四）までには四か所ができていたものと思われます。

周囲を取り囲む山並みはすべて、南からみたかたちの表現となっています。南端の男山（名称なし）や、山崎（名称なし）でも同様です。山の形はやや模式的な印象がありますが、尾根や谷部分には樹木の表現があり、写実風になっています。基本的に、山そのものに名称は付されていません。ただし、きわめて克明に描いてあることは間違いありません。例えば、図の西北部には、市街から、「せんほん（千本）」、「れんたいじ（蓮台寺）」を経て「丹波こへ（越）」へと向かう街道と山を介した西側の谷に、「たか於（高尾）、まきの尾（槇尾）、とかの尾（栂尾）」が並ぶ様子は正しい位置関係の把握です。また、山の名称はありませんが、山麓や谷の名称は数多く標記されています。

承応三年（一六五四）「新板平安城東西南北町幷洛外之図」（図三―2）はここにみてきたように、「平安城東西南北町幷之図」（図三―1）が初めて絵画的に表現した京都郊外の名所を地図中に取り込み、また京都周囲の山や川を描いて、「山河襟帯」の京都を一枚の地図とした最初の京都図です。

同版・改版の「新板平安城東西南北町幷洛外之図」と版木

これまで取り上げてきた京都図は、おそらく洛中における大方の好評を博したようで版を重ねました。図三―3の上部の題額には「新板平安城東西南北町幷洛外之図」と、図三―2とまったく同じ名称を同じ文字で掲載しています。下部の刊記もまた、文章・字体を含め、本文はまったく同じなのですが、刊年と刊行者が次のように代わっています。

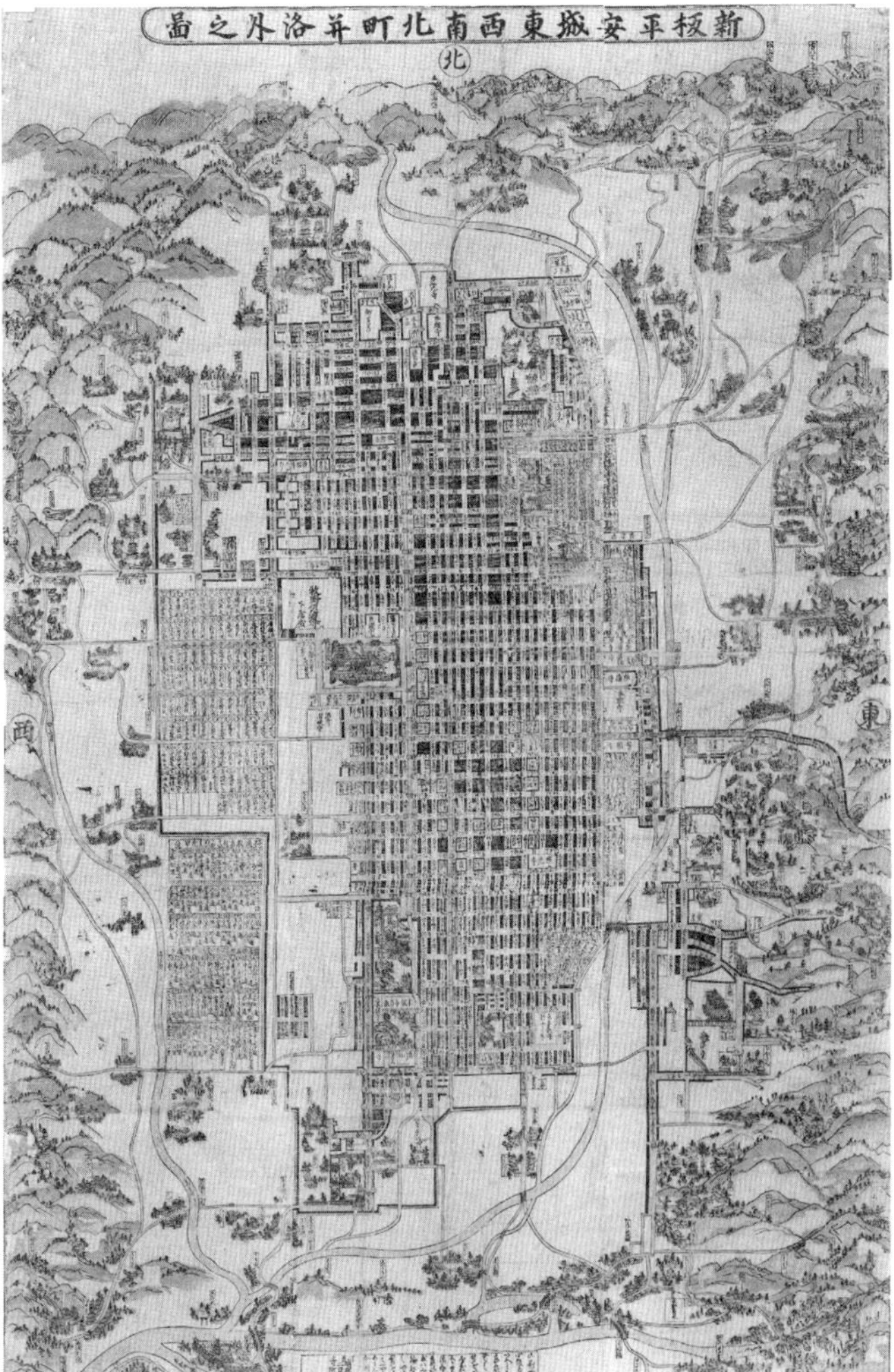

図三―3　「新板平安城東西南北町幷洛外之図」（丸屋版）明暦三年（1657）刊。大塚京都図コレクション、京都大学附属図書館所蔵

丁酉明暦三年二月吉日、寺町丸屋

この刊行年は、図三―2の同名図刊行の三年後の明暦三年（一六五七）、版元は「寺町丸屋」です。基本的に同じ版木で印刷した地図とみられますが、手彩色ですので、彩色の様子が異なってずいぶん印象が違います。例えば、街道だけでなく、市街の街路の一部の街路も彩色されていることや、山の彩色の違いです。山は、肌色と茶色と青灰色で交互に彩色されており、承応三年図と同じ輪郭ですが大きく異なってみえます。

さらに同図をよくみてみると、彩色以外にもいくつかの違いがあります。

まず、中央部で最も大きな変化は、絵画的に描かれた二条城の左上に「板倉周防守下屋敷」と記載されていた区画が、「牧野佐渡守下屋敷」と変更されています。所司代が代わったと思われます。

さらに細かい点では、刊記の枠の下端が少しカットされてありません。また、そのすぐ右にあった「京はし（橋）より大坂へ舟ぢ（路）十四里なり」と枠で囲んで記した部分もありません。また、宇治川の南に集落を描いて「まきのしま（槙島）」と標記していたものを、宇治川の上部に「宇治川」と記入された文字のすぐ下流側へ移しています。

同じような変化は、上端にもあります。題額のすぐ右には山の上に「御ちゃ屋」と標記されています。さらに右側にも山の上に二か所が標記されていますが、これらはいずれも承応三年図では山腹に記載されていたものです。

このほかにも左端では、方位を示す「西」の文字のすぐ上に描かれた山が消されているなど、細かな違いがみられます。

同じ版木を使いながらこのように違うのは、版木の修正を行った結果です。版木の修正は、文字や絵柄などを削除する場合、まず版木を削りとります。逆に文字や表現を加える場合には、版木を削った後に「埋め木」（入れ木ともいう）をして、そこに新たに必要事項を彫り込みます。版木の改刻（加除訂正）は、熟練した彫刻の職人にとってそれほど難しい作業ではないといってもいいと思います。

この版の版木が残っているわけではないのですが、一般に版木の彫り込みはきわめて浅いものです。

例えば錦絵の場合、中心となる墨版の版木は、緻密な木質の二センチメートル程度の厚さの山桜板を用いていて、三ミリメートルほども深く彫り込んでいることが知られています。[*3] 残存する大仏前絵図屋庄八の版木（筒井正夫氏蔵）の例からみても、[*4] 地図の版木の彫り込みはこれよりはるかに浅かったものと考えられます。

ところで、改版に伴う出版者の変更についての詳細は不明です。修学寺村無庵が寺町丸屋へと変わったのか、無庵が丸屋に版木・版権を譲ったのかについては史料がありません。例えば山桜を用いた、しかも地図を彫った版木は高価なものだったと思われます。この場合の地図の版木の材は不明ですが、一般的には無庵が版木を丸屋に売却したと考えられます。

しかも「新板平安城東西南北町幷洛外之図」と題する地図はこのほかにもあります。大塚隆によれば、同じ題名の京都図は、すでに紹介した二点のほかに、明暦二年（一六五六）坂本道清刊、万治元年（一六五八）版元不明、寛文二年（一六六二）伏見屋刊、寛文四年（一六六四）三条寺町かど升屋刊、寛文八年（一六六八）三条寺町かど升屋刊などがあったとされています。版元名だけを列挙すると、無庵→丸屋→坂本道清→伏見屋→升屋と変わっていることになります。わずか一〇年余りの間に五軒の版元の手を経ているというのは、どのような理由によるのでしょうか。版木は刷りを重ねると摩耗しますので、その補正が必要となる場合もあったでしょうが、おそらくそれだけではありません。

版元が別になっている場合においても同じ版木を使って、刊行年はもとより版元名も変えている例が多くみられますから、刊記の変更が多いのは当然ですが、さらに内容の一部にまで変更を加えている例があります。例えば寛文八年版では、先に説明した承応三年版から明暦三年版へと変更されていたものが、元に戻されている部分があります。具体的には、中央近くの「牧野佐渡守下屋敷」は明暦三年版と同様ですが、承応三年版にあった「京はし（橋）より大坂へ舟ぢ（路）十四里なり」も復活しています。このほか、「まきのしま（槙島）」が「槇の嶋」、「びやうどういん（平等院）」が「びやう堂院」などとなっていて、旧版を削り取り、埋め木をしたうえで、その上に新しく彫刻されて刷られたことは明らかです。

異なった版元への版木の譲渡と、その修正（改版）がしばしば行われていたことを、ここでは確認しておきたいと思います。これはこの京都図だけのことではありませんでした。

小型版の「新板平安城幷洛外之図」——別版と版元

「新板平安城東西南北町幷洛外之図」は、同版・改版の出版が多かったことをみてきました（以下、「平安城南北町之図」と略称）。ところがこの地図とよく似た名称の別の地図が、ほぼ同時期に出回っていました。図三—4の「新板平安城幷洛外之図」（以下、「平安城洛外之図」と略称）がその一例です。名称から「東西南北町」が抜けただけのこの京都図はさらに同版・改版が多く、大塚隆の目録には、寛文七年（一六六七）から宝永五年（一七〇八）にかけて、刊行年や版元の異なった同名図が一六点もあったことが記されています。[*5]

「平安城洛外之図」の刊記には、

此図ハ洛陽洛外御公家武家幷寺方等ニいたるまで立かハり（たち変わり）たる所おほ（多）

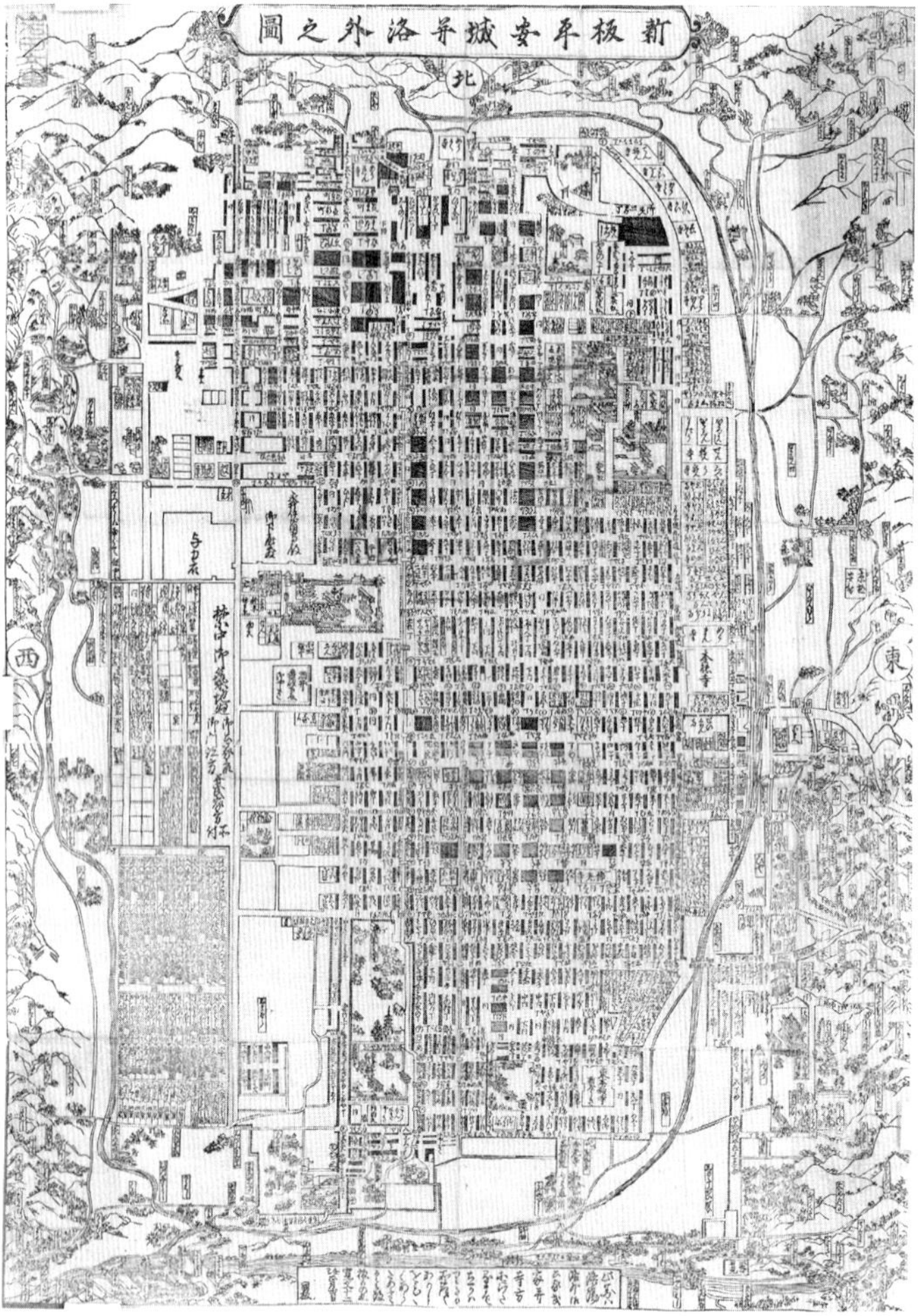

図三―4　「新板平安城幷洛外之図」（無庵版）寛文一二年（1672）刊。71×51cm。大塚コレクション、京都市歴史資料館

くありしを、ことくく（ことごとく）あらため、重而（かさねて）令改板（かいはんせしむ）もの也

とありますので、新版を強く意識したものとみられます。刊行は「寛文十二（一六七二年）壬子正月吉日」と刷られていますが、版元名は空欄のままで「開板」の文字だけがあります。京都を「洛陽」と表現している点は、「平安城南北町之図」にもみられた用例でした。

この「平安城洛外之図」はおそらく、五年前の「寛文七年丁未卯月吉日」に開版された伏見屋版の版木から、版元名の部分を削除したものと推定されます。「年」の文字が入っていないのも元々「七」一文字分の余裕しか存在しなかった版木を使用して、「十二」と二文字にしたことによると思われます。

さて、「平安城南北町之図」と「平安城洛外之図」を対比してみますと、まず判型が著しく異なっていることに気づかされます。後者は前者の、縦横それぞれ半分強の大きさとなっています。しかし、街区を黒く刷り出していること、東西と北を山、南を川で画した「山河襟帯」を基本としていることは、両者同様です。ただし「平安城洛外之図」は、判型が小さい分だけ相対的に市街部分が占める割合が高く、その分周囲の部分が圧縮されています。御土居の表現がさらに不完全で簡略になっていることもうかがえます。

一方で、二条城北西の「板倉周防守下屋敷」であったところが、「永井伊賀守殿御下屋敷」となり、その西に「与力衆」の区画が新設されています。また、番号で公家屋敷名表が掲載されていたところが、公家屋敷は配置の拡大図となり、右側に「禁中御築地廻　御公家衆、御門跡方、幷武家方所付」という配置図の割図の名称が付されています。それに伴って、京都図本体の禁中東部の番号はなくなっています。

この京都図には、禁中から二条城北東方にかけて朱筆で囲まれた一帯があり、多くの町名にも朱が加えられています。これは、翌・寛文一三年の火災における焼失区域を後に示したものと考えられています。[*6]

この「平安城洛外之図」の改版と思える京都図が別にあります（京都大学附属図書館大塚京都図コレクション）。全体の印刷の状況は、むしろ「平安城洛外之図」より版がきれいなようにみえますが、刊年・版元は「寛文十　九□□　伏見屋（マこ）開板」のようにみえます。しかし、寛文には一九年は存在しなかった年次です。刊記はまったく同じですが、刊年以下の文字は意図的にぼかした結果である可能性もあります。

しかし、地図そのものは鮮明です。丁寧な手彩色が施され、地名は赤枠で囲まれています。街路名表の記号文字と図中の記号文字は墨付けをせずに、後で朱筆によって書き込んでいます。所司代は同じ人物ですが、「永井伊賀守　御下屋敷」「永井伊賀守　与力衆」と新たに彫り込んだとみられます。二条城西南の「雨宮」が「雨宮対馬殿」、「小出越中」が「宮崎若狭殿」に変えられるなど若干の改版をしています。さらに、市街北西隅における、今日の今出川通と丸太町通間付近に樹木様の表現など、新たな要素があります。また、「禁中御築地廻――」の割図にも増補が行われています。

つまりこれは、「平安城洛外之図」の寛文一二年図よりは後のものと思われますが、刊行年・版元ともに不審の残る地図です。ただし地図としてみた時、表現された京都の認識は、大型の「平安城南北町之図」と基本的に同じです。

大型版の「新板平安城幷洛外之図」――別版と版元

小型版の「新板平安城幷洛外之図」とまったく同名ですが、やや大型で別系統の京都図があります。

図三―5は、天和元年（一六八一）「いつゝや吉兵衛板」と記された京都図です。図三―4の寛文一二年版の同名図より、一～二割程度判型が大きく、山川の形状や文字が全面的に異なっていますので、きわめてよく似た印象の地図ですが、両者は別版と考えられます。

刊記には、

図三―5　「新板平安城幷洛外之図」（いつゝや吉兵衛版）天和元年（1681）刊。88×57㎝。大塚京都図コレクション、京都大学附属図書館所蔵

此図ハ洛陽洛外御公家武家寺方ニ至るまで立かハりたる所おほく在之ニ占（これあるによ
り）重々あらため令改板（改版せしむ）もの也

と、先に述べた寛文七年の同名図とよく似た文面ですが、わずかに表現が違います。また「南」の方位文字を刊記の中央部分に描きこんでいます。

所司代は「稲葉丹後守殿御下屋敷」、与力衆は「稲葉丹後守殿　与力同心やしき」に代わり、公家屋敷の割図も少し大きくなっています。割図の右横にあった説明が上に回り、「禁中御築地廻御公家衆御覧之ためこゝに書出す物なり」と記していますが、「御覧之ため」とは観光対象であるかのような響きを持っています。割図が大きくなっただけでなく、公家屋敷街の北端の「石薬師通」、西端の「なかすじとおり（中筋通）のぶん（分）」などの標記も加わって位置が明確になっています。また、割図に標記された公家屋敷数も増加して、公家名のない区画は一つだけとなっています。

寛文七年以来のやや小型版の同名の地図に比べ、表現が、総じてやや詳細ないし豊かになっている印象を与えます。相違する点として、例えば、公家屋敷の割図の下にある街路名の表は逆にやや簡略です。小型版では、上半分に「横通」、下半分に「竪通《たて》」と記して区分を明示していたのに、このやや大型の版ではこの両者の文字を記入していません。

「いつゝや吉兵衛」は、四年後の貞享二年（一六八五）にも類似の京都図を出版していますが、刊年を改めるとともに、新情報によって若干の改訂をしています。例えば、所司代名は「土屋相模守」に変更し、前述の空白の公家屋敷に「四辻殿」と記入しているような部分的な改版です。これらの埋め木による一部の訂正のほかは、旧版をそのまま使っているものとみられます。

同版の地図はこれ以後も出版されました。まったく同名の地図で、刊行年もありませんが、刊記の後半（左半分）が次のように変わっている例があります。

此京図、新版ニ増補シ之改板者也、姉小路通御幸町西へ入、本屋理右衛門板

またしても版元が変わっていることになります。ただし、いづつや吉兵衛がなぜ版木を手放したのかは不明です。版面は基本的に同じですが、「土屋相模守殿」の文字が変更されています。先の貞享二年版では、この文字に続く天和元年版のままの「御下屋敷、与力同心やしき」と字体が異なっていましたが、それを訂正したものです。もし、間違っているわけではない京都所司代名の字体を改めるのが主目的の改板であれば、その背景にあった所司代との関係をもう少し探ってみる必要があると思われます。

京都所司代の交代と「新板平安城幷洛外之図」

京都所司代は言うまでもなく、徳川幕府の京都における出先機関でした。ここでそれについて詳しく説明する紙幅はありませんが、徳川幕府の下では、京都はもちろん、西国支配の中心拠点でした。

まず、京都所司代の補職（就任）年次[*7]と、「新板平安城幷洛外之図」の改版の年次[*8]とを比べてみたいと思います。同名の京都図が刊行されていた一七世紀から一八世紀中頃の状況です。ここで所司代名および、「新板平安城幷洛外之図」の判明している刊年と版元名を記してみました。

所司代名	補職年月	改版年月
板倉勝重（伊賀守）	慶長八年（一六〇三）三月補職	
板倉重宗（周防守）	元和六年（一六二〇）一一月補職	
牧野親成（佐渡守）	承応三年（一六五四）一一月補職	

板倉重矩（内膳正）	寛文八年（一六六八）八月補職	寛文九年九月　伏見屋
永井尚庸（伊賀守）	寛文一〇年（一六七〇）二月補職	寛文一二年正月　伏見屋（開版）
戸田忠昌（越前守・山城守）	延宝四年（一六七六）四月補職	延宝六年　林吉永 延宝八年　ゐづゝや
稲葉正通（丹後守）	天和元年（一六八一）一一月補職	天和元年一一月　いつゝや吉兵衛 貞享元年（一六八四）七月　靏屋
土屋政直（相模守）	貞享三年（一六八六）九月補職（貞享二年の説あり）	貞享二年一一月　いつゝや吉兵衛 （同年）本屋理右衛門
内藤重頼（大和守）	貞享四年（一六八七）一〇月補職	（同年）本屋理右衛門 貞享五年三月　林氏吉永
松平信興（因幡守）	元禄三年（一六九〇）一二月補職	元禄四年三月　林吉永

小笠原長重（佐渡守）	元禄四年（一六九一）閏八月補職	元禄九年四月　いせや新兵衛・きくや七郎兵衛 元禄一一年正月　いせや新兵衛・きくや七郎兵衛 元禄一三年　林吉永
松平信庸（紀伊守）	元禄一四年（一七〇一）四月補職（元禄一〇年の説あり）	宝永五年（一七〇八）三月　きくや七郎兵衛
水野忠之（和泉守）	正徳四年（一七一四）九月補職	
松平忠周（伊賀守）	享保二年（一七一七）九月補職	
牧野英成（因幡守・佐渡守・河内守）	享保九年（一七二四）六月補職	
土岐頼稔（丹後守）	享保一九年（一七三四）六月補職	享保一九年　鶴屋理右衛門
牧野貞通（越中守・備後守）	寛保二年（一七四二）六月補職	
松平資訓（豊後守）	寛延二年（一七四九）一〇月補職	

第四代京都所司代となった板倉重矩の就任翌年から「新板平安城幷洛外之図」の刊行が始まっています。第五・六代はそれぞれの就任の二年後、第七代と第九代が同年、第十代には再び翌年となって、第十一・十二代は数年後となっています。

先に指摘したいつゝや吉兵衛を巡る問題は、第八代の土屋相模守の時です。右の一覧では土屋相模守の就任の前年に、いつゝや吉兵衛版が出版されたことになっていますが、おそらくあり得ないことでしょう。（ ）内に記したように『徳川実紀』では、就任は前年である貞享二年の九月と記されていますから、こちらのほうが正しい就任年である可能性があります。

それにしても就任が九月、いつゝや吉兵衛の出版が一一月ですから、きわめて急いだ出版であったと思われます。憶測を加えるなら、急いだ改版が字体の不備を招き、同年に版元を変えざるを得なかった、という可能性が出てきます。ただし、これは地図出版のみからみた憶測ですので、さらに広範な調査が必要です。

この表から逆に、地図出版年の推定が可能になる例もあります。やはり所司代土屋相模守の時期ですが、同表に貞享二年、本屋理右衛門版の図の存在を推定して記入しています。この図にはもともと刊年が記されておらず、大塚の目録では貞享二〜四年と推定されていたものです。図中に土屋相模守の名称が明記されていますので貞享二年と推定しました。

なお、刊年が最初に明記された、慶安五年（一六五二）の山本五兵衛版「新板平安城東西南北町弁洛外之図」は、京都所司代の名称を標記していません。また先に図三―2で取り上げた、承応三年（一六五四）五月、無庵刊の「新板平安城東西南北町弁洛外之図」は第二代京都所司代板倉周防守の時期ですが、正確にその名称を標記しています。さらに明暦三年（一六五七）二月、寺町丸屋刊の同名の地図は、第三代牧野佐渡守の時期ですが、やはりそれを標記しています。

簡単に要約しますと、まず、慶安五年・山本五兵衛版「新板平安城東西南北町弁洛外之図」は所司代名を標記していません。しかし異なった地図でありながら同じ図名を持った、承応三年・無庵刊に始まる「新板平安城東西南北町弁洛外之図」および、伏見屋に始まる「新板平安城弁洛外之図」が刊行されていた時期においては、さまざまな版元から改版が出版されましたが、その刊行時期は京都所司代交替に関わる所司代の名前の変更が重要な要素だったと思われます。

つまり、京都所司代の新任時期と密接に関連して開板され、また改版されていたことがうかがわれます。徳川幕府支配下における京都の支配構造とその変化には敏感にならざるを得なかった状況の反映といってもよいと思われます。

ただし、刊行された京都図における京都の都市構造の全体的把握には、支配の形跡はそれほど濃厚ではありません。

2 コスモロジカルな京都——山と川に囲まれた小宇宙

「新撰増補京大絵図」——京大絵図の出現

貞享三年（一六八六）三月に「御絵図所林氏吉永」刊として登場した「新撰増補京大絵図《きょうおおえず》」（図三—6）は、一六六×一二四センチメートルのきわめて大型のものでした。林氏吉永という版元は、延宝六年（一六七八）刊の「新板平安城并洛外之図」の版元であった林吉永と同じ版元だと思われます。この地図は伏見屋開版図の版木を入手して刊行したと考えられますので、それによって小手調べをしたうえでの、満を持した新版の刊行といってもよいと思われます。

山河襟帯の様子を表現している点では、すでに自ら刊行した「新板平安城并洛外之図」とも基本認識を共有していますが、小型版であったために市街が中心となっていました。むしろそれ以前における、やや大型の「新板平安城東西南北町并洛外之図」との類似性がみられます。とはいっても、三～五割ほど判型が大きいことに加えて表現内容にも大きな違いがあり、印象は大きく異なります。

同図は、大塚京都図コレクションにいくつもの版が収められていますが、ほとんどが墨刷りの手彩色です。山は緑系と黄色系、川は水色、道路は黄色系、社寺等の建物は朱系、その屋根

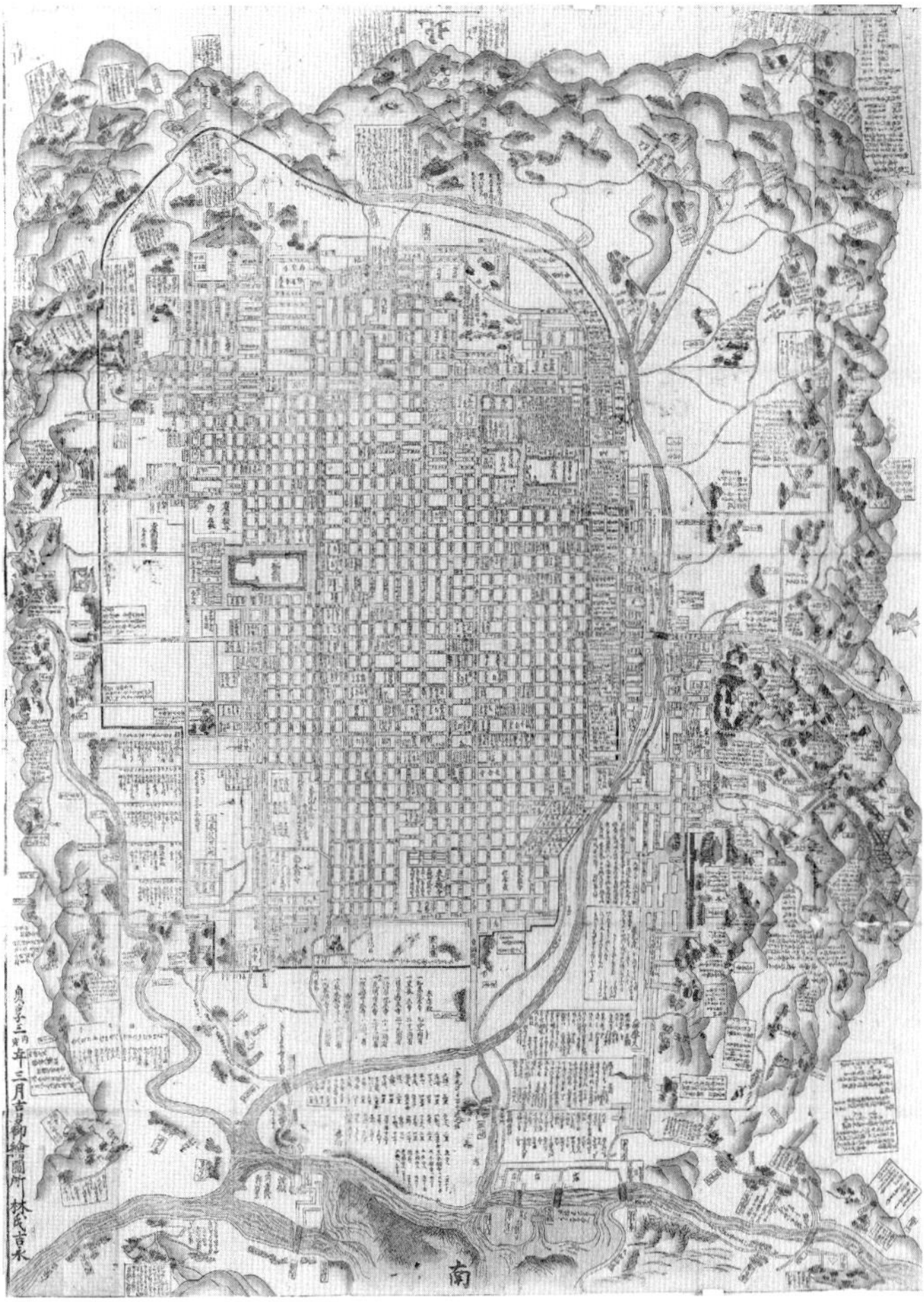

図三—6　「新撰増補京大絵図」貞享三年（1686）刊。166×124cm。大塚京都図コレクション、京都大学附属図書館所蔵

は灰色系、といった点は共通していますので、版元が同系統に彩色した可能性が高いと思われます。最も丁寧に絵画的に表現されているのは、東南端に描かれた「清水本堂」です。清水の舞台と称される建築様式が克明に表現され、さらに「奥院」、「田村堂、朝倉堂」なども表現されて標記されています。

「新撰増補京大絵図」は図三―6のように、市街と周囲の山並みおよび川の間がやや広くとられていることが、特有の印象をもたらす一因でしょう。大型図であるからこそ可能な表現の特徴ですが、市街の周囲を広くとることとなって、周囲を取り囲む山川との対比がより際立っているように思えます。

市街の表現は、東西と南北の縮尺を異にした、非常に特徴的な手法です。東西が約三九〇〇分の一、南北が約七九〇〇分の一の縮尺となっています。乱暴に言えば東西に比べ、南北が半分ほどの長さに詰められた表現になります。その結果、平安京以来の正方形の街区が東西に長い長方形に表現されています。これに対して平安京以来の正方形の街区が二分割されてできた、南北に長い長方形となっている街区が、東西に拡大されてほぼ正方形に表現されています。全体に街路幅を広くとっていますが、広くとった街路に町名を標記している手法は「都記」以来の方法です。

さらに、二条城付近の御土居内にあった公家屋敷の割図がなくなって、禁裏の東側の本来位置に表現されています。また割図の下方にあった街路名の表が、御土居の外側西方に出されて枠が除かれ、ほかの記述と調和の取れた表現となっています。入りきらない部分は、西南隅に近い桂川の西岸に移しています。しかも、「横通合紋《ごうもん》、竪通合紋」と題された記号との対照表も、やや名称を変えて復活しています。

市街部分の独特の縮尺のために、全体の形状も南北がきわめて縮小されていることになります。また墨刷りの御土居の表現がきわめて鮮明になっています。しかも御土居沿いに「此墨とじ、どて（土手）なり」との記載があり、場所によって「長七千間の余」「馬走（土手基礎沿いの平坦な部分）四間」などの記述が加えられています。全体として眺めると、市街はまず御土居で囲まれ、さらに山と川に囲まれた小宇宙のような表現です。

刊年・版元名は左下に一行で記され、刊記はありませんが、下部の鴨川・宇治川・高瀬川に囲まれたところに、「一条札辻ゟ《いちじょうふだのつじより》方々《ほうぼう》へ道之《みちの》程《ほど》」として、「大津へ　三里」「宇治へ　四里」「大坂へ　十二里」などと京都内外の各地への道程を列記しています。「一条札辻」とは一条室町の交差点付近のことで、当時の上京の中心であり、高札場が設けられていたとされます。

「新撰増補京大絵図」の大きな特徴は、地図中の名所に丁寧な説明が加えられている点です。最も多くの説明が加えられているのは東山山麓の「大仏」と「蓮華王院」です。鴨川東岸と「五条通」から伏見へ向かう道との間に五段にわたって説明が加えられています。特に「三十三間堂寸法」と「大仏殿寸尺」がきわめて詳細です。大仏殿正面から西へ向かう「正面通」も標記されています。不思議なことに伏見へ向かう道程や「御香宮、町や、京橋、豊後橋」などの表現や標記はあるのですが、地図に伏見という名称の標記がみつかりません。

ちなみに、三条大橋と五条大橋は「平安城東西南北町幷之図」（図三―1）にすでに表現されていたように、欄干のある橋として描かれていますが、「今出川口、加うぢんくち（荒神口）、（二条橋―名称なし）」などには板のような橋が描かれているだけです。興味深いのは、四条大橋相当の位置には、高瀬川と鴨川河床の二本の水流を越える、計三か所の簡便な橋と思われる表現があるだけで、その表現は今出川、荒神口、二条とさえも異なっていることです。おそらく当時の実態を反映しているものと思われます。高瀬川も描きこまれていますが、舟入の表現はありません。

大仏や蓮華王院ほどの記載量ではありませんが、「新撰増補京大絵図」には、きわめて多くの名所解説が記入されています。どのような名所を取り上げているのか対象を列記してみます。まず、説明を加えている洛外の名所を北から時計回りに眺めてみます。（　）内、および――の下部に加えた記述は参考のためのものです。

上賀茂

きふね（木船）ノ社
松尾山鞍馬寺
実相院――（岩倉）
勝林寺――勝林院（大原）
融通寺――（大原）
霊山寺――（大原）
観勝寺――（大原）
寂光寺――寂光院
北山小原常修院
比叡山延暦寺
下加茂
曼殊院
長徳山智恩寺百万遍――（寺町土御門→東大路今出川）
新長谷寺――吉田村
新龍寺――吉田村
善正寺――（岡崎）

慈照寺（銀閣）
吉田社
黒谷　紫霊山金戒光明寺
聖護院
若王子
聖衆来迎山禅林寺永観堂
瑞龍山南禅寺
霊芝山光雲寺――（南禅寺北ノ坊）
頂妙寺――（四条寺町→新町通長者町→仁王門通川端東入）
一心院――（東山区林下町）
東山大谷寺知恩院
丸山安養寺
東山長楽寺
霊山正法寺
金玉山叟林寺
高臺（台）寺

ぎをん（祇園）
安井門跡
本山建仁寺
ゆぎやう（遊行寺）
音羽山清水寺
文殊院
智積院
大仏方広寺
大仏
蓮花（華）王院——三十三間堂
揚（養）源院
今熊野
泉涌寺
恵日山東福寺
清閑寺
花山寺（元慶寺）

下醍醐寺
勧修寺――（山科）
稲荷社
藤森社
黄檗山萬福寺――（宇治市）
明星山三室戸寺――（宇治市）
法琳寺――（伏見）
海住山――（宇治郡）
興聖寺――（宇治市）
平等院――（宇治市）
弥陀次郎――（宇治市）
御香宮――（伏見）
金光寺――（七条東洞院）
淀城
徳迎山正法寺――（八幡市）
石清水八幡宮――（八幡市）

真言宗戒光寺――（大山崎町）
神宮寺――（大山崎町）
観音寺――（大山崎町）
財（タカラ）寺――（大山崎町）
山崎之内離宮八幡社――（大山崎町）
報国山光明寺――（大山崎町）
向明（日）社――（向日市）
さいほうし（西芳寺）
最福寺――谷ヶ堂最福寺（松室）
月夜見（読）宮――（松尾社内）
松尾社
智福山法輪寺――嵐山
霊亀山天龍寺
小倉山二尊院
正法山妙心寺
愛宕山清凉寺――釈迦堂

御室仁和寺
あたこ（愛宕）山
朝日山白雲寺
平野社
等持院
龍安寺
林尾山——たかを（高尾）
高山寺——栂尾
神護国祚真言寺
岩屋金峯寺——岩屋山志明院

さらに、御土居内にも説明が加えられた名所があります。

今宮
龍宝山大徳寺
萬年山相国寺

本覚山妙顕寺
本法寺
光明山引接寺――千本閻魔堂
瑞応山大法恩寺―千本釈迦堂
北野天神
太秦広隆寺
梅宮
壬生寺
大光山本国寺
東本願寺
東寺
西本願寺

以上のように、市街外縁つまり洛外の名所九一か所、御土居内の名所一五か所もの多数について解説を加えています。解説の内容は主として由来と構成、そして寺社の場合、その寺社領の石高です。しかもこの解説文が巧妙に配置され、全体として違和感の少ない、独特の調和を保っているのが大きな特徴です。このほか「きんかくじ（金閣寺）」等、名称だけとはいえ記載されている名所もありますので、この「新撰増補京大絵図」は観光案内と解説の機能を強く持っていたことになります。

二条城北西の京都所司代名、「土屋相模守御下屋敷」や「土屋相模守与力屋敷」は貞享二年版「新板平安城并洛外之図」と同様ですが、いつ、や吉兵衛版のような不調和な文字配置ではありません。むしろ、市街西側の「二条御城」と所司代屋敷等の表現は、北東側の「禁裏」、「東宮様」、「本院御所様」などの表現と併せて、東西の好対照となっているようにみえます。このように、表現対象全体が一体化しているかのような表現になっているのも「新撰増補京大絵図」の特徴です。

山河襟帯となっている周囲の山や川に取り囲まれた、この地図における京都のありようは、京都とその周辺が一つのまとまりのよい小宇宙であるかのようにみえます。御土居や二条城、京都所司代屋敷など武家の要素もまた、数多い名所と一体化して観光都市としての特性の中に埋め込まれている、とみるのは読み過ぎでしょうか。

版元・林吉永の活動――三都の都市図

林吉永が初めて京都図出版の版元として、京都図に版元名を印刷したのは延宝六年（一六七八）版の「新板平安城幷洛外之図」でした。すでに述べたように、おそらく伏見屋版の同名の地図の版木によったものとみられます。「新板平安城幷洛外之図」には、次のように多くの版が確認されています（大塚隆・前掲本による。筆者追補）。

元禄二年（一六八九）版（標記された京都所司代〔以下略〕内藤大和守）
元禄四年版（小笠原佐渡守）
元禄九年版（小笠原佐渡守）
元禄一二年版（松平紀伊守）
宝永六年（一七〇九）版（松平紀伊守）
刊年不記載（正徳二〜四年〔一七一二〜一四〕）版（松平紀伊守）
刊年不記載（正徳四年〜享保二年〔一七一七〕）版（水野和泉守）
刊年不記載（享保二年〜享保九年〔一七二四〕）版（松平伊賀守）
享保八年版（松平伊賀守）
刊年不記載（享保一〇年頃）版（牧野佐渡守）
刊年不記載（享保一三年以降）版（牧野河内守）

各版末尾の（　）内に参考として記入しているように、刊年が記載されていない場合でも、京都所司代名は必ず標記されています。やはり、京都所司代の交代が改版の重要なきっかけのようです。すでに述べたように「新撰増補京大絵図」には多くの版がありましたが、それぞれに若干の訂正が加えられています。

版元林吉永の「新撰増補京大絵図」は、「新板平安城幷洛外之図」の刊行によって小手調べをしたうえでの、満を持した新版の刊行と思われるといってもいいことはすでに述べました。この「新撰増補京大絵図」は市場に好評を得たようで、その後再版が繰り返されます。

しかも林吉永は一方で、延宝六年（一六七八）に始めた「新板平安城幷洛外之図」の刊行を、並行して続けていました。貞享五年（一六八八）版、元禄四年（一六九一）版などの存在も知られています。

さらに宝永六年（一七〇九）には、「宝永改正洛中洛外之図」と題する小型版（六二×五〇センチメートル）の地図も刊行し、正徳五年（一七一五）にもそれを再版しています。

林吉永はまた、正徳四年に「新版増補京絵図新地入」という中型図（九五×六六センチメートル）の刊行も始めていて、享保八年（一七二三）に「新版増補京絵図」として、その改版が出たことも知られています。これまでみてきた出版京都図の多くは、一～三回ぐらいの再版・改版によって、しばしば版元が変わっていましたが、林吉永は一六七〇年代末からずっと京都図の刊行を続けていました。林吉永とはおそらく家号のようなものでしょう。おそらく代替わりしつつ、時に林氏吉永を名乗り、また「御絵図所」と称しながらも、林吉永の版元名を受け継いでいったものと思われます。

享保八年版の「新板増補京絵図」の刊記に「新地所替、残らず今度改板する者也」と記され、また版元を「京都寺町通二条上ル町　御絵図所　林吉永」と記しています。二条通は、二条城の正面から東へ延びる、いわば二条城の大手町通りでした。寺町通は、豊臣秀吉が寺院を市街東端に並べて配置した南北道です。現代流に表現すれば、寺町は一種の文教施設街でした。その交点付近の二条寺町には、山本五兵衛など、ほかにも版元が所在したことが知られていて、当時の出版の一つの中心地であったことになります。[*9]

林吉永は、京都のみならず江戸、大坂の地図出版も手掛けていました。「新板平安城幷洛外之図」の刊行を始める三年前の延宝三年（一六七五）には、「新板江戸大絵図絵入」を刊行していました。[*10]やがて江戸に出店を構えたようで、貞享三年（一六八六）には、「御江戸大絵図」を出版し、版元を「江戸新両替町　林氏吉永」としています。元禄三年版江戸図にも同じ住所が記されています。林吉永版江戸図の特徴の一つは、北を上にした、江戸図の江戸湾部分に大名・寺社等の説明表が掲載されていることです。

貞享四年（一六八七）には、「新撰増補大坂大絵図」も出版しました。この大坂図は元禄四年、

	1600	1700	1800
京	都記 平安城東西南北町幷之図 林吉永出版開始 新撰増補京大絵図（林吉永）	増補再板京大絵図（林吉永） 懐宝京絵図（正本屋吉兵衛） 竹原好兵衛出版開始 天明改正細見京絵図（正本屋吉兵衛） 早見京絵図（正本屋吉兵衛） 京土産花洛往古図	改正京町絵図細見大成（竹原好兵衛） 再刻都名所自在歩行（竹原好兵衛）
江戸	（武州豊嶋郡江戸庄図） 遠近道印出版開始 江戸絵図（表紙屋市良兵衛） 増補江戸大絵図絵入（表紙屋市良兵衛） 石川流宣出版開始 御江戸大絵図（林吉永） 江戸大絵図（遠近道印作） 須原屋茂兵衛出版開始	新板分間江戸大絵図（石川流宣作） 絵入江戸大絵図（表紙屋市良兵衛） 分間江戸大絵図（須原屋茂兵衛）	御江戸絵図（南杣笑楚満人） 文政改正御江戸大絵図（須原屋茂兵衛） 分間懐宝御江戸絵図（須原屋茂兵衛） 宝永御江戸絵図（蔦屋吉蔵寿梓） 嘉永改正御江戸大絵図（高井蘭山） 万寿御江戸絵図（菊屋・小田原屋） 江戸切絵図（尾張屋清七）
大坂	新撰増補大坂大絵図（林吉永）	新版摂津大坂東西南北町嶋之図（大和屋市兵衛） 野村長兵衛出版開始 摂津大坂図鑑綱目大成（野村長兵衛） 新板大坂之図（林吉永） 播磨屋九兵衛出版開始 増補大坂図（菊屋七郎兵衛） 増修大坂指掌図（播磨屋九兵衛）	増修改正摂州大坂地図（赤松九兵衛） 大湊一覧 改正摂津大坂図（石川屋和助） 弘化改正大坂細見図（播磨屋九兵衛） 文政改新摂州大坂全図（播磨屋九兵衛） 改正増補国宝大坂全図（河内屋太助）

図三—7　三都の近世都市図と版元・作者（抄）

同一二年、正徳四年（一七一四）などにも再版が出ていますが、単に「大坂大絵図」と題したものもあります。東を上にして図の上部中央に大坂城を持ってきているのが林吉永版大坂図の特徴です。「新撰増補大坂大絵図」の前にも、林吉永は「大坂大絵図」を出版しています。

貞享三年といえば、林吉永が「新撰増補京大絵図」を出版した年です。この年に「御江戸大絵図」を出版し、さらに翌年には「新撰増補大坂大絵図」を出版するという大規模な事業展開を行っていたとは驚きです。京・江戸・大坂の三都の都市図を席巻する勢いでした。しかも京都図のそれまでの版元と違って、いずれの京都図の版も長く再版・改版を続けています。参考までに三都の主要な刊行都市図とその版元を一覧表にしてみると図三―7のような状況です。林吉永が稀な存在であったことが知られます。

江戸ではしかし、遠近《おちこち》道印作や石川流宣作の地図と競合し、やがて須原屋茂兵衛という有力な版元の時代へと移ります。大坂でも野村長兵衛や播磨屋九兵衛などの地元版元が育ち、林吉永は「新板大坂之図」を出版しますが、やがて京都図の出版に専念したようです。

「新板増補宝永改正京大絵図」――江戸版の京大絵図

林吉永が江戸図・大坂図に手を広げていた一方で、宝永四年（一七〇七）には「新板増補宝永改正京大絵図」（六七×五一センチメートル）と称する京都図が刊行されました。版元には、「京

書林　上村四郎兵衛、大坂　鳥飼市兵衛、江戸　清水四郎兵衛」と三都の版元名となっています。大絵図と称している割には判型が大きくありませんが、地図の表現内容も特異です。

まず図三―8のように、洛中の表現対象がきわめて限定されているのが特徴です。東は寺町の寺院列、西は「千ぼん（本）通」、北は「志やうこくじ（相国寺）」、南は「七条通」の範囲ですが、絵画的に表現されているのは「内裏」と「二条御城」だけで、すでに述べた相国寺と寺町の寺院群を除けば、標記されているのは「本国寺、東・西本願寺、いなばやくし（因幡薬師）、六かくどう（角堂）」や、二条城周辺などわずかな数です。

面白いのは、「寺町とうり（通）一」をはじめ、「御幸町とうり（通）二」、ふや（麩屋）町通り三、とみのこうじとうり（富小路通）四」といったふうに、南北の街路に東から順に番号を付して、「ほりかハ（堀川）廿一《にじゅういち》」に至っていることです。東海道の出入り口である三条大橋に近い寺町を一番として、西に進む番号は一条―九条の街路名に倣ったと思われ、おそらくほかにない表現です。東西道については「一条通」から「五条とう里（通）」までの通常の名称が記入されています。五条通以南は七条通だけが描かれ、「とうじ（東寺）」などは洛外と同じような表現です。

洛中の表現が簡略で街路名が目立つ表現なのに対して、洛外の名所は数多く標記されています。これら洛外の名所は名称のみが、基本的に北を上にして記載され、北東隅は「ひゑいさん

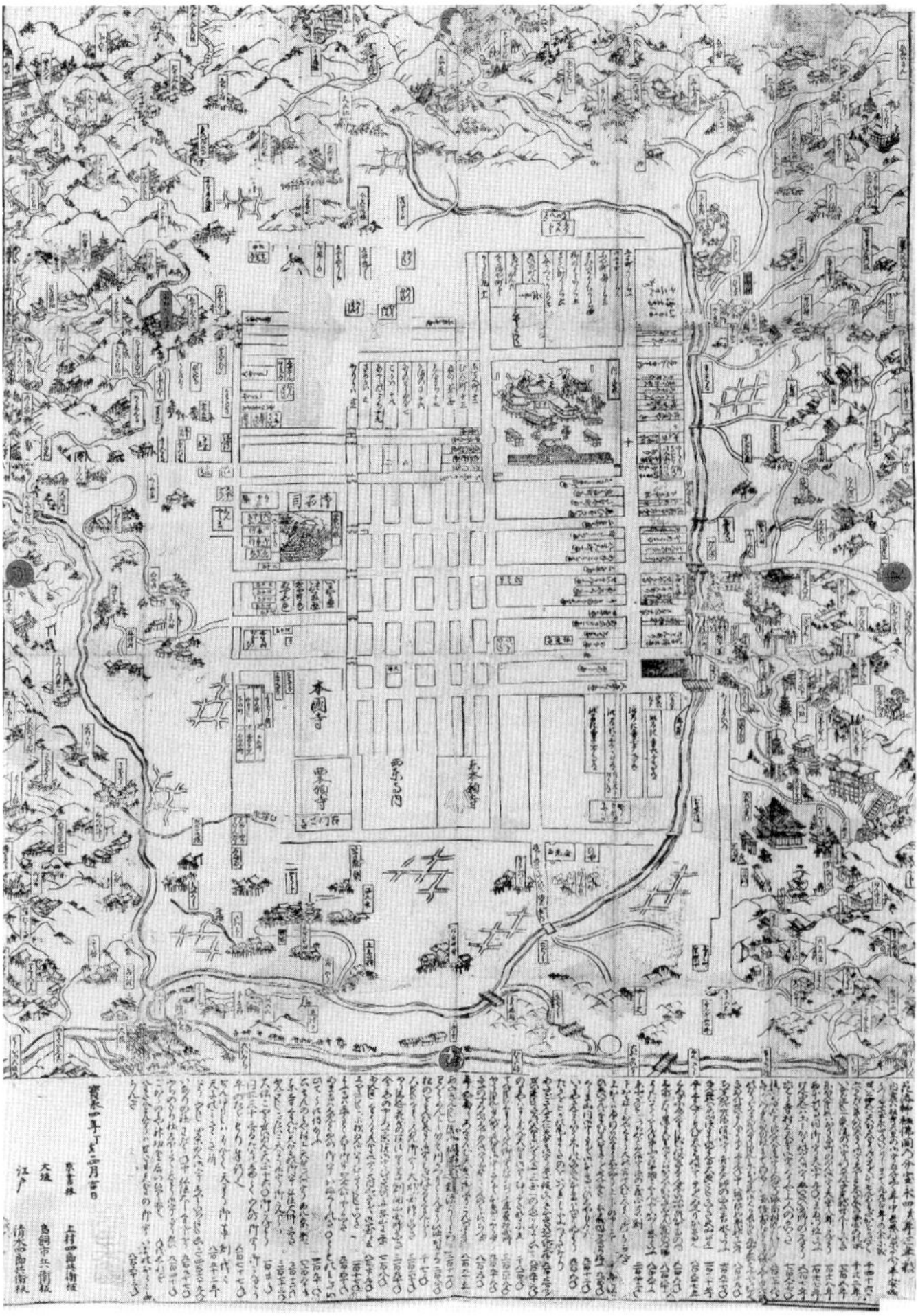

図三—8　「新板増補宝永改正京大絵図」宝永四年（1707）刊。67×51㎝。大塚京都図コレクション、京都大学附属図書館所蔵

（比叡山）」、北西隅は「あたご（愛宕）」、南東隅は「ひやうどういん（平等院）」、南西隅は「男山八まん（幡）宮」です。

地図中に説明はありませんが、地図の下部に「花洛神社仏閣乃分」として、内裏についての宝永四年まで「凡《およそ》九百年」という記述をはじめ、それぞれの名所の起源からの年数を列挙しています。「の、ミや（野々宮）」の「千八百年」が一番古く、「大仏」の「百廿年」が一番新しい名所として記載されています。歴史的な経過年数のみにきわめて強くこだわっている記載は、ほかの京都図にはみられません。

すでに推定されているように、*11 これは三版元の共同出版ではありますが、江戸の版元、清水四郎兵衛が主導した京都図とみられます。

類似の出版形態はほかにもありました。享保一〇年（一七二五）刊の「新板増補享保改正京大絵図」です。版元は先に述べた三都の三版元のほかに、長沢庄兵衛が筆頭として加わり、四版元の共同出版の形です。

この京都図は面白いことに、洛中とそのごく周辺の記載部分は変わっていますが、洛外部分は「新板増補宝永改正京大絵図」とまったく同じです。地図の下部には「新板増補宝永改正京大絵図」記載の「花洛神社仏閣乃分」以下の起源の記載がそのまま載っています。

すでに簡略化していた洛中部分を思い切って削り、そこに別の版を組み込んだものとみられます。版面の大きさも同じです。しかも原版の洛中の西にあった千本通の一部や、その南への延長線などが残ったままです。おそらく実際の京都をよく知らない人々の手によるものと考えざるを得ません。また洛中は、版が多少摩耗した洛外の線と異なり、きわめて細い線で刷り出されています。

しかも興味深いことに、東西の縮尺は南北の二倍ほどになっていて、南北に長い長方形の街区がほぼ正方形になり、正方形の街区が東西に長い長方形に表現されています。このような表現は、当時すでに市場に出ていた、林吉永版の「新撰増補京大絵図」の表現法に類似します。街路も同様に広くとられていますが、街路名の多くは西辺や南辺に並べられています。

このような改版の例は、近世の版元による地図作製方法の一端を物語っていることになります。

「新撰増補京大絵図」の改版――ロングセラーの内容

「新撰増補京大絵図」は貞享三年に初版が出て以来、元禄二年（一六八九）、同四年、同九年、同一二年、宝永六年（一七〇九）、推定正徳二年（一七一二）～同四年、推定同四年～享保二年（一七一七）、享保二年～同九年、同一〇年頃、同一三年以降、同一九年～寛保二年（一七四二）、と版を重ねていました。

これらは、版ごとに京都所司代の名称を更新していますが、そのほかにもさまざまな変更を加えています。

例えば宝永六年版には、元禄一二年版まで存在しなかった鴨東の二条新地が描かれています。それまでは、「頂妙寺」と「たんのう（檀王）」だけが標記されていた場所でした。二条川端付近から西南部にかけての部分です。北西隅が頂妙寺、東南隅が法皇路でした。現在も寂光寺、要法寺などが東南隅近くに残り、「新——町通」と名付けられた六本の南北道がある地区です。

さらに大きく変更が加えられた版もあります。刊年が記されていませんが、宝永六年版よりは後の版と思われ、まず版元名を下部中央に記して、「今度新地、取替不残（のこらずとりかえ）改板令《せし》むる者也　京寺町通二条上ル町　御絵図所林氏吉永」と刊記を加えたものです。

確かに二条新地の部分は宝永六年版ではやや目立った埋め木でしたが、絵図のほかの部分と調和するように作り変えられています。ところがそれだけではなく、いくつもの大きな変化がみられます。この版には刊年がないものの、所司代名から一定の推定が可能です。

貞享三年の初版では、二条城西北に「土屋相模守御下屋敷、土屋相模守与力屋敷」だけが標記されていましたが、刊年不記のこの版では、二条城のすぐ北に「御所司代　牧野河内守」の役宅が新設され、その東と西の下屋敷にも「御所司代」と記されています。牧野英成の京都所司代在任は享保年間（享保九〜一九年）ですから、初版からすれば四〇年ほど後の版となります。

なお、同じ版による改版に、京都所司代が「土岐丹後守」としているものがありますが、これは、牧野河内守の後を継いだ土岐頼稔の頃に製作されたものだと思われます。

例えばこの所司代牧野の版では、貞享三年の初版と異なった、次のようないくつかの変更が目につきます。

図版右上部では、比叡山延暦寺の説明が、右上隅に動かされ、その左にあった、勝林寺、融通寺、霊山寺、観勝寺の一連の枠内説明がなくなっています。

上部中央では、方位文字の左右にあった木船社と松尾山鞍馬寺の説明がなくなり、北山一帯の表現が全体として充実するとともに、「上賀茂社」の表現の説明が改められて、さらに「京都」の概説が新たに加えられています。京都の別称や由来など、一一行に及ぶ縦長の囲み記事の形です。左上部でも、「七野」の表やいくつかの説明が新たに加えられています。この表には「内野、北野、紫野、蓮台野、上野、萩野、草野」が記入されています。

図版下部の変化も大きく、御土居南辺と鴨川の間にあった末寺数の大きな表は改変されて小さくなり、鴨川と伏見の間に三段に記載されていた「大仏殿寸尺」は、簡略化されて三か所に分けられています。下部での大きな変更は、前述の刊記の挿入と、一条札辻からの道程の一覧表を、「京三条大橋ヨリ方々ヘノ方角幷道のり之記」と改題した一覧表への変更です。三条大橋が京都観光の起点として重視されるようになったことは、京都の中心としての一条札辻を起点に据えるという、従来の京都の概念の大きな変化とみられます。

　左中央部でも二条城西南の御土居内には、「東三条口、伏見口、鳥羽口、七条丹波口、長坂口、鞍馬口、大原口」の「洛陽七口」表と「同間之近道」表が加えられています。このような七野、七口などの名数が表示されていることは、それらもまた名所ないし観光地として加えられたとみられることになります。

　このような図版上部でのさまざまな変更は単なる訂正ではなく、北山そのものの表現の追加、新たな説明表の挿入等があり、旧版の体裁こそ保持しているものの、新版に近い大幅な変更といってもよいと思われます。

　以上述べただけではなく、図版全体を眺めるとさらにいくつもの変更がみられます。版元名を移した後の西南隅には、「離宮八幡宮、寶寺、奥海印寺」などの堂宇が絵画的に描かれています。四方に記されていた東西南北の文字自体も、位置を動かすとともに図の中心からみた方向に変え、山の嶺線の描き方と合わせています。また、文字を丸で囲んでいます。その理由の一つは、京都の市街を図の中央にして、東山と山麓の部分をやや圧縮し、西山と山麓部分を拡充したことにあります。そのために、東の鴨川・高野川と、西の桂川の表現も変えています。

　地図全体としても、初版以来の「新撰増補京大絵図」はやや東重視に表現が偏っていましたが、この版では東西南北が同じように山川に囲まれ、南の東西に伏見と離宮八幡が描かれ、きわめてバランスのよい構図になっています。その中心が京都の市街として表現されていることになります。まさしく山河襟帯の小宇宙が表現されています。このような積極的かつ大幅な変更を加えた改版も、ロングセラーの一つの要因ないし結果でしょう。

「増補再板京大絵図」——京大絵図の極相

「新撰増補京大絵図」を刊行してきた林吉永は、寛保元年（一七四一）さらに大型の京都図を刊行しました。「新撰増補京大絵図」の改版は繰り返し行われ、先に紹介した刊年不記載の改版に至っては、別版といってもよいほどに改訂・増補が加えられていました。その意味では、改版ではすでに追いつかない状況になっていたともみられます。新しい版は、図三―9のように「増補再板京大絵図」と題した大型図です。

この、乾（北山ヨリ南三条迄）・坤（北三条ヨリ南伏見迄）二枚に分割された前代未聞の大型京都図は、乾坤それぞれ一二六×九三センチメートルもあり、全体では南北は一八六センチメートルに及びます。この坤図西南隅の刊記には次のように記しています。

此の絵図貞享三丙寅年開板、世に弘《ひろし》と雖《いえど》も、猶又今度《なおまたこのたび》洛中洛外の寺社、名所、旧跡、町小路を、八分一町ノ刻ヲ以て、新地等迄、悉《ことごと》く相改め、幷《ならび》に諸方道法《みちのり》方角之図、相加へ、再

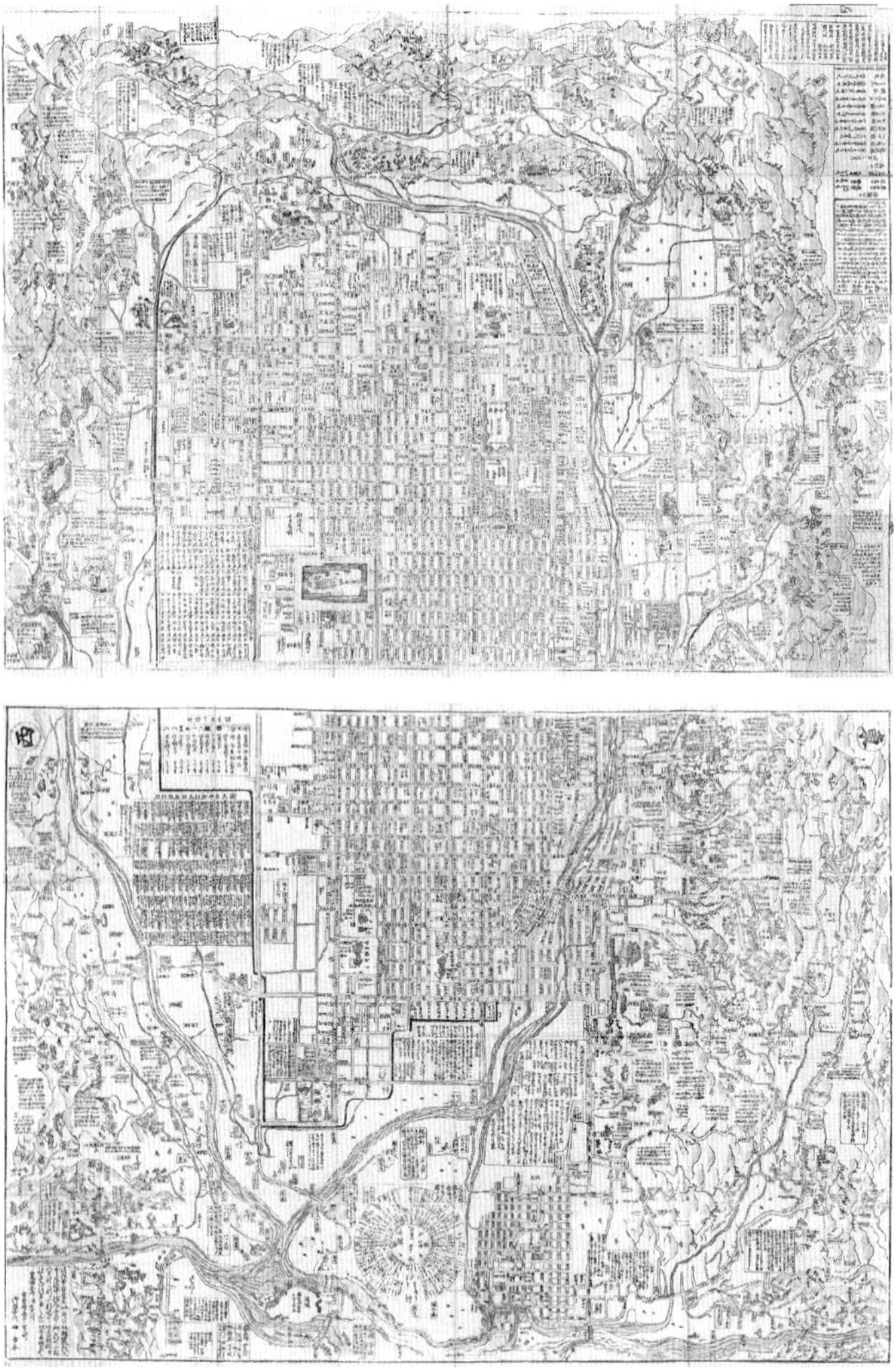

図三—9　「増補再板京大絵図」（乾・坤）寛保元年（1741）刊。上下それぞれ126×93cm。大塚京都図コレクション、京都大学附属図書館所蔵

板せしめる者也

まず、貞享三年刊の絵図（「新撰増補京大絵図」）の後継の版であることを記しています。先に推定したように、改版では追いつかない状況を反映した表現とみられます。さらに、八分一町の縮尺（四五〇〇分の一）によって、新版ですが表現内容を改めて「再版」したと称しているのです。前述の新撰増補図は南北と東西の縮尺が異なっていたために、正方形の街区が東西に長い長方形に表現され、南北に長い長方形の街区がほぼ正方形に表現されていました。増補再板図では、これらがほぼ正確に表現されていることになります。ただし街路は、町名標記のためにやはり広く表現されています。従って実際には、市街中心部付近で約六〇〇〇分の一程度の縮尺で表現されています。しかし市街の縁辺の洛外では縮尺を縮めています。特に北部と南部一帯では大きく南北に縮めて洛外を広く表現できるようにしています。

また諸方向への道程は、「方角之図」によって図示したとしています。確かに坤図の下端には、「洛中」を中心とした方位円盤が描かれ、方位別に主要地点への距離が記入されています。先に紹介した改版の新撰増補図と同様に三条大橋を起点としていますが、表ではなく「三条大橋ヨリ諸方江ノ道法幷方角ヲ図ス」とされています。

改めて本図をみてみると、全体的に、改版の新撰増補図における表現を踏襲しています。伏見や離宮八幡などはほぼそのままですし、さらに東南部の宇治、西南隅の「八幡御本社」および付近や門前の表現が詳しくなっています。改版・新撰増補図の「大仏殿釈迦如来寸尺」は、「大仏殿釈迦如来之寸法」表として充実しています。

改版された新撰増補図の北端にあった「京都の別称や由来」の表、「洛陽七口」表と「同間之近道」表などは、この増補再板図では、乾図北東端に整然と配置されています。「七野」表は、御土居内の北西端付近に移されています。

「京都の別称や由来」の表、「洛陽七口」表と「同間之近道」表などがあった御土居内西端部分には、これらを移動した後に、御土居外から「京町竪小路・横小路」表を拡大して移しています。その下部には、「諸宗寺々合印」として宗派別の寺院数と図中の記号を示しています。さらに「京町竪小路・横小路」表の後の空間には、「諸大名御知行、京御屋敷所附」表を作成し、諸大名の名称と石高、および京屋敷の所在地を記しています。

この宗派別表や諸大名に関わる表も新しいのですが、増補再板図で目につくのは新たに、京都郊外の「葛野郡六十八村」「愛宕郡五十八村」「紀伊郡二十三村」「乙訓郡四十五村」の領域の概要説明が加えられ、さらに南および東南の「綴喜郡四十五村、相楽郡七十村」「久世郡二十二村」「宇治郡二十七村」などの領域概要の説明が加えられていることです。

京都所司代屋敷の場所には、どうしたことか「御諸司代　井上河内守」と標記されています。

所司代の用字が「御諸司代」となっていることも目につきますが、増補再板図の刊記に記された寛保元年（一七四一）一一月からすれば、享保一九年（一七三四）以来在任の土岐丹後守とあるのが最も自然であり、井上河内守就任の宝暦八年（一七五八）とは大きく相違します。なぜでしょうか。

「増補再板京大絵図」は、次のように、同年の刊年記載のまま、少なくともほかに二回再版されたことが知られています。[*12]

寛保元年（標記された京都所司代（以下略）牧野備後守、寛保二年（一七四二）就任）

寛保元年（阿部伊予守、宝暦一〇年（一七六〇）就任）

つまり、記されている刊年はすべて寛保元年ということになります。ところが京都所司代名は変えられています。しかも、先に紹介した版の「井上河内守」の印刷は、すぐ右横の「御諸司代」の印刷とは違って鮮明です。また、「井上河内守」とした版と「阿部伊予守」とした版と比べますと、「御諸司代」の文字は同じですが「阿部伊予守」の文字はやはり明らかに違います。

さらに「阿部伊予守」とした版では、「仙洞様御殿、女院様」と記入されていたところに、向きを変えて「仙洞様、女院様」と記入し、「新院様、新女院様、右御殿」と記入されていたところに「東山院様、御殿」とやはり向きを変えて記入しています。字体も明らかに違いますので、埋め木による改版と見られます。

このような違いの理由として、最もありそうな理由は次のような状況です。「増補再板京大絵図」は寛保元年に初版が刊行されましたが、以後刊記・刊年はそのままで、京都所司代の名称と禁裏南部の仙洞御所付近の記入だけを埋め木で変更して版を重ねたという可能性です。その初版が残存せず、たまたま現在まで伝えられているのが、ここに紹介した、そのうちの三点であったと考えれば矛盾がなくなります。ただし、なぜ刊記・刊年を変更しなかったのかは不明です。

このほかにも改版・新撰増補図と「増補再板京大絵図」とを比べるといくつかの変化があります。名所の説明は、「増補再板京大絵図」では全体として少なくなったかの印象を与えますが、詳細にみますと、地図そのものの大型化とともにむしろ説明が増加していることが目につきます。しかもすべての説明が南北ないし東西方向に配置されていて、整然とした印象を与えます。多様な方向であった改版・新撰増補図とは異なります。また、高瀬川の舟入は三条の北に三か所と南に四か所の計七か所となっているように、表現内容全体に新たな要素が加えられています。京都や各郡の地誌的説明が充実していることは、すでに述べたような状況です。

要するに「増補再板京大絵図」は、単に詳細な内容となっているだけでなく、全体として非常にまとまりのよい整然とした表現となっています。「増補再板京大絵図」は、何と言っても二分割の大型地図でした。これが容易に全面改版しにくい理由であったと思われ、それゆえ改版が最小限にとどまったのかもしれません。

第四章　観光都市図と京都

1　多色刷りの京都図

「懐宝京絵図」――最初の色刷り京絵図

正本屋吉兵衛が「懐宝京絵図」（図四―1）と題された地図を出版したのは安永三年（一七七四）でした。地図の外枠外に「安永三年改正　正本屋吉兵衛板」と刷り出されています。三五×四七センチメートルの小型版の地図で、懐宝とあるように携帯版を意図したものと思われます。林吉永版の大型の京大絵図とは異なる需要を目指したものと思われます。正本屋吉兵衛という版元名もこの版で新たに登場したものです。

「懐宝京絵図」の何よりの特徴は、手彩色でなく色刷りの地図であったことです。京都図としては最初の色刷り地図です。図四—1では読みとれませんが、まず赤版の版木で印刷し、その上に墨版を重ねたとみられます。また川は青刷りですが、これは合羽刷《かっぱず》りであったとみられています。[*1] 合羽刷りとは型紙摺とも言われますが、型紙を切り抜いてそれを版面にあて、その上から色をつける方法で、西陣織の技法などに典型的なものです。周囲の枠付近に赤版によるあたりのための印があります。

赤版では、京都や伏見の街路と郊外の道が刷り出されています。さらに郡名や主要名所、および東の「大」文字、北の「妙法」「い」と舟形の計四か所の形状が印刷されています。鳥居と左大文字を絵図上で確認することができませんが、方位の北の文字の右に刷り出された「い」は当時の送り火の一つだったと思われ、「五山の送り火」の起源ないし変遷に関わる可能性があります。

実物をみると、赤版も相当退色していますが、青はもっと退色が著しく、しかも輪郭が不鮮明です。全体として多色刷りの技術が未熟である印象を与えます。

この「懐宝京絵図」では、鴨川・桂川・宇治川だけでなく、山科川・堀川・紙屋川などの川が強調され、また「二条御城」とその周辺、「禁裏」とその周辺、および北・西・南三方の御土居がきわめて強調されています。周囲の山々は描かれているものの、これらに比べて模式的な表現であり、山河襟帯ないし山河に囲まれた小宇宙の様相はやや希薄になっているとみられ

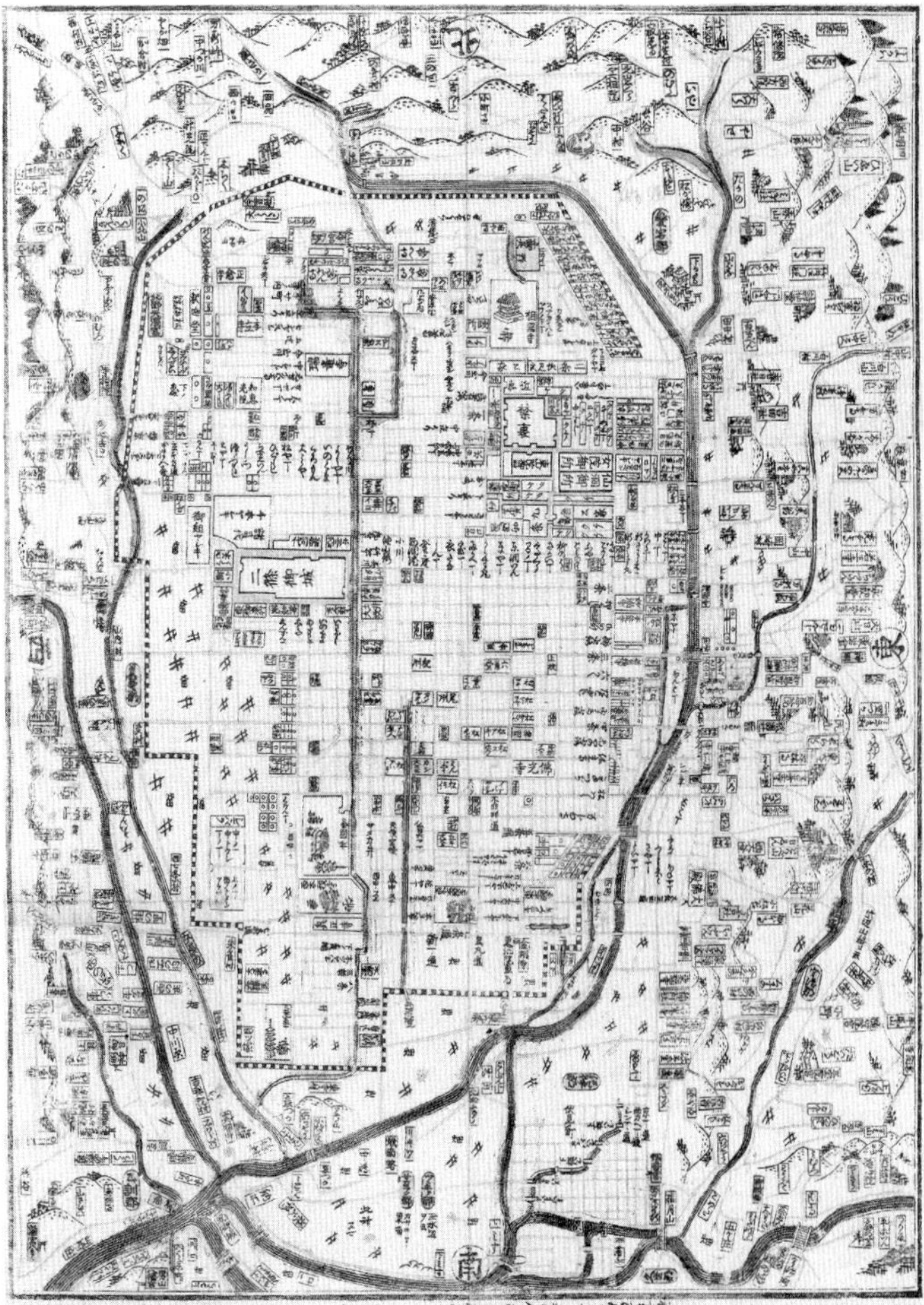

図四—1　「懐宝京絵図」安永三年（1774）刊。35×47㎝。京都市歴史資料館所蔵

ます。

また多くの名所が標記されていますが、名称だけで説明はまったくありません。ただし、小型図ではあるものの、街路名・街道名などは詳しい標記がみられます。御土居内の大路・小路に相当する街路名がほとんど標記されているほか、伏見市街にも「京丁（町）通・両カヘ丁（替町）通・シン丁（新町）通」などの街路名や橋名が付されています。また、宇治郡北部に「此辺山科ト云」とか、「ツ、キ（綴喜）ノ郡」に「玉水辺ヲ云」といったふうに、簡潔に場所の説明を加えています。

「天明改正細見京絵図」――改良された色刷り技法

正本屋吉兵衛は一〇年後の天明三年（一七八三）に、これより若干大きめの版を出版しました。「天明改正細見京絵図」と題するものです。「天明三年癸卯正月　書林　三条河原町西江入町正本屋吉兵衛板」と左（西）側欄外に刷り出しています。

同じ版で、南端欄外に「天明三年　癸卯正月　正吉板」とだけ刷り出したものも刊行されています。この図は地図本体は同じですが、厚紙の表紙を付した地図の裏側に「洛中」を中心とした方位盤を印刷して、五五か所への道程を記しています。方法は「増補再板京大絵図」と同様ですが、それより詳しい表現です（図四―2）。

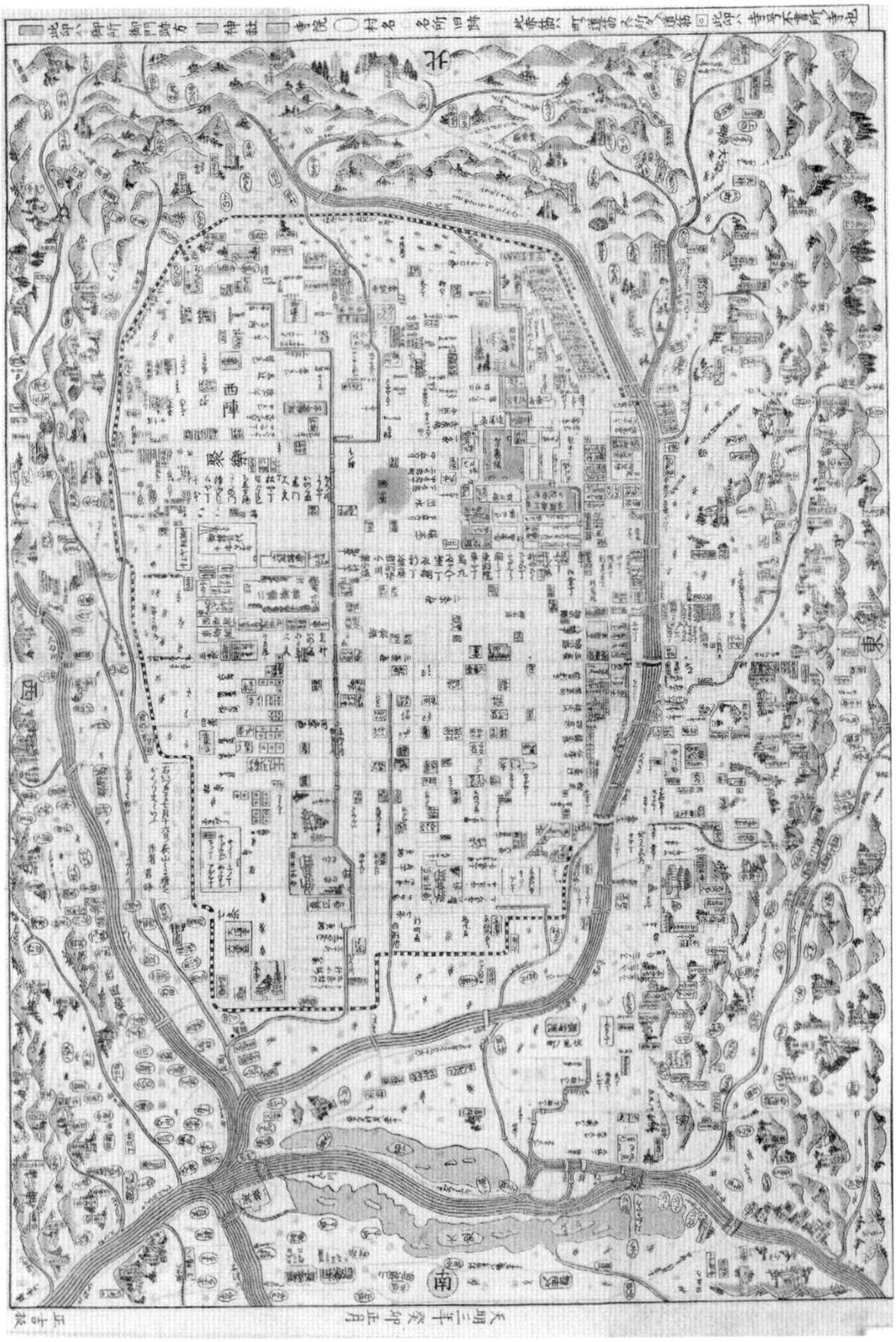

図四—２　「天明改正細見京絵図」天明三年（1783）刊。47×62cm。大塚京都図コレクション、京都大学附属図書館所蔵

全体の構図は「懐宝京絵図」とよく似た印象ですが、判型が大きくなった分に相応して記載が詳細となり、また「懐宝京絵図」の未熟な印刷図ないし粗雑な印刷といった印象がなくなって、ずいぶん緻密な印象の京都図となっています。南端の宇治川南岸部分にも十分な表現スペースが確保されています。

色版の退色が著しいので図四―2から判読することは難しいのですが、この版もまず赤版で街路・街道を刷り出し、川や山の輪郭、川の表現、道路名ほかの地名類は、その上に墨刷りを重ねたものと判断されます。川と山の色刷り、また名所・郡名をはじめとする地名部分の色刷りは合羽刷りによるとみられます。合羽刷りの色ずれは上部を除いてきわめて少なく、緻密な印象をもたらす理由となっています。墨刷りの文字の字体も整っていて、この印象に結びつきます。

図の上端欄外には図中における、名称・地名の囲みの形状と色版の凡例が記されています。

この図における御土居内の市街部分の表現には、いくつかの特徴がみられます。まず二条城とその付近、および禁裏とその付近の表現が他所と比べて相対的に詳細な点が第一です。次いで西北部に大きく「西陣」と「聚楽」という標記が存在することとです。「御諸司代」の文字より大きいことはもとより、「禁裏様、二条御城」の文字よりもはるかに大きく刷り出されたこの表現は、林吉永の「新撰増補京大絵図」や「増補再板京大絵図」にはみられず、正本屋吉兵衛自身が刊行した「懐宝京絵図」にも存在しない地区名でした。理由は明らかではありませんが、京都図の顧客に西陣・聚楽への関心ないし需要があったということになりそうです。

特徴の三番目は、街路名が基本的に漢字で表記されていることです。「懐宝京絵図」ではほとんどが平仮名でした。今出川口から白川に向かう街道に「今出川ゟ十八丁」とか、宇治橋から南西に向かう街道に「宇治ヨリ新田三十丁」などと道程を記載していることも「懐宝京絵図」にはなかった記載です。

基本的に名所の説明がない点は「懐宝京絵図」と同様ですが、例外もあります。西南部の御土居外に「大、妙法、い、（舟形）、大、（鳥居）」等六か所の文字と図形を刷り出したうえで、その説明を墨で刷り出した囲み記事があります。赤版は退色して見えませんが、「右いづれも七月十六日ノ夜、山々に之を燈し、おくり火といふ　作者　君修」と説明しています。「懐宝京絵図」にも記されていた「い」を加えて、送り火が六か所であったことを明記しています。「君修」は作者名と思われますが不明です。

正本屋吉兵衛版の京都図は天明六年（一七八六）にも刊行されています。安永三年刊の「懐宝京絵図」の改版で、名称は「天明新板袖中《しゅうちゅう》京絵図」と改められています。地図の南端の外枠外に「天明六丙午年　作者不背　正本屋吉兵衛板」と記されていますが、判型と内容はほとんど同じです。ただし、外枠を太く刷り出して細い内側の線と二重とし、その欄外の周囲に

「子、艮《うしとら》、卯、巽《たつみ》、午、坤《ひつじさる》、酉、（乾《いぬい》は不明）」の方位をおそらく別押しで加えています。また一部に、標記を移動したり、加えたりしたところがあります。例えば宇治川と桂川の合流点付近では、「乙訓郡《おとくにのこおり》」「淀姫」の標記を向日川・桂川合流点付近に移し、また「向日川」「かつら川」の文字を加えています。ほかにも「懐宝京絵図」にはなかった、「加茂川」「たかの川」「山しな川」「よど川」「木づ川」「紙や川」「フタマタ川」「宇治川」「高セ川」など、川の名称が数多く加えられています。

異なった色使いの試行

やはり正本屋吉兵衛刊による寛政五年（一七九三）刊の「寛政新板手引京絵図」（図四―3）は、同じ版元による安永三年（一七七四）刊の「懐宝京絵図」と同じような判型です。「懐宝京絵図」は川・山および各種の名称などの墨版と、街路・街道の赤色の版を使い、それに名称、川などの合羽刷りによる色刷りを加えたものでした。

ところが「寛政新板手引京絵図」は、初期の京都図のように、街区を黒く墨で刷り出しています。街路も墨版で印刷しています。したがって洛中と伏見は、各種の名称を含めて、ほとんど墨刷りだけの印象です。対照的に洛外の名所名、地名などは赤色版による印刷です。赤色が少し退色していますので、一層墨版が目立ちます。

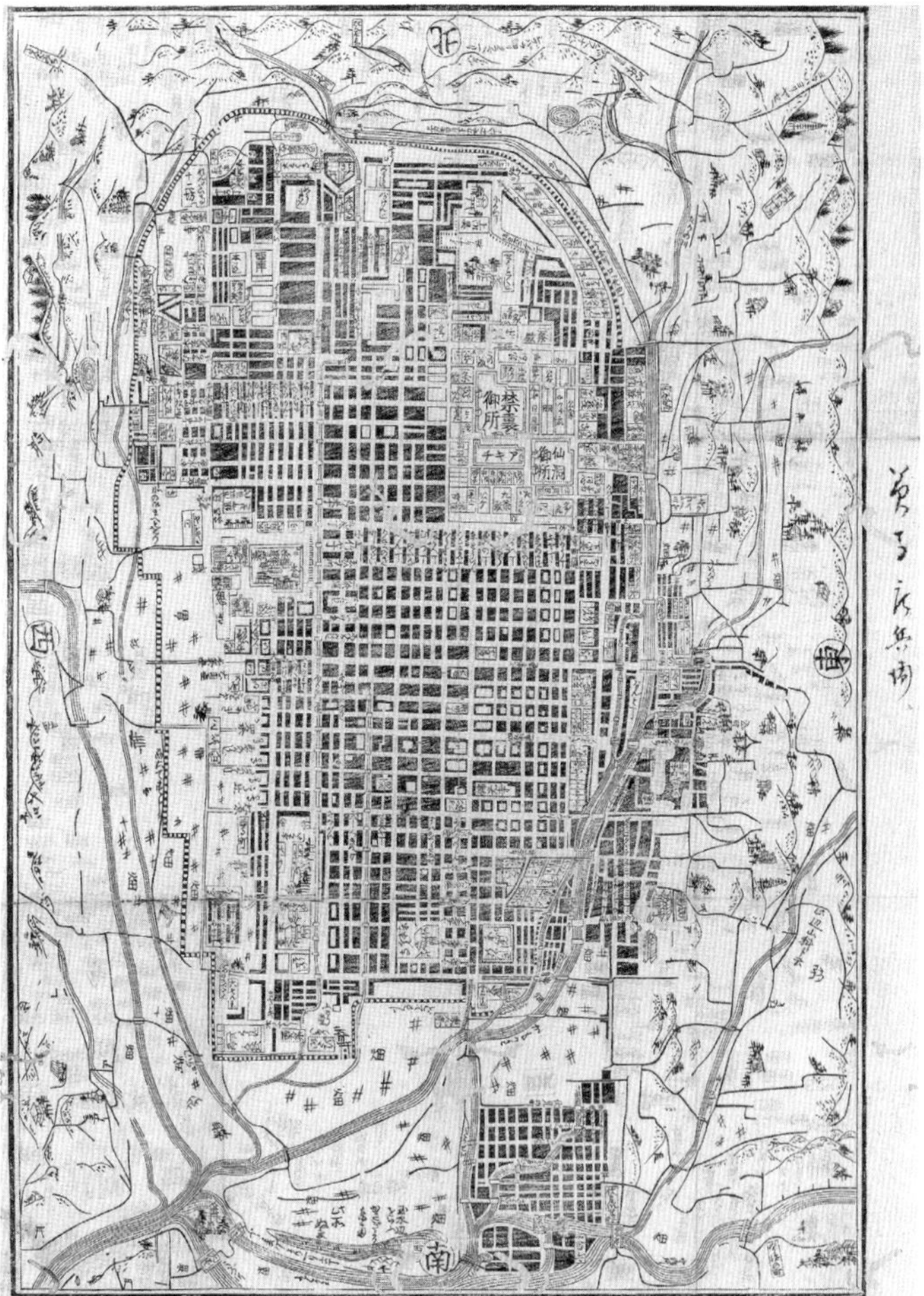

図四―３　「寛政新板手引京絵図」寛政五年（1793）刊。34×48㎝。大塚京都図コレクション、京都大学附属図書館所蔵

表現内容や判型などはほとんど変わらないので、この二種類の色刷り京絵図が存在する理由は不明ですが、初めて色刷り京絵図を出版した正本屋吉兵衛が、異なった色使いを試したとみられる可能性があります。

正本屋吉兵衛版と竹原好兵衛

ところで、正本屋吉兵衛版天明三年刊の「天明改正細見京絵図」（図四―2）とまったく同じ版が、別の版元名で刊行されています。「天明三年　癸卯正月　正吉板」と記して刊行された版の版元名を「京三条通麩屋町西北角　竹原好兵衛板」とだけ変えたものです。「君修」という名称や「おくり火」の説明も含めて、地図本体はすべてそのままです。ただし刷り方が異なります。「正本屋吉兵衛」版や「正吉」版は川・沼などの水面と名所などが同じく黄色系の色ないし同じように退色する系統の合羽刷りでしたが、竹原好兵衛版は水面が鮮やかな青色の合羽刷りです。少なくとも退色しにくい青色の印刷です。

さらに竹原好兵衛は、天明六年正本屋吉兵衛版の「天明新板袖中京絵図」もまた、地図本体はもとより、刊年記載および作者名「不背」もそのままで刊行しています。版元名だけは、「京六角柳馬場東へ入、竹原好兵衛板」と変更されています。また、欄外の「子、艮、……」等の方位文字はありません。刊年が記載どおりの天明三年と天明六年と仮定すれば、この間に竹原好兵衛は、三条通麩屋町西北角から六角柳馬場東入へと住所を変えていることになります。ただし、後に改めて紹介する天保二年（一八三一）刊の竹原好兵衛刊の地図には再び「三条通麩屋町西北角」の住所が表示されていますから、この仮定は成立しません。いずれにしろ、正本屋吉兵衛版の刊年と、それを再版した竹原好兵衛版の刊年は無関係であったと考えられることになります。

正本屋吉兵衛のほうは天明六年（一七八六）「天明新板袖中京絵図」の後も、翌年「早見京絵図」、寛政五年（一七九三）「寛政新板手引京絵図」、同一一年「懐中手引京絵図　全」などを出版しています。つまり出版を続けていますので、竹原好兵衛が正本屋吉兵衛と同じ版を用いた出版をしていた理由が不明です。ほかにも類似例があり、複数の版元を併記した刊行が行われたりしていますので、同一地図の実質的な複数版元による出版であった可能性もあります。

いずれにしろ言えることは、地図出版の版元に乗り出した竹原好兵衛が、正本屋吉兵衛の版を得て印刷と出版の手法を学び始め、やがて独自の京都図を刊行するに至ったということです。

「改正京町絵図細見大成」――多色刷り京大絵図

天保二年（一八三一）七月、竹原好兵衛は画期的な京大絵図を刊行しました。「改正京町絵図細見大成」（図四―4）と題された大型・多色刷りの京大絵図です。一七九×一四四センチメー

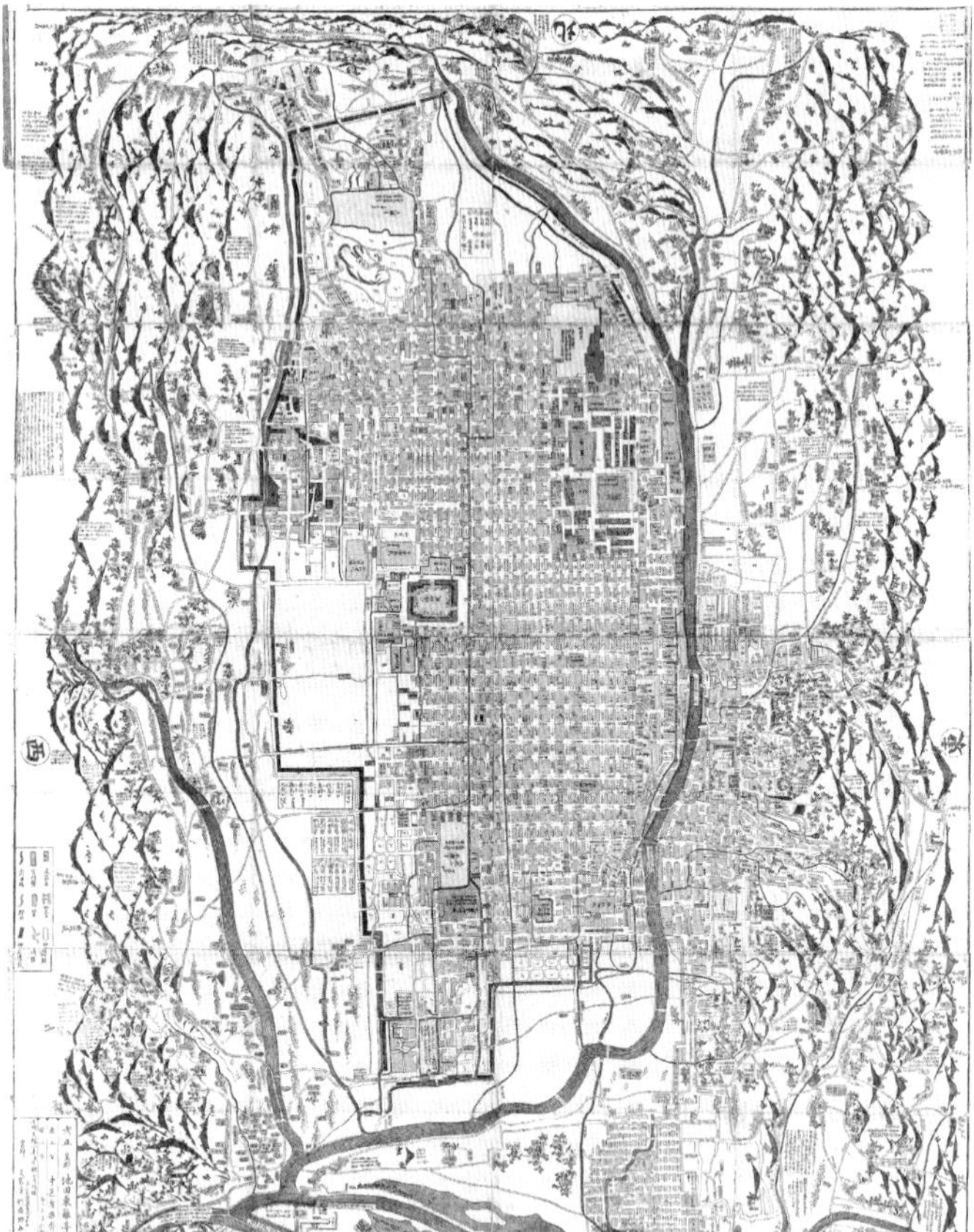

図四—4　「改正京町絵図細見大成」天保二年（1831）刊。179×144cm。大塚京都図コレクション、京都大学附属図書館所蔵

トルですから、林吉永による大型図、「増補再板京大絵図」の乾坤二枚を合わせたよりも横幅が大きく、縦もそれに匹敵する大きさです。

図の名称には、正本屋吉兵衛版の「天明改正細見京絵図」を再版した経歴を思わせる「細見」が使われています。天保二年の竹原好兵衛「京絵図蔵板目録」[*2]には、

「天保二年発兌（刊行）改正京町絵図細見大成　大々図」
「新増細見京絵図大全　大図」
「新増細見京絵図　中図」
「細見京絵図　小図」
「京都指掌図　中図」
「袖中京絵図、新撰京絵図、懐宝京絵図、京図名所鑑、手引京絵図」
「早見京絵図　中図」

などとあり、きわめて多くの地図出版を手掛けていたことが分かります。

いまや竹原好兵衛が、かつての林吉永や正本屋吉兵衛に代わって、京都図の版元の旗手となっていたものと思われます。なかでも「改正京町絵図細見大成」は「大々図」として目録の筆頭に挙げられています。副題には「洛中洛外町々小名」と付され、「京都絵図の冠にして其（の）くは（詳）しきこと、これにまさ（勝）れるはなし」と自ら述べています。「京三条通麩屋町西

北角」と記されていますから、すでに述べたようにこちらが新しい版元所在地と思われます。

さらに「改正京町絵図細見大成」には「書肆　文叢堂　竹原好兵衛」としていることも知られます。自らを文叢堂と名乗っており、さらに特徴的なのは、「考正　皇都　池田東籬亭、画工仝　中邑有楽斎、彫工仝　井上治兵衛　刀」と、考証者、地図作者、彫工の名前を明示していることです。重要な工程である刷りの担当者が入っていませんが、それは当時「書肆」の範疇に含まれているという理解であったともみなせます。赦免届出（出版許可を得るための届け出）が「作者（考証者）池田東籬亭」の名で行われていることも知られています。[3]

さて「改正京町絵図細見大成」は、いくつかの際立った特徴を備えています。「大々図」と標榜していたことはすでに述べましたが、それとともにまず多色刷りであることが第一です。街路・街道、川・山の輪郭、文字、御土居などの墨刷りの版を基本とし、それに郡名の紅褐色、街区・名所はじめ各種施設の敷地およびそれらの名称の黄褐色、御所・公家屋敷・門跡等の暗青色、山川・堀沼の青色、寺社の肌色など五色の色刷りを、合羽刷りの技法で重ねています。刷りのずれもほとんどみられず、きわめて完成度の高い多色刷りだといえます。縦に四分割、横に二分割して、印刷し、紙を貼り合わせたものであることが知られます。竹原好兵衛が、正本屋吉兵衛の版を入手して刊行することによって習得した技法が、ここに実を結んでいるとみることができるでしょう。

次に目につくのは、御土居が林吉永版に比べて南北に長く描かれ、その周囲の洛外部分が狭くみえることです。特に北の山並みと、南の宇治川付近一帯がきわめて狭い印象がありますが、御土居内の縮尺が東西・南北ともに、ほぼ六〇〇〇分の一程度で統一されている結果、洛外部分が狭くなったと思われます。ただし街路・街道は広く描かれていること、および洛外は縮尺を縮めて表現していることは、林吉永版と同様の手法です。

三点目の特徴は、全体に説明が少なくみえることで、その結果、地図全体がすっきりした構成になっていることです。具体的には、林吉永版に多かった囲みの説明記事がほとんどなくなっていることです。わずかに残っているのは、東北隅の「比叡山延暦寺」と、西端中央付近に移された「京都」の名称・由来に関する記事、さらに、中央左下の御土居外に「洛陽七口」（粟田口、伏見口、鳥羽口、丹波口、長坂口、鞍馬口、大原口）とそこからの「近道」（龍花越、志賀越、山中越、青山越、如意越、小関越、辷石越《すべりいし》、大亀越、唐櫃越、松尾越、渋谷越）、北部に「七野」（内野、上野、北野、萩野、紫野、平野、蓮台野）の囲み記事があるだけです。しかも比叡山延暦寺の記事は、枠も外してあります。林吉永版にあった「大仏」「三十三間堂」の説明や「諸大名」の一覧、あるいは方位・距離盤もありません。「（右）大（文字）、妙法、い、（舟形）、（左）大（文字）、（鳥居）」の六か所の送り火の位置も、現地に示されているだけです。

大仏の説明だけでなく、大仏殿そのものの表現がないのは、「改正京町絵図細見大成」が刊行された天保二年（一八三一）、すでにそれが存在しなかったことが理由と思われます。大仏は、寛文二年（一六六二）に地震で被災した後、同七年に木造で再建され、寛政一〇年（一七九八）に落雷で焼失したと伝えられています。寛保元年（一七四一）初版の「増補再板京大絵図」やそれ以前の「新撰増補京大絵図」などの林吉永版京大絵図では不可欠の要素でした。

なお些細なこととして、七口、七野は文字どおりの数の対象が記載されていますが、現在「五山の送り火」と呼ばれているものは「改正京町絵図細見大成」に六か所記入されています。しかしそのうちの五か所が枠を墨刷りしたうえで紅褐色の色刷りを重ねているのに対し、西の左大文字だけは全体が墨刷りで、紅褐色を重ねていない点が気になります。穿《うが》ち過ぎかもしれませんが、同図が実情よりも名数にこだわっていた印象を与えます。

いずれにしろ、これらが全体として、すっきりした印象を与えます。また、禁裏・公家町と門跡が暗青色を施された結果、よく目立っていることも指摘しておきたいと思います。

以上をまとめると、御土居内の洛中と鴨東・伏見の市街では、全体として縮尺と表現対象が自然に調和しているようにみえます。洛外では旧来の観光名所の表現が目立ちますが、御土居内との表現法はおおむね一致しています。そして、洛中は近代地図に近づいた表現、洛外は旧来の名所中心の山河襟帯構造を改良した表現と判断することができます。

ところがこの「改正京町絵図細見大成」には、刊年・刊記等がまったくそのままで、墨摺りだけの版も市場に出ていたことが知られています。中には版元の竹原好兵衛の住所を「三条通寺町西へ入ル」としたものがあるとされ、[*4] さらにこの版元名、刊記・刊年などを削除した版もあります。[*5] また後に、「改正京町絵図細見大成」を基図とした地図も作製されましたが、その紹介は後ほどいたします。

2　観光都市図の内裏と公家町

宮城図から公家町図へ

平安時代の九条家本『延喜式』や中世の『拾芥抄』などでは、宮城図あるいは内裏図が、左・右京図とともに収載されていました。東山御文庫や陽明文庫には、それが単独の宮城図ないし内裏図として存在することも第一章で紹介しました。左・右京図自体が宮廷人の視点からみた平安京あるいは貴族社会の平安京を表現していたことはすでに述べましたが、そこに付された宮城図あるいは内裏図は、それこそが宮廷人あるいは貴族層にとって重要な知識の一つであり、主たる関心の対象であったことを物語ります。

ところが近世に入ると、最初の刊行京都図である「都記」などでは、内裏の全体区画が図示されているだけで、区画内部の配置や公家屋敷の所在地は表現対象ではありませんでした。東西は寺町通―烏丸通間、南は下立売通（東半）から北は一条通北部にかけて枠で囲んだだけの空白として、その中に「内裏」と記入しただけでした。「都記」の顧客ないし読者が貴族層ではなかったことは明らかです。

「都記」の後の出版京都図となる、刊年不詳の「平安城東西南北町幷之図」（図三―1参照）では、東西と南の境界は「都記」と同じですが、北は「大原口」に続く今出川通までの区画として、その大半（北側）に「内裏様」、南側部分における後の仙洞御所にあたる場所に「御新殿」と標記しています。さらに、内裏の東西に「御公家町」と記し、内裏の南側に「二条殿」、今出川通を挟んだ北側に「中宮様下屋敷」を記しています。

しかし、承応三年（一六五四）に始まる「新板平安城東西南北町幷洛外之図」（図三―2参照）の各版では、内裏・公家町が主要な表現対象となりました。内裏等の基本的範囲は変わりませんが、「平安城東西南北町幷之図」の内裏様の区画が「禁中様」と北側の「新院様（後の版では「本院様」とするものもあります）」に分けられ、御新殿とされていた区画には「仙洞様」とされて、その北西に「女院様」の区画が描かれています。何より大きな違いは、禁中様、新院様、仙洞様、女院様の各区画内部に、建物が絵画的に描かれていることです。新院様が本院様となった版では、新院様は「平安城東西南北町幷之図」の二条殿の位置に移動しています。さらに周辺には、有力公家の邸の区画が数多く記入され、公家名が標記されているのも特徴の一つです。

公家町の変遷

同じく「新板平安城東西南北町幷洛外之図」と題していても、版によって表現の様式や内容が変化しています。例えばこの図名では最も早い出版である承応三年（一六五四）の無庵の版（図三―2参照）では、「禁中様・新院様」区画の東側街路と寺町通との間に、三本の細い南北道が描かれています。南端は「仙洞様・女院様」の区画、北端は「新院様」の北辺です。

東から二列は、公家屋敷が各一列に並び、三・四列目は背中合わせに二列に並んでいます。「新院様」の北側にも類似の区画があります。これらの各区画には「一」から「百七」の番号が付され、「仙洞様」の南側にも「百八」から「百九」の屋敷列があります。これらについては、二条城西南の御土居内に一覧表として、「㈠平松殿」から「(百十九)権中納言御局」のように、各区画の屋敷名が記されています。

これ以外にも、大きな公家屋敷は地図上に直接標記してあります。比較のために例を挙げておきますと、新院様北西には「近衛殿」、西側には北から「一条殿、伏見殿」といった具合です。仙洞様北東には「九条太閤」、女院様の北西には東から「二条殿、閑院殿」、その南側に「九条殿」といった有力貴族の邸があります。

つまりこのような表現は、禁中・法皇御所だけでなく、個々の公家屋敷の所在もまた、地図購入・利用者の関心の対象となっていたことを反映しています。

さらに寛文七年(一六六七)から宝永五年(一七〇八)にかけて、刊行年や版元の異なった同名図が一六点もあった「新板平安城幷洛外之図」(図三—4参照)では、一覧表でなく、その位置に公家町を拡大した割図を掲載していました。拡大図は、北が「石薬師通(現在の石薬師御門の付近)」、南は「新道(現在の清和院御門の付近)」、東は寺町通、西は「中すじ(筋)(現在の今出川口の付近)」の範囲でした。

図四—5には、右から寛文一二年(一六七二)版(図三—4の左側中央部付近)、寛文一二年—延宝四年(一六七六)頃の版、貞享三年(一六八六)頃の版のいずれも、「新板平安城幷洛外之図」と題する京都図における、公家町の拡大図を並べてあります。

寛文一二年版では、「禁中御築地廻、御公家衆・御門跡方、幷武家方所付」としてこの範囲の拡大図を掲げていますが、区画には空白部分がたくさんあります。しかし寛文一二年—延宝四年頃の版では、新しい埋め木によって空白部分が一〇か所以上も埋められています。さらに貞享三年頃の版では表現スタイルが大きく変わり、拡大図の上部に「禁中御築地廻御公家衆御覧之ためこゝに書出す物なり」として、図様を東西に広げ、屋敷名は大幅に増えて、明(空)地はきわめて少なくなっています。

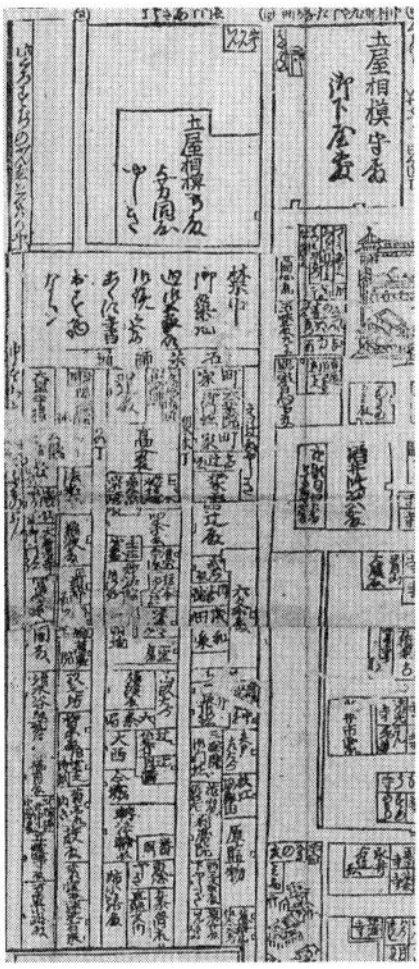

貞享三年頃版

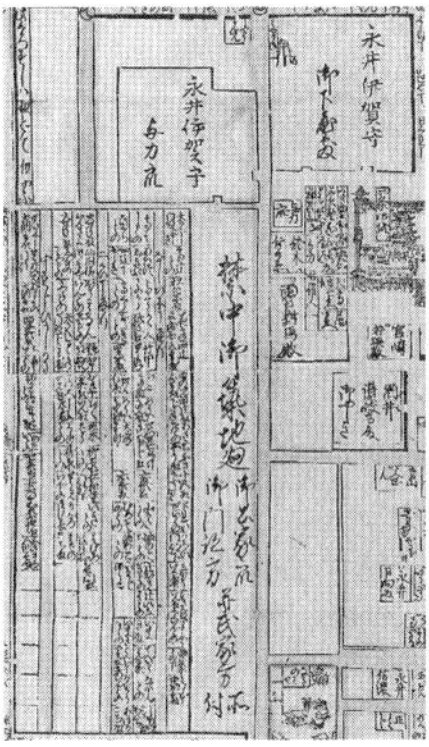

寛文一二年―延宝四年頃版

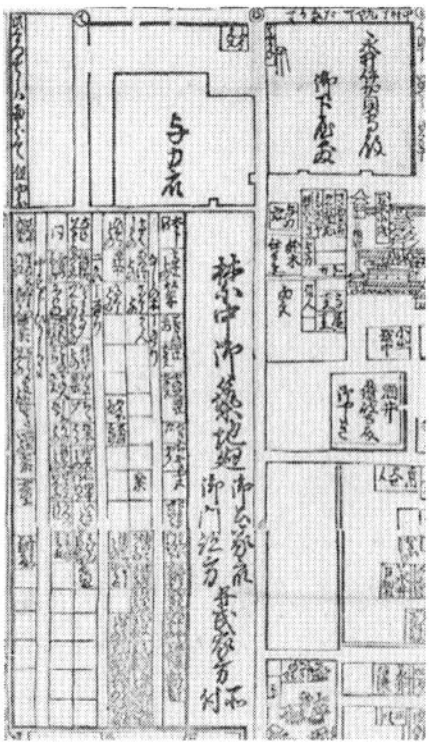

寛文一二年版

図四―5　「新板平安城并洛外之図」公家町の変遷。大塚京都図コレクション5・8・17、京都大学附属図書館所蔵

内裏付近の公家屋敷にも、最も早い時期の版である承応三年版からの変化がみられます。寛文一二年版では、今出川通の北側に「二条殿、伏見院殿」が移り、旧二条殿一帯には「新院」が、旧閑院殿の場所に「伏見院殿」といった変化です。寛文一二年―延宝四年頃の版では、これらの有力貴族邸には大きな変化はありません。ところが貞享三年頃の版では、二条殿西隣が「伏見殿」へと表現が変わり、一条殿の南の伏見院殿や、新院の南の九条殿が無くなっています。

一方で、画期的な京大絵図であった貞享三年初版の林吉永版「新選増補京大絵図」（図三―6参照）では、これらの有力貴族屋敷の位置こそ基本的に同様ですが、版ごとの標記には違いがみられ、内裏関係の屋敷敷地の変化を詳細に反映しています。

貞享三年版では、北から「本院御所様、禁裏、新院様あき御殿、東宮様」ですが、宝永六年（一七〇九）には「禁裏、院ノ御所・中宮御所、女院御所・仙洞御所」が標記されています。東宮様北部の有力公家屋敷の地が仙洞御所・女院御所に取り込まれています。また、院ノ御所・中宮御所と西側の烏丸通との間などに「明地」があります。

元禄四・一二年版では、「本院御所様、禁裏、新院様あき御殿、仙洞様」と貞享三年版に復したかのような状況です。しかし宝永六年版では、いったん仙洞御所・女院御所に取り込まれていた、南北の公家屋敷地が旧に復されています。

「新撰増補京大絵図」の増訂版ともいうべき寛保元年（一七四一）初版の林吉永版「増補再板京大絵図」（図三―9参照）でも、地図中に細かく公家屋敷名を書き込んでいました。内裏一帯は、「女御様、禁裏様、新院様・新女院様、仙洞様御殿・女院様」などで大きな変化はありませんが、「近衛殿」は同位置とはいえ、非常に大きく屋敷を広げたかにみえます。

さらに天保二年（一八三一）初版の竹原好兵衛版「改正京町絵図細見大成」（図四―4参照）では、区域全体を暗青色の色刷りで際立たせていたことはすでに述べましたが、寺町のさらに東の鴨川沿いにも「伏見宮、梶井宮、日光宮」など、やはり公家屋敷名を図中に標記していました。

　これらの公家町を詳細に記す標記のやり方は大型版であったからこそ可能な表現でしたが、利用の点からすれば必ずしも便利とは言い難いと思われます。判型が小さい地図ではこの表現法自体が不可能であるか、あるいはかなりの無理を伴いました。

公家町図の刊行――「内裏之図」

　このような、公家屋敷を記すようになっていく流れの中で、公家町を含む内裏一体の図そのものが初めて刊行されたのは延宝五年（一六七七）でした。「内裏之図」（図四―6）と題した図は「御絵図所林氏　吉永」と版元名を記していて、京都図である「懐宝京絵図」より大型で、「天明改正細見京絵図」と同じくらいの判型です。北は相国寺付近から南は「椹木《さわらぎ》町通」、東は「寺町」から西は「烏丸通」付近を表現していますので、縮尺は約一九〇〇分の一となります。したがってかなり詳細な表現が可能です。

　上部の図名を記した題額の両側には「禁中様」「法皇御所様」の「御紋菊、御紋桐」をそれぞれ示し、屋敷区画ごとに、公家名とともにその家紋を刷り出しています。一見して江戸図における大名屋敷の表現法に類似していますが、家紋が標記されているのは公家屋敷のみで、武家屋敷には家紋が入れてありません。

　また、町家は道路沿いに家並みの絵を描き、背後の街区ごとに「町家」と標記されているだ

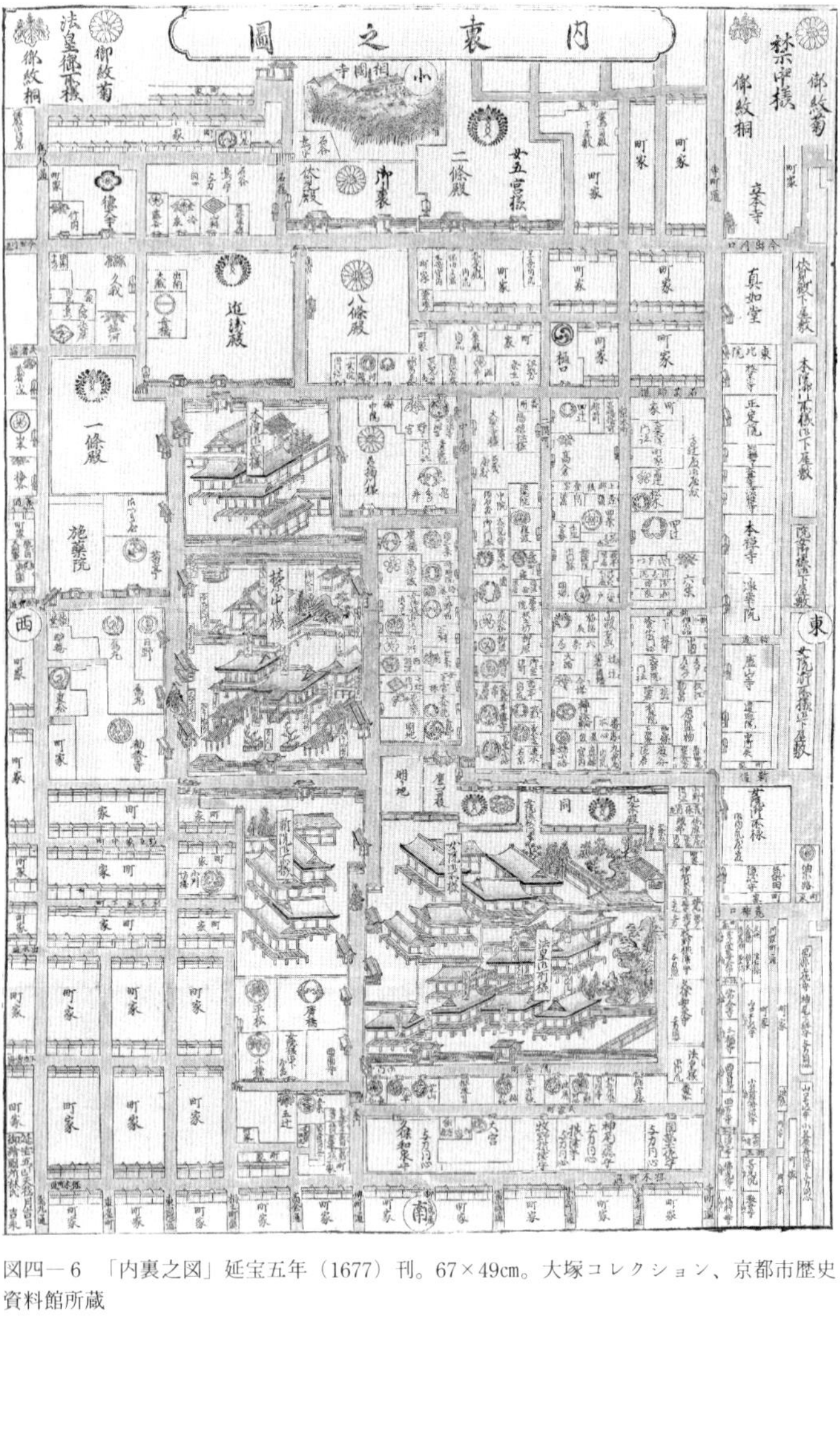

図四－6　「内裏之図」延宝五年（1677）刊。67×49㎝。大塚コレクション、京都市歴史資料館所蔵

けです。家並みはきわめて模式的な表現で東西方向の街路沿いだけに描かれています。

この「内裏之図」は、木版墨刷りの手彩色です。この点では、ほかの林吉永版京都図と同様です。図四―6においては、彩色が施されているのは、建物・樹木と街路です。

同図で、模式的な町家以外に建物が描かれているのは、中央部左寄りの「禁中様（当時は霊元天皇、以下同様）」とその北の「本院御所様（明正）」と南の「新院御所様（後西）」、および禁裏東南の「法皇御所様（後水尾）、女院御所様（東福門院）」ならびに北端の題額下の「相国寺」のみです。これらには建物だけでなく門や築地も描かれていますが、北部の「二条殿、伏見殿」をはじめ、いくつかの公家屋敷にも門や築地の表現が施されています。

「禁中様」と「法皇御所様」の建物の表現はかなり詳細です。建物の形状や配置が正確であったかどうかは別途検討が必要でしょうが、例えば「志ゝむてん（紫宸殿）」前面には「左近の桜、右近の橘」が描かれ、その北西には「せい里やうてん（清涼殿）」が描かれています。さらに北西には築地で囲まれた「御きよ（清）所（現代風では台所の意）」があって、近くに「志よたいふ（諸大夫）の間」が設置されているといった具合です。六か所描かれている門にもそれぞれ名称が付され、門外には街路を行く公家のような二人の人物まで描かれています。

このような表現は現在の観光地図などでは珍しくない表現ですが、明らかに外部からの来訪者あるいは観光客を対象としたものとみられます。

三〇年ほど後の宝永五年（一七〇八）には、図四―7のような、多色刷りの「改正内裏御絵図」も刊行されました。林吉永と類似の「御絵図師」を名乗る、「平野屋茂兵衛、小川彦九郎」の共同版元による版です。林吉永版より小型ですが、紋所を示しているのは同様です。さらに、「親王方」を赤色、「摂家方」を黄色、「華族大臣家」を青色、「公家方」を肌色に刷り分けています。「禁裏御所、准后御殿」には絵画的表現がされ、「仙洞御所御旧地、女院御所御旧地」には緑色の刷が施され、それらとともに名称の短冊部分が赤色で刷り出されています。この内裏公家町部分のほか、図の左端に、「御郭外宮御門跡堂上方御所附」として、図外に所在する洛中洛外の三八家について、紋所、所在地、石高等を一覧表に記載しています。これには、関東の「輪王寺宮、野州日光山」はともかく、通常の京都図の範囲外にある、「南都　大乗院御門跡、一条院御門跡、江州　円満院宮、錦織寺御門跡、伊勢　専修寺御門跡」などが含まれています。

林吉永も、宝永六年（一七〇九）、寛政三年（一七九一）、享和二年（一八〇二）など、多くの出版・再版・改版をしましたが。例えば寛政三年版「新改内裏図」（四七×六一センチメートル、京都大学附属図書館大塚京都図コレクション）は墨版の一色刷りですが、図版下部（東側）に「御門跡方　御所附」、「御閣外堂上方」について、類似の一覧表を加えています。図面そのものも改められていて、延宝五年版の内裏之図（図四―6）と比べると、題額やその左右の記載がなく、町家の家並みの表現もありません。

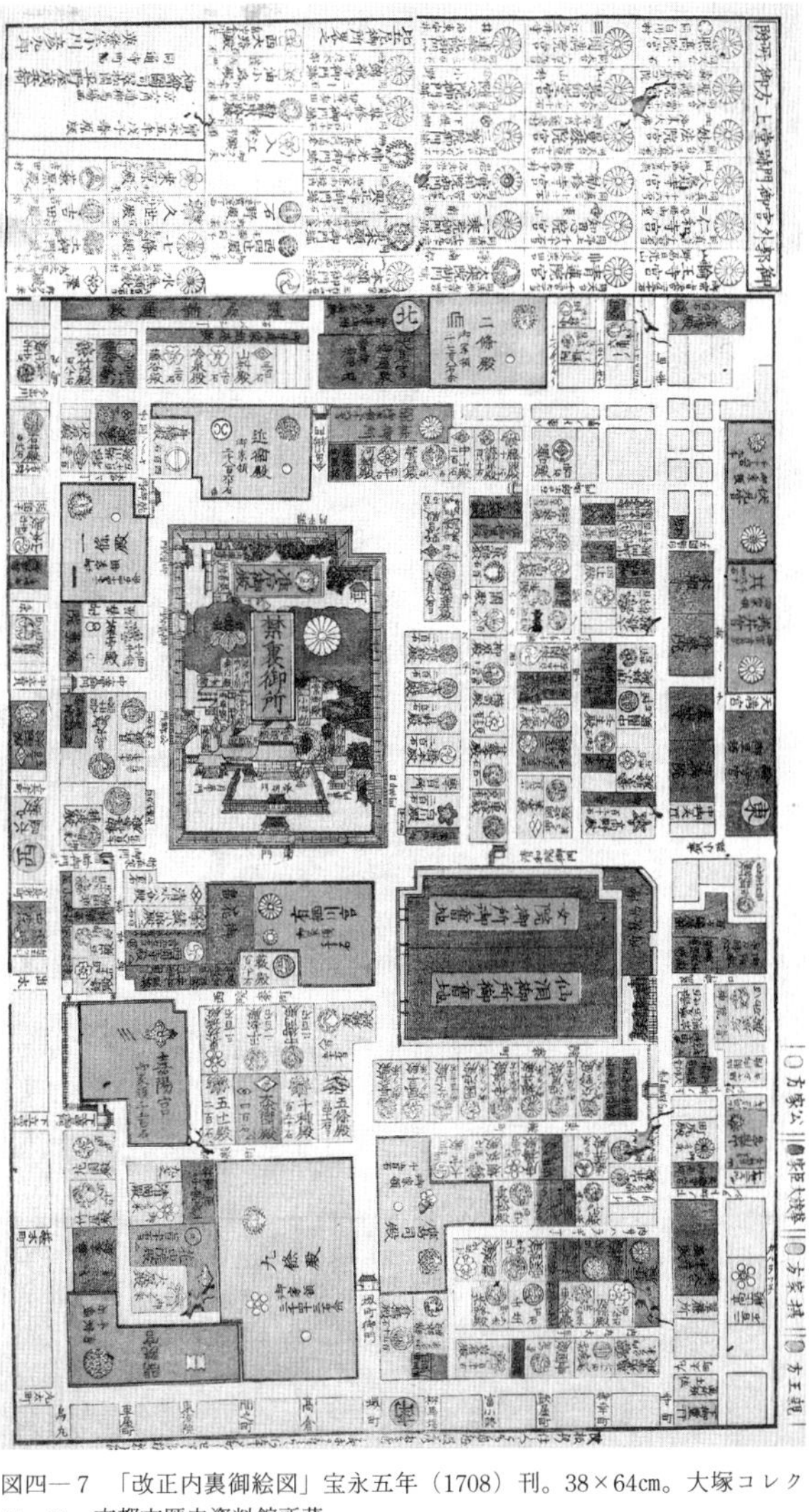

図四—7　「改正内裏御絵図」宝永五年（1708）刊。38×64cm。大塚コレクション、京都市歴史資料館所蔵

また、「禁中様」の北にあった「本院御所様」の区画表現がまったく存在せず、「法皇御所様」が「仙洞御所」となって、その北部にあった「女院御所様」がなくなっています。その西の区画にあった「新院御所様」も名称のない区画となり、代わりにその西南に新たに「女院御所」の区画ができています。

これらの地図に類似の内裏・公家町図は、「内裏図、御築地内図、雲井細見図」などや、それらに似た名称のものも含めて数多く刊行されました。版ごとにいろいろな違いがありますが、例えば文久三年（一八六三）改正「池田奉膳蔵」と刷られた「内裏図」では、「九条殿、鷹司殿、閑院宮」の区画が非常に大きく描かれています。

3　多彩な観光地図——両面印刷と街道図の手法

「改正両面京図名所鑑」——両面印刷の携帯用観光地図

前節で述べたように、延宝五年（一六七七）初版の林吉永版「内裏之図」は、外部からの来訪者あるいは観光客を対象としたものでした。これが版を重ねたことはすでに述べたとおりですが、もともと林吉永版の「新撰増補京大絵図」や「増補再板京大絵図」も観光地図の要素を強く示しているものでした。ただし大型化する一方であった林吉永版京大絵図の方向性とは異なる、携帯用の小型地図の需要もあったとみられます。

最初の多色刷り京都図であった、正本屋吉兵衛版の「懐宝京絵図」と題された地図が出版されたのは、安永三年（一七七四）のことでした。この最初の多色刷り京都図は、その名のように携帯用の観光地図でした。さらに、同じ正本屋吉兵衛版の天明三年（一七八三）に始まる「天明改正細見京絵図」も、「懐宝京絵図」より少し判型が大きくなったとはいえ、携帯地図としての需要を基本とするものでした。

このような携帯用観光京都図は、この頃から盛んに刊行され、それぞれさまざまな特徴を持っていました。図四―8は「改正両面京図名所鑑」と題する、「安永七年（一七七八）戊正月吉日　京寺町仏光寺上ル町　菊屋長兵衛板」の地図です。版元の菊屋長兵衛は地図版元が多かった寺町通でしたが、四条よりさらに南の仏光寺通付近にありました。判型は五九×四五センチメートルですから、正本屋吉兵衛版の「懐宝京絵図」より少し大きく、同じ菊屋長兵衛刊の「名所手引京図鑑綱目　全」（九二×六〇センチメートル）の六割強の大きさの判型です。

山川などの図様は「懐宝京絵図」とよく似ていますが、「改正両面京図名所鑑」は墨刷りの一色か、それに手彩色を施したものでしたので、印象はずいぶん異なります。御土居に取り囲まれた洛中の市街の表現は、街路を赤版としていた「懐宝京絵図」と、とりわけ大きく異なり

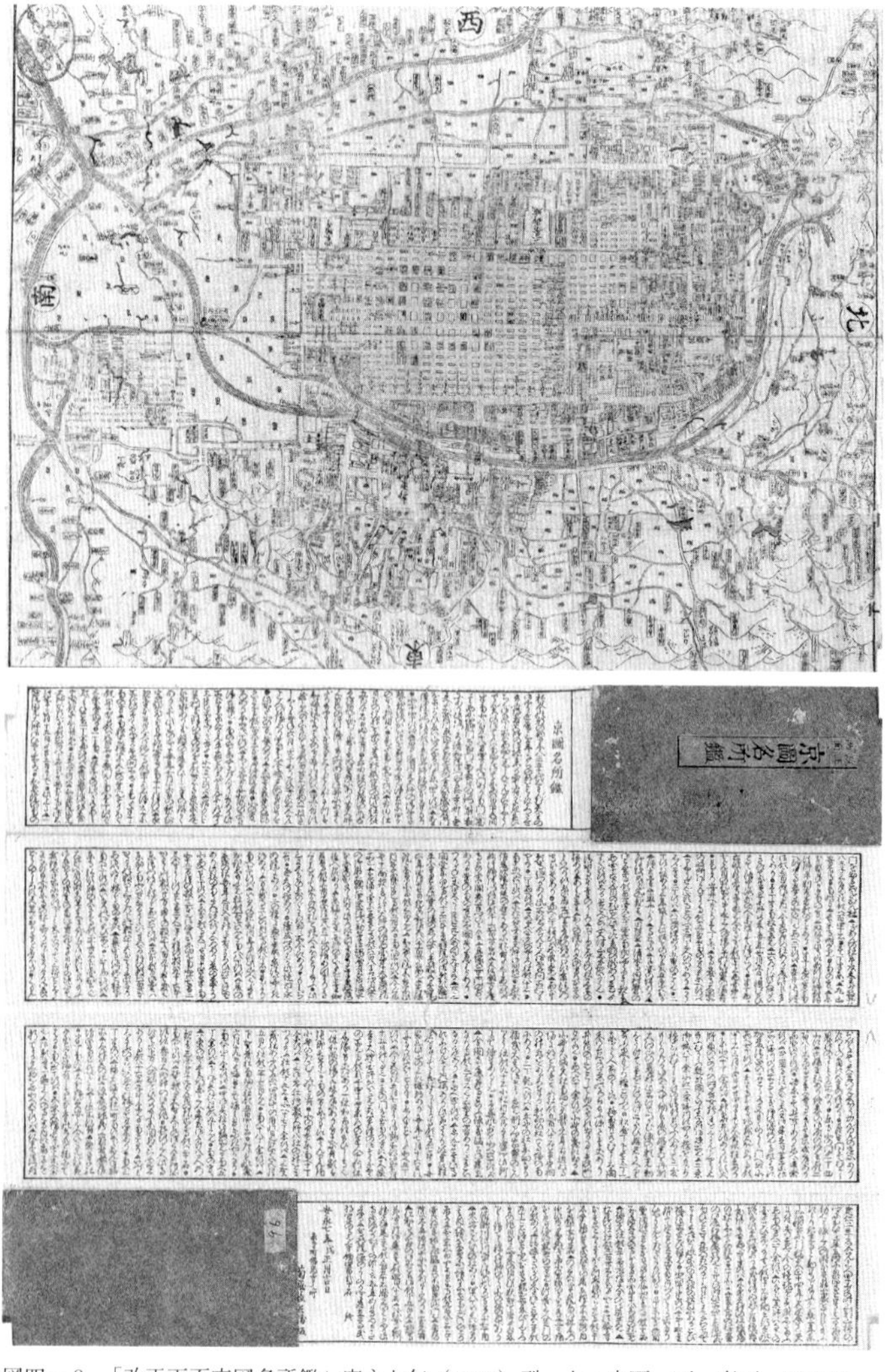

図四—8　「改正両面京図名所鑑」安永七年（1778）刊。上・表面、下・裏面。59×45cm。大塚京都図コレクション、京都大学附属図書館所蔵

ます。街区の枠を刷り出して街路を広くとっていますので、特に南北道によって半分となった街区は小さな短冊状に表現されています。二条城や諸（所）司代屋敷、禁裏・仙洞御所や近衛殿など有力公家の屋敷は標記されていますが、公家町などの細部の表現はありません。洛外の名所も名称だけで説明はほとんどありません。

目につくのは洛外の農地に数多く記入されている「畑」の文字です。例えば「懐宝京絵図」では、基本的に井桁《いげた》様の形状で水田を表現し、所々に「畑」の文字が散見する程度でしたが、この「改正両面京図名所鑑」では、水田部分も畑の部分も、すべて「畑」としてしまっているようです。

さて、「改正両面京図名所鑑」の最大の特徴は、図四—8に示したように裏面に「京図名所鑑」が印刷されていることです。京都の由来に関わる全体的記述に始まり、四段にわたる詳細な記述です。例えば、一〇行目の下部に▲を施して「聖護院」の説明を施し、ついで、●を施して「北へ十四丁」云々と道程を記しています。寺社などの名所が▲、位置や道程が●で表示されて、長い記述が読みやすくなるように工夫されています。

この「改正両面京図名所鑑」には字体の異なったものがあることも知られていて、再版・改版があったことが推定されています。[*6]

「袖珍都細見図」——長大な折本

袖珍《しゅうちん》とは、袖の中の貴重なもの、袖の中に納まる大きさのものといった意味だと思われますが、安永八年（一七七九）「袖珍都細見図《しゅうちんみやこさいけんず》」は全長八メートルを超えるとんでもない長さの、折本様式の観光地図です。折りたたんだ状態で、縦一九、横九センチメートルですから袖には入るでしょう（図四―9a・b）。

京都図の題簽には「袖珍都細見図」とありますが、全体の冒頭は「皇都細見之図」と題して始まっています。この様式について、まず、

「今、此（の）少（小）冊ハ方位封境図《ほうがくさかいのず》、行程細見の画あり。山嶺深谷、経歴《けいれき》（巡り歩く）せざる所なく、連綿の行途を袖裏《しゅうり》に看《み》る時ハ、村老をまたず志《し》て郷導をなすべし」

とその構成・主眼を述べています。

そのうえで、

「一、都一見の遊客、巡覧の中央ゆへ（故）、先（ず）三条を初《はじめ》」云々、

「一、洛中の寺社ハ巻末四方封境の図に」云々、

「一、千本通の如ハ」云々、

と三か条の「凡例」を記しています。

ついで、「目録（目次）」として、「八郡方位之図、内裏之図、都細見之図、四方封境之図、

三条大橋より道法《みちのり》、国中大橋間数、国中舟渡行程《みちのり》」をあげています。

ただし実際の掲載図は、「山城八郡方位図、内裏之図、都細見之図、京都四方封境行程図、洛中洛外三条大橋より道程、隣国道程、大橋間数、山城国中舟渡《ふなわたし》行程」となっていますので、目次と具体的な掲載図の図名は表現が異なっていますが意味するところは同様です。当時はこのように、表現をそろえるという発想は必ずしもありませんでした。この構成図のうちの最大のものが「都細見之図」で、折本の一面を一ページとすると、六八ページ分も占める長大なものです。「都細見之図」の特徴を述べる前に、「皇都細見之図」以外の収録図についてふれておきたいと思います。

「山城八郡方位図」は、山城国の概要図です。主要山川と郡の配置および村数、そして「東国路　四宮辻、和州南都路　高座嶺、丹波路　大江坂、西丹丹波　東近江」の主要道と京都・伏見の位置などを表現しています。「大仏、上カモ、下カモ、御室」などの名所の位置も示しています。

「内裏之図」は内裏、仙洞御所の建物・施設配置を絵画的に表現したものです。

「京都四方封境行程図」は、図四—9aのように「四方土堤（御土居）」内の洛中をやや模式的に表現して外周の距離を記入し、洛中の堀川・西洞院川と、東の鴨川および主要道を描いています。さらに「洛中神社仏閣名所等ハ悉く三条大橋より行程なり」と三条大橋からの距離を

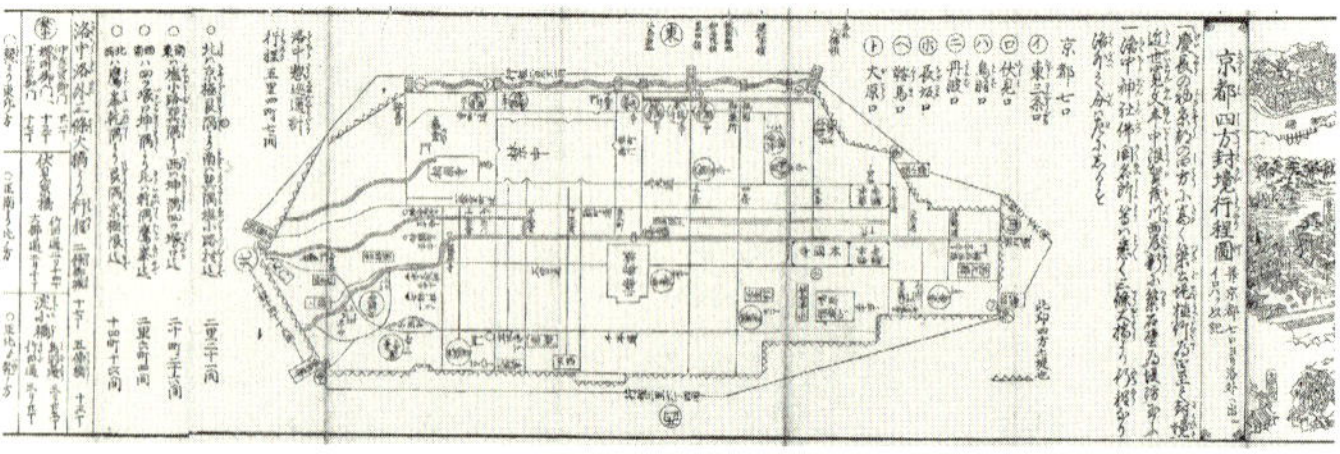

図四—9a　「京都四方封境行程図」（「袖珍都細見図」部分）。大塚京都図コレクション、京都大学附属図書館所蔵

入れています。「袖珍都細見図」の冒頭に三か条にわたって記した「凡例」に対応する事項がほとんど表現されています。いわば京都の観光概要図です。

この図の両側にある記載として、図中に記号によって位置を示した「京都七口」の名称と、図の外周に四分割して示した距離を改めて表示して、その総計「五里四町七間」を示しています。

「洛中洛外三条大橋より道程」の行先には、「二条御城、五条橋、中立売・堺町・下立売御門、伏見京橋、淀小橋」などをはじめ、合計一〇〇か所以上が記されています。非常に丁寧な記載で、伏見京橋へは「竹田通　二り（里、以下同じ）十四丁、大仏通　二り十丁」、淀小橋へは「鳥羽通　三り廿五丁、竹田通　三り廿丁」と二つのルートごとにそれぞれ距離を記しています。

「隣国道程」は、「摂州大坂、和州郡山、和州南都、和州柳生、伊賀上野、江州信楽、江州大津、江州石山寺、江州唐崎、江州彦根、若州小浜、丹州亀山、摂州有馬、摂州高槻、河州枚方」

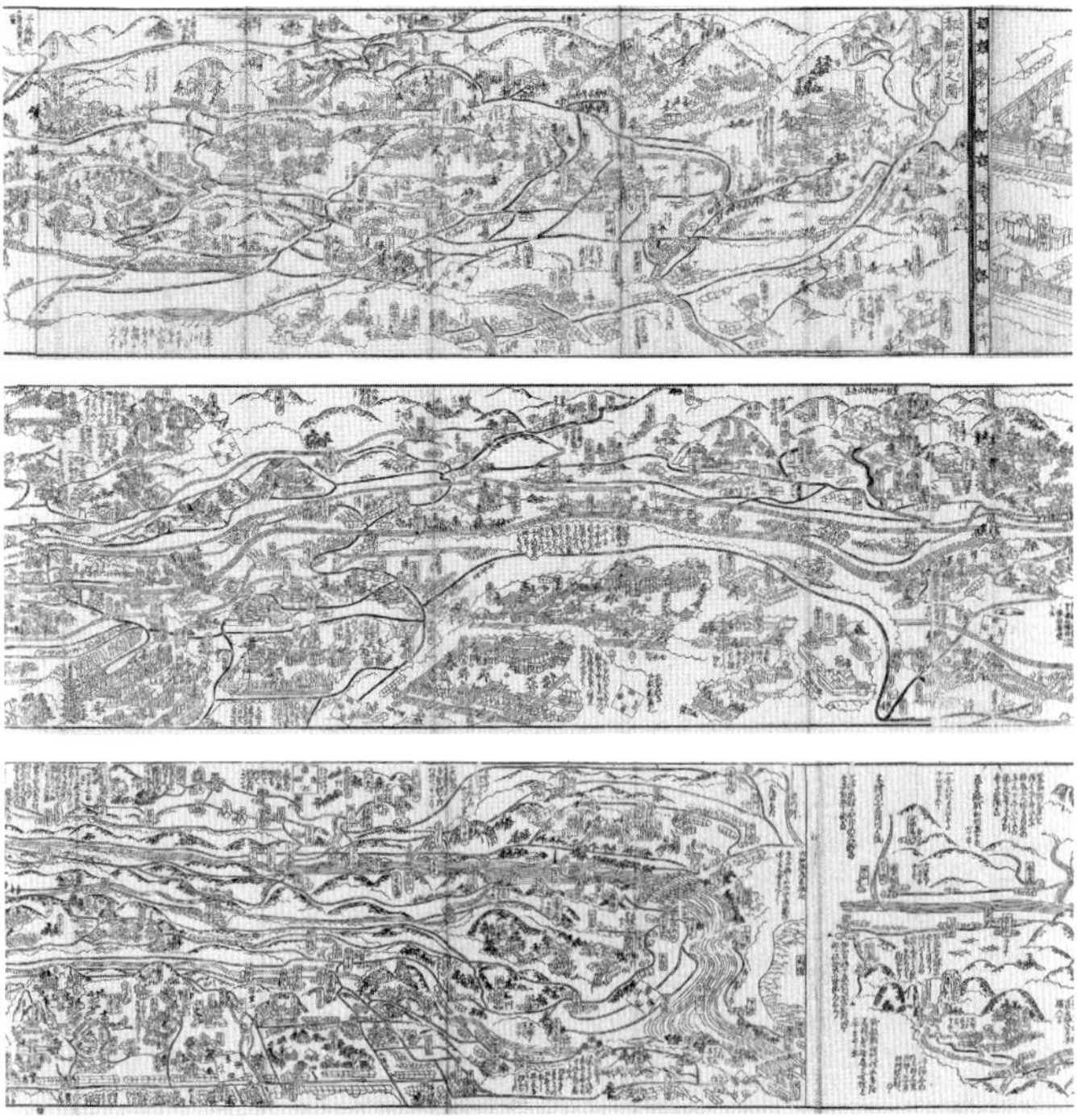

図四－9ｂ「都細見之図」(「袖珍都細見図」部分)。安永八年（1779）刊。19×840㎝。大塚京都図コレクション、京都大学附属図書館所蔵

への距離が記され、当時の旅行の様相の一端が知られます。

「大橋間数」が記されているのは、「三条大橋、五条橋、小枝橋（以上は鴨川）、伏見京橋、豊後橋、宇治橋（同、宇治川）、淀小橋、淀大橋（同、淀川）」です。

「山城国中舟渡行程」は、例えば「大井川渡、下嵯峨ゟ至上山田、葛野大井川広サ一町余」といった記載が、計二六渡しについて記されています。

さらに「花洛細見図　折本十五冊、都名所図会　全部六冊、京都めぐり　小本一冊　貝原作、都年中参詣記　折本一冊　懐中、京都めぐり道法記　折本一冊　懐中」といった関連出版物一覧を掲げています。

「袖珍都細見図」の刊年は安永八年（一七七九）、版元は「書林」として、「誓願寺通御幸町西へ入町　小川多左衛門、四条通御幸町西へ入町蓍屋《めどぎや》勘兵衛、寺町五条上ル町　吉野屋為八」の三店共同となっています。同年の刊年で同じ版木による別の刊行があったことが知られていますが、三店の版元のうち、小川・吉野屋は同じですが、他の一店は蓍屋ではなく「野田籐八」でした。[*7] 三店共同版元とは、長大な折本の刊行物だったせいでしょうか。なお、この「袖珍都細見図」のほかに、類似の版型は知られていません。

この時期、「袖珍都細見図」出版の翌・安永九年に、秋里籬《あきざとり》島《とう》著、竹原春朝斎信繁画の『都名所図会』が世に出て、諸国に名所図会類が盛行する風潮の嚆矢《こうし》となったことがどうしても想起されます。なお、葛飾北斎の『富嶽三十六景』や、歌川広重の『東海道五十三次』などの風景を描いた版画の出版はいずれも一八三〇年代前半ですから、それらに五〇年ほども先行した出版でした。広重に大きな影響を与えたことで知られる画集、淵上旭江《ふちがみきょっこう》の『日本勝地山水奇観』は、寛政一一年（一七九九）に前編四冊が、享和二年（一八〇二）に後編四冊が刊行されています。いずれにしろこの頃、景勝や名所そのもの、またそのような場所への旅行が広く関心を集め始めていたと思われます。「袖珍都細見図」は、そのような動向への先駆けともいえる画期的な鳥瞰図的観光図でした。

「都細見之図」——鳥瞰図的・街道図的表現

さて、「袖珍都細見図」の中心を占める「都細見之図」は、いくつかの特徴的な手法を示していることに注目されます。

まず造本の仕方をみると、折本の一面を一ページとすると、六八ページ分も占める長大なものであることはすでに述べました。これだけで全長六メートルを超えます。その五ページ強の四五センチメートルほどが一枚の版木・紙とみられ、それを貼りついで長大な折本としています。版木は墨刷りですが、街路・街道については合羽刷りが加えられて赤茶色で表現されています。

また地図自体の表現内容は、一見すると鳥瞰図のようにみえる表現です。図四―9b上のように、「都細見之図」の冒頭に表現されているのは「知恩院・南禅寺」付近ですが、両寺ともに左下の方向を向いたように描かれています。南禅寺の左上に描かれた「永観堂」も同様です。知恩院の左側には、左上から「白川」が描かれ、白川に架けられた「白川橋」から右上の「蹴《け》上《あげ》ケ」へと「大津道」が延び、その道の反対方向になる左は「三条大橋」へと向かっています。南禅寺の右下、「金地院」の右となりには方形が描かれ、ほぼ上を北とした東西南北のおよその方位が示されています。これを仮に方位矩《ほういく》（矩形の方位図）と呼ぶとすれば、このような方位矩がほぼ二ページごとに記入されています。

図四―9b上・中央付近下部の方位矩は南がほぼ右側を向いています。「黒谷」がこの方位矩上方に南側から描かれ、鴨川が左側から右側の三条大橋へ（北から南へ）と流れていることになります。

黒谷はもちろん、「上、下岡崎」や「聖護院宮、真如堂、吉田社」なども正しく鴨川の上方（左岸）に表現されています。図四―9b上・左端の方位矩は、上が北東ですが、吉田社から見てその方向に大文字が描かれ、送り火の一つの位置を示しています。

このような表現手法は街道図とも共通しています。すなわち、方位の矩形（方位矩）を随所に入れながら、曲がり進む街道沿いの様相を横長の紙幅に納める方法です。ただし「都細見之図」は以下のように、街道沿いの空間だけでなく、一まとまりの洛中洛外を表現するために、かなり思い切った手法をとっています。

知恩院・南禅寺付近から始まり、まず鴨川東岸の上流に進みます。「銀閣寺、百万遍智恩寺、下鴨、比叡山延暦寺」とほぼ同じ方位で描きつつ、鴨川西岸には「相国寺」を描いています。ついで、西へ表現対象の方向を転じつつ、「岩倉、上鴨、鞍馬山、大徳寺、船岡山、金閣鹿苑寺、北野天満宮」などを描いています。描写の方向はほぼ左側を南として、そこからみた方向に描いています。上賀茂の左側（西）を上（北）へ向かう賀茂川に次いで、「紙谷（屋）川」が北野天満宮の西側を左（南）に向かって流れるように描いています。

表現対象はさらに西へ向かい、「仁和寺、清凉寺、二尊院、天龍寺」と嵐山に至ります。方位矩は「渡月橋」のすぐ下流に描かれ、西がほぼ上です。

渡月橋から桂川が左（南）に向かい、その両岸に表現対象が描かれます。図四―9ｂ中の右端上（西）部（右岸）から「松尾社、向日明神、光明寺」と描かれ、下（東）部（左岸）同図右端に「西本願寺、東本願寺」が描かれています。本来の図はさらに下部へと続き、淀川との合流点付近に「淀城、山崎」がそれぞれ対岸にあります。さらに上方には左（南）から木津川が、下方に左下（東）から「宇治川」が合流してくる様子が描かれています。合流点上（西）部には「石清水八幡宮」が描かれています。石清水八幡宮付近では方位矩の上は北西、宇治川付近では方位矩の上は南西です。つまり隣接して九〇度方位を傾けた表現となっています。その後の表現は、木津川を遡る方向に向かって「北笠置、南笠置」からさらに上流に至り、そこでいったん表現を線で区切って終了しています。

次に改めて、図四―9b下のように、宇治川を遡る方向で「伏見、豊後橋」から上部左へ「宇治、平等院」付近を描き、さらに宇治川上流に達します。平等院上流付近では方位矩の上は南です。同図の下方では、豊後橋付近の伏見から左へと表現対象が向かい、やがて山科盆地へ入っています。

同図の下部には京都から鴨川東岸を南へ向かう大和街道が左右方向に描かれ、同図の左側へは、それに沿って「恵日山東福寺、三十三間堂、大仏、八坂塔、祇園社、知恩院」と北に向かって展開する名所が描かれています。知恩院は冒頭の部分にも描かれていましたが、ここでは再度出てきます。そこから左へ向かって洛中に入り、「誓願寺、仏光寺、因幡堂、菅大臣、六角堂、神泉苑」などを描き、一連の表現の最後の部分の左上隅が「二條御城」です。方位矩は祇園社付近から、左がほぼ北になっています。

このように「都細見之図」の表現は、知恩院付近から始まって左回りに洛外の名所を表現しつつ一周して知恩院に戻り、その後は洛中に入って長大な表現が終わる、といった構造の表現法を採用しています。このために、表現は微妙に方位を変えつつ連続的な形をとっています。

連続性は川や街道をたどる形で表現されていますので、実際の観光においても意味のある配列となっていたものと思われます。

ただし、洛外の名所はほとんど距離を無視して表現されています。この点は、縮尺を変えて洛外の部分を一枚に取り込んでいた、京都図の一般的手法と共通します。また、桂川左岸における東・西本願寺の表現などは、桂川右岸に名所が少ないこともあって、洛中にあるものを無理やり取り込んでいることになります。このように、多少無理な表現を余儀なくされている部分も出現しています。

しかしいずれにしても巧みな表現法であり、一連の折本に添えられた、「山城八郡方位図」、「内裏之図」、「京都四方封境行程図」、「洛中洛外三条大橋より道程」、などの別図もあいまって、観光図・観光案内書としての役割を果たしていたものと思われます。

「早見京絵図　全」——「あらまし御見物の御方様」

詳細な説明を伴った、このような長大な折本の観光図が出版される一方で、簡略なものも出版されました。「袖珍都細見図」が出版された安永八年（一七七九）から一〇年も経っていない天明七年（一七八七）刊、正本屋吉兵衛刊の「早見京絵図」（図四―10）です。正本屋吉兵衛は、安永三年（一七七四）に「懐宝京絵図」を出版したのを皮切りにいろいろな地図を刊行してい

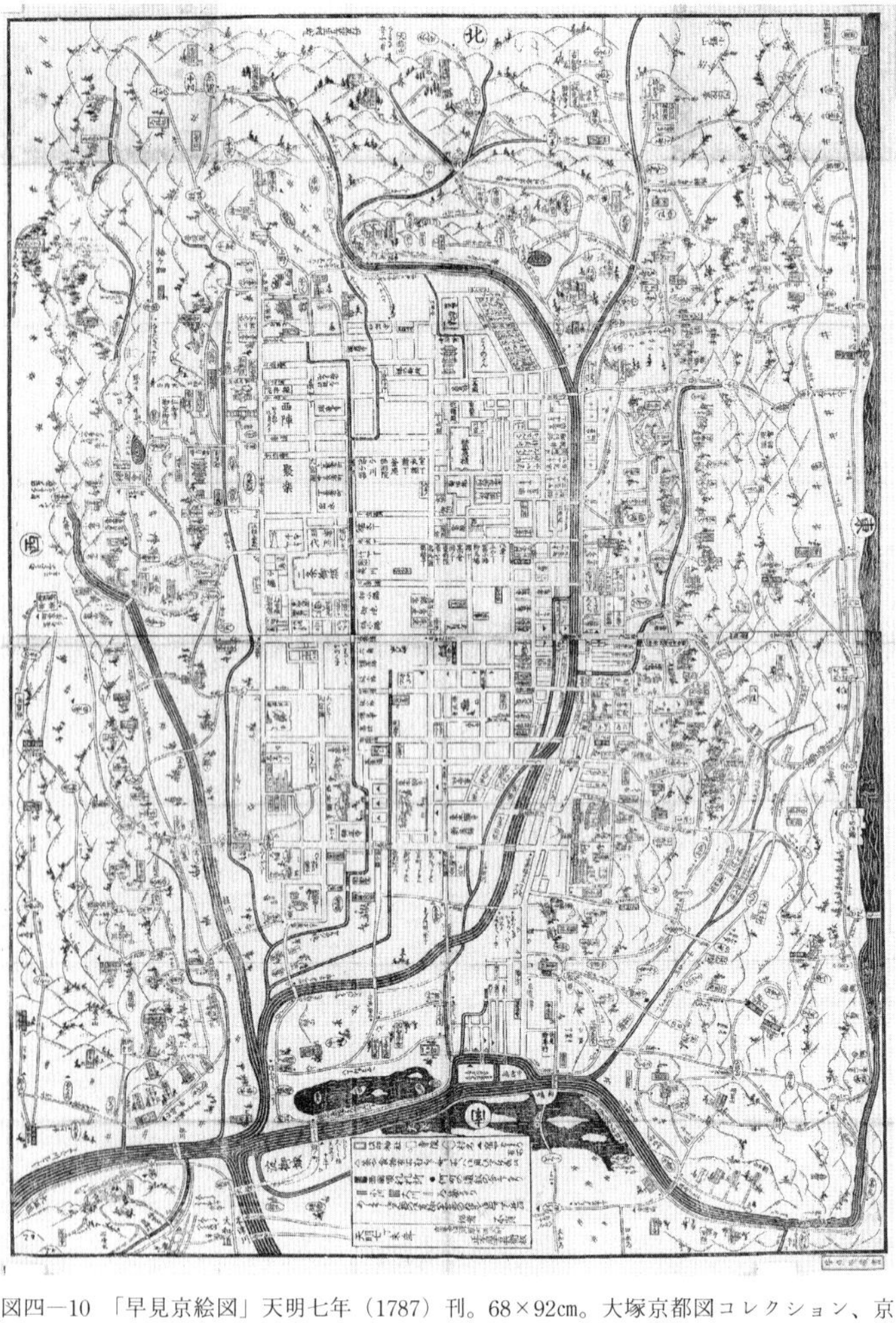

図四―10　「早見京絵図」天明七年（1787）刊。68×92㎝。大塚京都図コレクション、京都大学附属図書館所蔵

た版元です。この「早見京絵図」と題された地図を出版したのはやはり、長大な「袖珍都細見図」などとは異なる簡略な観光案内図の需要を狙ったものと思われます。

「早見京絵図」では、洛中の街路の表現は主要なものだけに限定され、御土居も表現されていません。洛中の建造物などもわずかな数に限られていますので、洛中と洛外はほとんど区別がないようにみえます。また、名所の名称は標記されていますが、説明はほとんどありません。ただし凡例に、「神社、寺院、村名、宿や(屋)、茶や(屋)、西国順(巡)礼札所」などが示されていて、記号で場所を知ることができる工夫があります。特に、宿屋や茶屋の所在を図示したのは、京都図としてはきわめて珍しい例です。

洛中の表現がきわめて簡略化されている点については、先に江戸版の京都図と推定した、宝永四年(一七〇七)刊の「新板増補宝永改正京大絵図」(図三―8参照)の表現を想起させます。ただし、この江戸版の「新板増補宝永改正京大絵図」では、洛中の極端な単純化とともに、寺町から西への街路配列に番号を付しているのが特徴でしたが、そのような番号はこの「早見京絵図」にはありません。

主要河川や山は描かれていますが、きわめて模式的です。ただし、東の端に琵琶湖が表現されています。その意味できわめて珍しい構図ですが、琵琶湖もまた東辺に直線状に表現されているだけです。しかし、湖岸南端付近の山の麓に「石山寺」が描かれ、湖岸の北へと「せたはし（瀬田橋）、ぜぜ（膳所）の御城、大津札ノ辻、三井寺・園城寺、辛（唐）崎明神、（日吉）山王社、来光（迎）寺、西教寺、堅田・浮見堂」と標記されていますので、これら湖岸付近の名所についての情報に、京都の名所と同様の需要があったことを反映しているものでしょう。

さらに、同じような記載は西にもみられます。西端には、「丹州亀山御城、二十一番あのを（穴太）寺、廿三番勝尾寺、廿二番総持寺」とそれらをつなぐ道が描かれていますので、表現は山城の隣国の丹波・摂津に及んでいることになります。

この「早見京絵図」の目指すところは、凡例と刊年・版元名の間に記された文言を見れば、その趣旨が分かります。

あらまし御見物の御方様ハ、赤筋の道計《みちばかり》を御廻リ下され度候

つまり、おおよそのところをみるには、赤い道をたどればよいというのです。図四―10では退色していてほとんどみえませんが、合羽刷りで、洛外の道にほぼ一周の赤色が施されていた痕跡があります。現代のバス観光を思わせるようで味気ないのですが、そのような風潮がすでにあったものと思われます。

なおこの「早見京絵図」には、同年の刊年のままで、竹原好兵衛を版元とした版もあること

が知られています。そこでの文言は、

此（の）図は、諸方通路を専《もつぱら》とし、東は江州湖水、西は丹州亀山までの通路を記し、道法《のり》をくは（詳）しくし、并洛中洛外の名所旧跡を見安（易）くす

とあり、むしろ表現範囲の広さを強調しています。確かに隣国まで一枚に表現した京都図は、これ以前にありませんでした。

「宝暦改正京絵図道法付」――図中に標記された距離

宝暦九年（一七五九）刊、「寺町通二条下ル町　野田弥兵衛開板」と記された、「宝暦改正京絵図道法付」（図四―11）は、見学コースではなく、距離を重視した観光図です。墨刷りの後、合羽刷りによって川・道を色刷りとしています。

刊年と版元名の間に、「諸方道法付《のり》ハ三条大橋よりの道程也」と趣旨を記しています。例えば、北東隅の「ヨカハ（横川）四り（里）半」、北西隅ノ「栂ノ尾三り（里）」、西南隅の「離宮八まん（幡）五り（里）半」、東南隅の「宇治橋四り（里）」などと、付表ではなく直接図中に記載しています。図中には、地名・名所名と距離の標記だけで説明はありません。林吉永版の「新

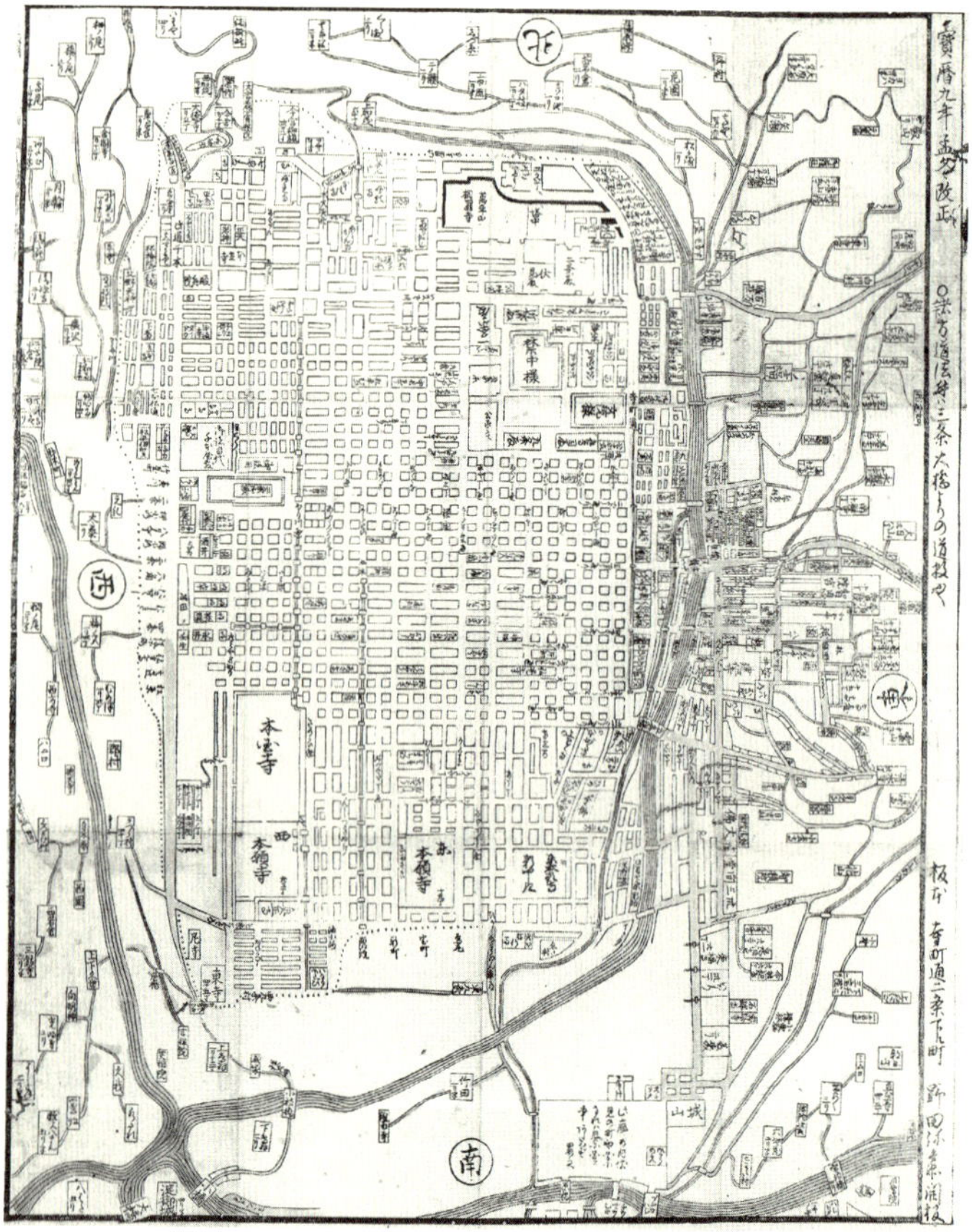

図四―11 「宝暦改正京絵図道法付」宝暦九年（1759）刊。54×41cm。大塚京都図コレクション、京都大学附属図書館所蔵

撰増補京大絵図」と同様の範囲を描くとともに、縮尺の使い方も類似して、東西の縮尺を南北より大きくしています。しかし、周囲の山並みはまったく描かれず、建物・施設の表現もありません。

また街路名の標記も、例えば東西道の場合、「丸田丁（太町）、二でう（条）通り、三でう（条）通り、四でう（条）通り、松はら（原）通り、五でう（条）通り」などが市街東端付近に標記され、西端の千本通沿いにも「竹屋町、夷川、二条、押小路、八まん（御池）丁、姉小路、三条、六角、たこやくし、にしき、四条、綾小路、仏光寺、高辻、松原」と併記するなど、記載方法の不統一も感じさせます。

また、洛中の表現には多くの省略がありますので、図は全体としてやや粗略な印象を与えます。

この「宝暦改正京絵図道法付」は、刊年部分のみを削除したままで、同じ「野田籐八開板」として後刷りをされています。後刷りの刊年は不明ですが、版元は同じ野田姓ですが弥兵衛から籐八へと名前が変わり、また寺町通二条下ル町から二条富小路西へ入町へと版元所在地が変わっています。これだけみると、代替わりをして、店の所在地も移した可能性を想定できます。しかし、両版元は類縁がありそうなものの、版元としては別と考えざるを得ません。

というのは、両版元は同じ元文二年（一七三七）三月下旬に同一の地図を同じ版で出版しているからです。しかも、左下の版元名を一方は「二条富小路西へ入　書林　野田籐八開板」、表紙に「懐本京絵図」としています。もう一方は「寺町通二条下ル町　書林　野田弥兵衛改板」、「増補京絵図道法付　全」としています。同一版元が刊年などを変更せずに出版している例もありますので即断はできませんが、類縁がありそうなものの、版元としては別という先の推定にとどめておきたいと思います。

また後に、これとよく似た名称の京都図が刊行されています。「安永（一七七二～八一）改正新板改正京絵図道法付」（図四―12）とし、弥兵衛版の宝暦九年からは一〇年余り後の出版です。弥兵衛版と比べると、「諸方道法」云々と同じ文言を記しており、さらに「京二条通冨小路西江入　野田藤八開板」と、後刷りと同じ版元です。判型もほぼ同じです。

しかし、地図そのものはまったく変わっています。表現範囲は林吉永版の「新撰増補京大絵図」とほぼ同じで、山並みの表現がないことや、洛外の表現法および主要街道と河川のみを色刷りとした手法は弥兵衛版と同様ですが、洛中部分がまったく新たな図様となっています。全体としても弥兵衛版の粗雑な印象は払拭されて、きわめて緻密で完成度の高い地図にみえます。

最も大きな変化は洛中主要部の縮尺にあります。図四―12のように、東西と南北の縮尺をほぼ同じように合わせたことと、街区を墨の刷り出しにしたことが、印象を大きく変えています。洛中北部の縮尺はこの例外ですし、東西南北の縮尺比もまったく同じではありませんが、正方

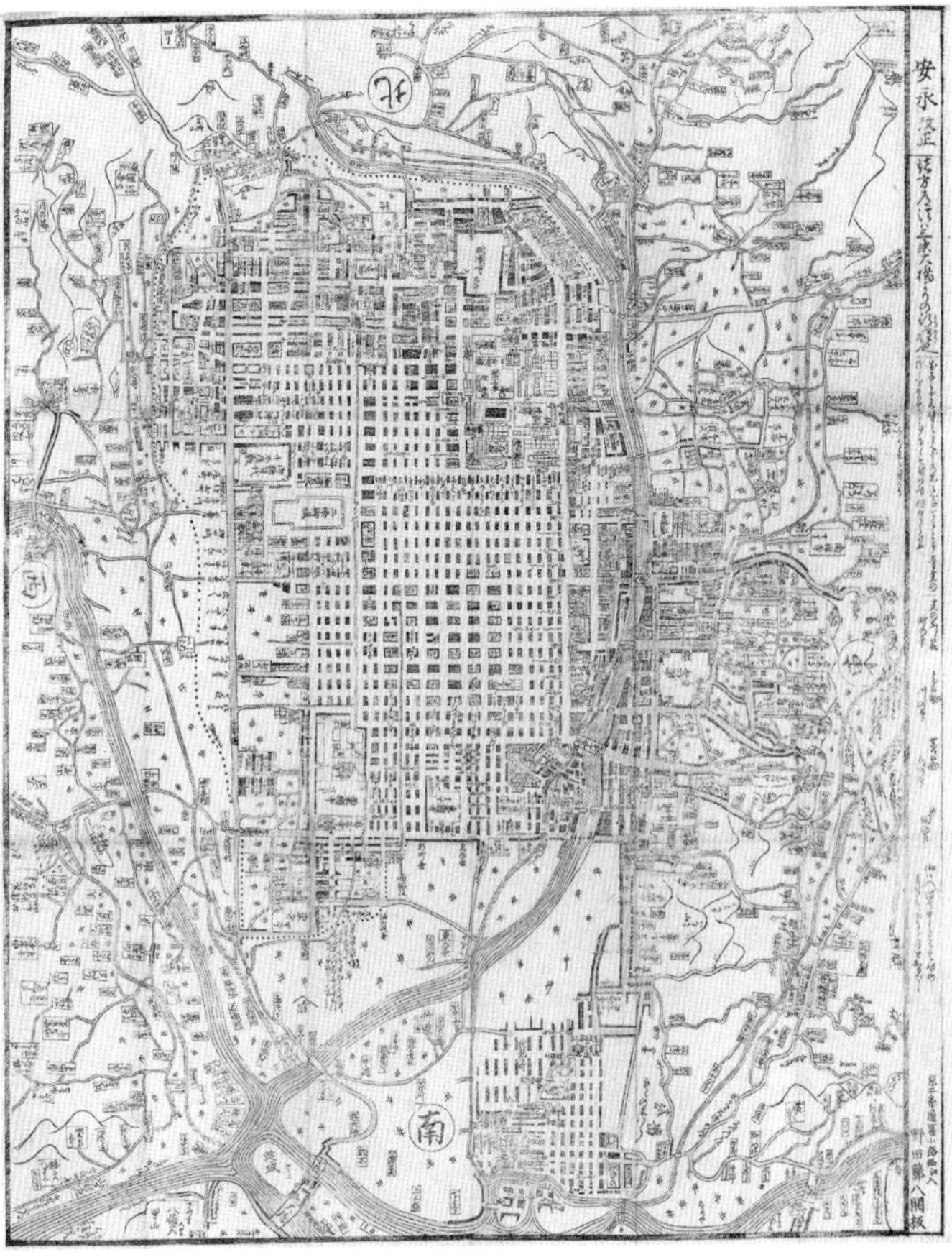

図四―12 「安永改正　新板改正京絵図道法付」安永年間（1772-81）刊。53×41cm。大塚京都図コレクション、京都大学附属図書館所蔵

形の街区は、わずかに東西に長いだけです。街路名標記の特徴は弥兵衛版と同様ですが、全体の標記自体が詳しくなって、現実的なおかつ違和感のない図様となっています。

洛中のみならず、洛外の名所や地名の標記数も多くなっています。距離の記載がほとんど名所・地名の枠内に限られていた弥兵衛版と異なって、距離の記載のないものや、枠外に距離を記載したものなどがありますが、先に例示した弥兵衛版の四隅の地点の距離をはじめ、距離記載のあるものについては、基本的に弥兵衛版の記載を踏襲しているようです。

「改正京絵図」——単純化した正統派携帯図

文化二年（一八〇五）菊屋七郎兵衛刊の「改正京絵図」（図四—13）は、「早見京絵図」のような、特定対象の強調・省略や表現範囲の拡張などがみられない、墨刷りだけの京都図です。例えば洛中の中央部分においては東西南北の縮尺が同比率となっていて、正方形の街区はそのまま正方形で表現されており、野田藤八開版の「新板改正京絵図道法付」（図四—12）の方向性をさらに厳密にした形です。洛中北部や洛外の縮尺は、ほかの多くの京都図と同様に縮小比率が大きいものの、洛中の表現からは正統派の京都図とも言うことができます。表現されている範囲は、林吉永版の「新撰増補京大絵図」とほとんど変わりません。

時期的にはこの後出現する、竹原好兵衛版の「改正京町絵図細見大成」（図四—4参照）の方

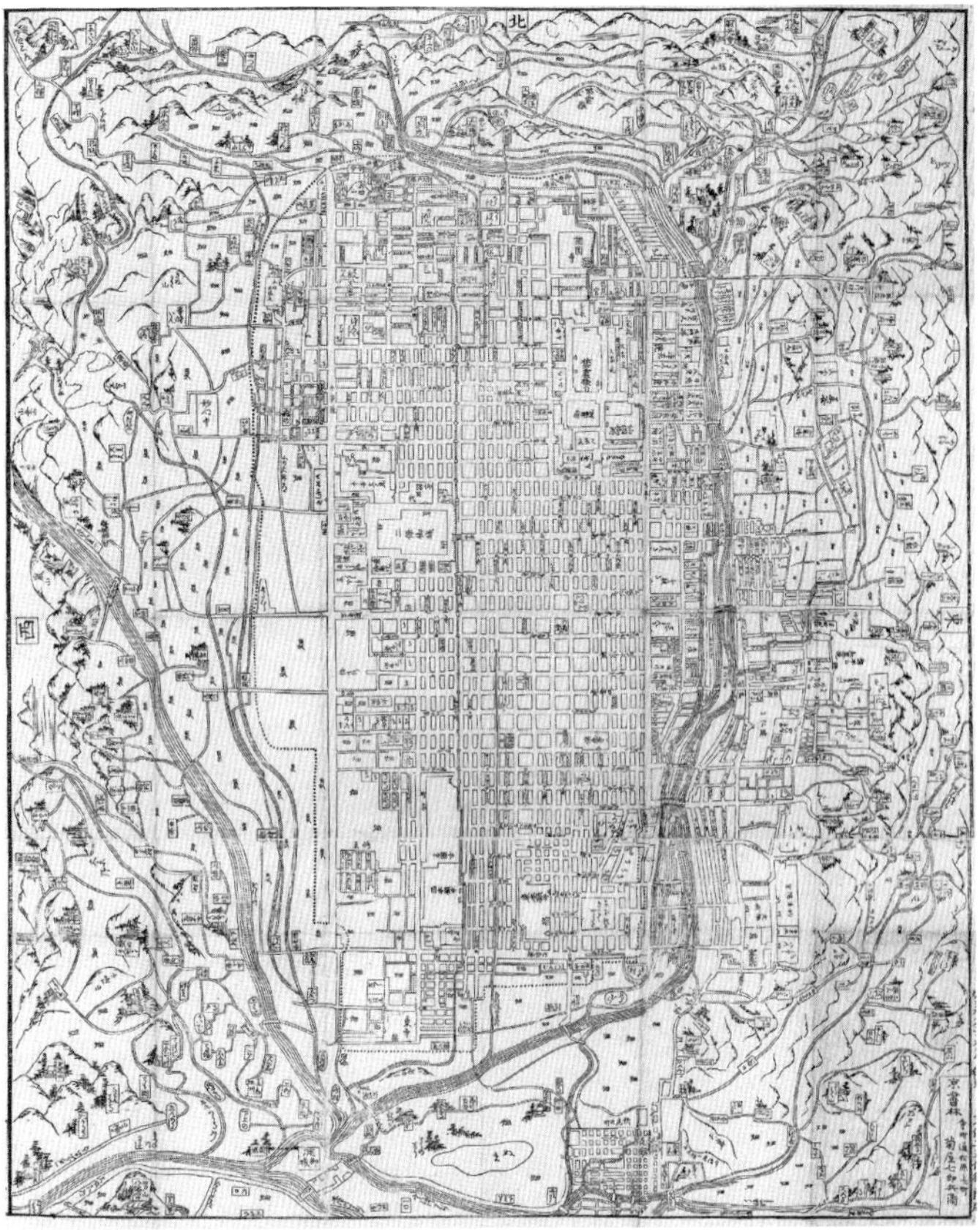

図四―13 「改正京絵図」文化二年（1805）刊。52×64cm。大塚京都図コレクション、京都大学附属図書館所蔵

法を先取りしたかのような手法です。当時広く流布していた「新撰増補京大絵図」における、洛中のやや不自然な表現を改良する動向が、さらに強まっていたとも思われます。その結果、この「改正京絵図」では、すでに説明した竹原好兵衛版の「改正京町絵図細見大成」の考え方に通じる表現を採用した、とみられることになります。

また、墨刷りで無彩色ですので、きわめてすっきりした印象を与えます。名所が基本的に名称だけで、説明がなく、山の輪郭を除けば絵画的表現もありません。洛中を取り囲む御土居も点線で表現されているだけで、ほとんど目立ちません。「改正両面京図名所鑑」（図四—8）と同様に、水田部分にすべて「畑」の文字がちりばめられていることにやや違和感がありますが、全体として典型的な小型版京都図といってよいと思います。

この「改正京絵図」は、表紙の形状や折り目から、縦に四つ折り、横に六つ折りで使用されたことが知られます。折りたたんだ状況では、一六×九センチメートルほどの小型となるので、携帯にはきわめて便利だったと思われます。

この「改正京絵図」は文化一五年（一八一八）に、「伏見屋半三郎」を版元として、同じ版が再版されました。版面の右下欄外の「文化二年仲秋開版」と刷り出されていた部分に、明確に「文化十五寅年求版」と刷り出され、版木を入手して印刷したことが明示されています。

4　多彩な観光地図——鳥瞰図と新構成への試行

「細見案内絵図　京名所道乃枝折」——鳥瞰図

文化七年（一八一〇）、京都書林　丸屋善兵衛刊の「京名所道乃枝折《みやこめいしょみちのしおり》」（図四—14）には、「細見案内絵図」と記され、観光案内図であることを明示しています。確かに判型は横長で小さく、携帯用であることが明らかです。横に六つ折り、縦に二つ折りで袋に入れられていました。

本図では、この判型に合わせて東西を著しく縮小して京都図の伝統的な山河襟帯の範囲を表現しています。このこと自体が特徴的ですが、さらに鳥瞰図となっていることがこの図の最大の特徴です。安永八年（一七七九）刊の「都細見之図」も、個々の対象の表現には鳥瞰図的な視点を取り入れていましたが、むしろ方位をずらしながら連続的に表現する、街道図的な手法を採用していたことが特徴でした。

この図の鳥瞰の視点は、「大仏」殿や「東・西本願寺」の表現のように、南半部では北西方向からみており、一方北半部では、「禁裏様」一帯や「二条御城」の表現のように、南西方向からみた形が基本になっています。それに合わせて洛中の東西の直線道も、西半が南西からみた方向、東半が北西からみた方向に表現されていて、その結果、中央で大きく湾曲した表現と

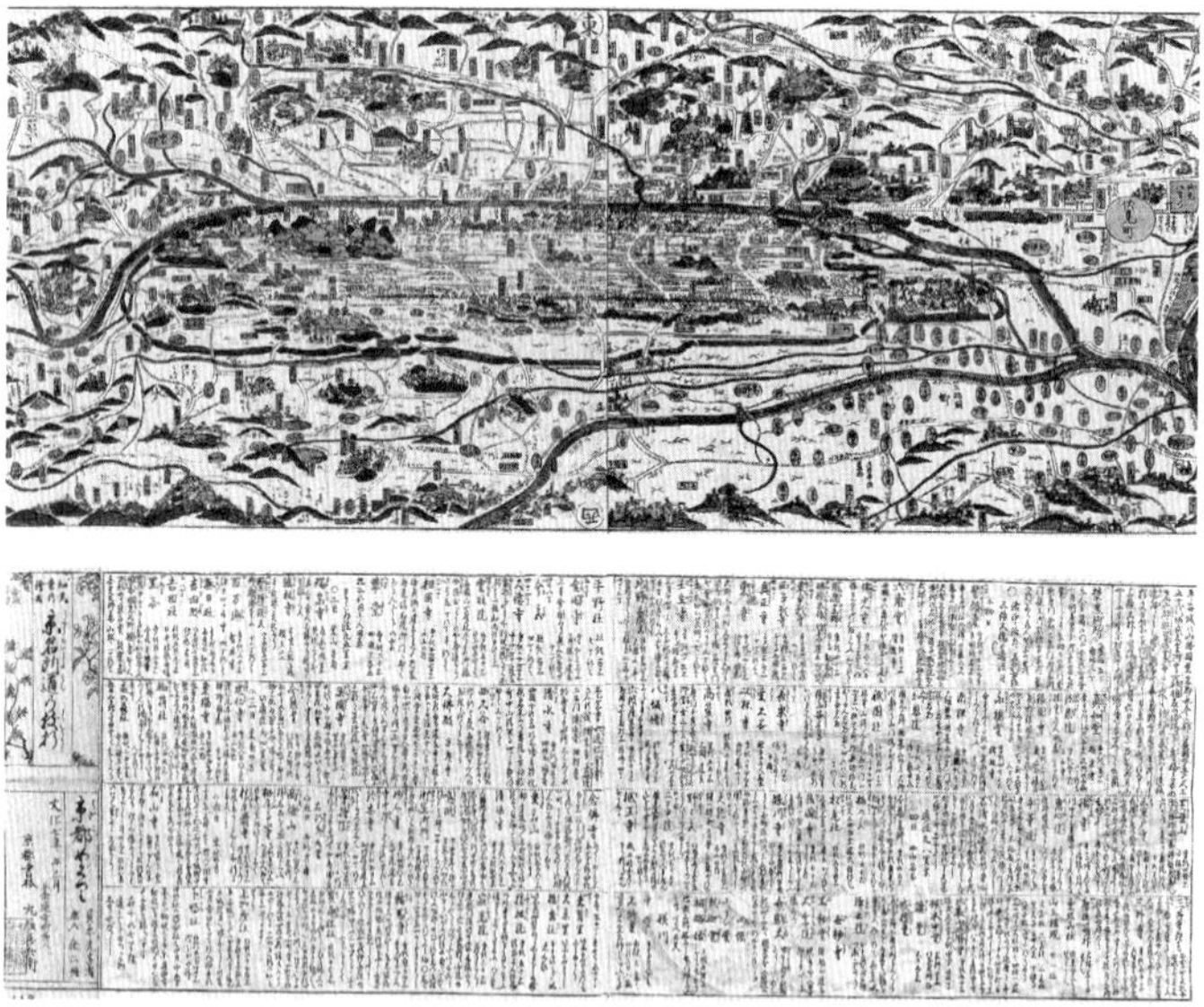

図四―14 「京名所道乃枝折」(「細見案内絵図」) 文化七年 (1810) 刊。上・表面、下・裏面。30×82㎝。大塚京都図コレクション、京都大学附属図書館所蔵

なっていますが、全体として自然にみえる手法です。また周囲の山々は基本的に、すべて西からみた方向に描かれています。文字も方位表示を除き、基本的に東を上として、つまり西からみた方向で記載されています。

このように「京名所道乃枝折」では、洛中からみた周囲の山河襟帯の様相を描く、という京都図の伝統的構造が失われ、まったく別の鳥瞰図の視点が採用されていることに留意する必要がありそうです。

この図では、寺社、村名、名所旧跡は文字の囲みの形状や色別で示されています。山の輪郭、川、道、建物等を墨版で刷り出し、色刷り部分は合羽刷りで刷ったものと思われます。丸で囲み、黄色で刷り出した、大きな「伏見町」の文字が目につきます。よくみると、「大（東）、妙法、い、（舟形）、大（西）」の送り火の位置が赤茶色で刷り出されていますが、これらもすべて文字標記と同じく西向きです。なお、鳥居は図中にみつかりません。

この「京名所道乃枝折」は両面印刷となっています。両面印刷は、安永七年（一七七八）刊の「改正両面京図名所鑑」にもみられた手法ですが、この「名所鑑」と「京名所道乃枝折」の裏面は大きく構成が変わっています。

「京名所道乃枝折」の裏面は上下四段の記載からなっていますが、これには別途「京都《みやこ》めぐ里（巡り）」のタイトルがつけられ、「貝原先生著」とされています。まず二段抜きで「平安城」

の由来や、六日間での見学コースの設定のことを記載しています。
具体的記載の冒頭は「禁裏御所」です。次いで「洛中洛外名刹古跡、三条大橋ゟ道法《みちのり》付」として距離を記し、それ以下には六日間の日程ごとに、名所の説明および距離を記しています。

初日
誓願寺、六角堂、仏光寺、因幡薬師、東本願寺、西本願寺、奥正寺、東寺、壬生寺、北野天満宮、平野社、金閣寺、今宮、大徳寺、雲林院、相国寺、華堂、
巳（以）上道法《みちのり》、凡（そ）五里余

二日　東山方角
瑞泉寺、法林寺、聖護院之宮、百万遍、春日社吉田殿、吉田社、黒谷、真如堂、法然院、銀閣寺、永観堂、南禅寺、知恩院、祇園社、（慈）円山安養寺、長楽寺、東大谷、双林寺、高台寺、八坂塔、六波羅蜜寺、清水寺、西大谷、大仏殿、泉涌寺、今熊野、
此（の）道法、凡（そ）四里余

三日　東南の方

建仁寺、東福寺、稲荷社、藤の森社、黄檗山、三室戸寺、橋寺、恵心院、平等院、石清水八幡宮、

道法、凡（そ）八里余

四日　西山名所

太秦《うずまさ》薬師（広隆寺）、梅乃宮、松尾社、法輪寺、臨川寺、天龍寺、野々宮、二尊院、祇王寺、念仏寺、愛宕山、清凉寺、鳴瀧（滝）、御室御所、妙心寺、龍（竜）安寺、等寺院、

右行戻九里

五日　西北方角

高雄山、栂尾高山寺、槇尾西明寺、

六日　東北の方

石山寺、三井寺観音、三井寺、唐崎明神、東照宮社、山王権現、比叡山延暦寺、（根本中堂、講堂、戒檀堂、浄土院）、無動寺、（不動堂、大業院、弁財天）、西塔、（にない堂、釈迦堂、相輪塔）、横川、（中堂、大師堂）、矢背（八瀬）里、大原里、極楽院、勝林院、寂光院、鞍馬寺、貴布祢（船）

社、上加茂社、下鴨社、

右十六七里余

以上のように、ルート別に名所を記載して説明しています。現在でもそのまま通用するような観光案内です。しかし、少なくとも一日の行程四〜五里（一六〜二〇キロメートル）とは、健脚でなければとても歩ける距離ではありません。六日目の一六〜七里（六四〜六八キロメートル）に至っては、残りの名所を列挙したもののようで、一日ではとても不可能な距離です。

とはいえ、「京名所道乃枝折」はきわめて実用的な観光地図と観光案内書のセットです。鳥瞰図であることとともに、京都の山河襟帯の構造もコスモロジカルな認識も、ほとんど表面には現れてこないところが、逆に特徴とも言えます。

なお、これには多色刷りのほかに、墨刷りのみの版も市中に出ていたようで、京都大学附属図書館の大塚京都図コレクションにもみられます。

「改正分間新撰京絵図」——携帯図の制約と縮尺

「京名所道乃枝折」とほぼ同じ判型の携帯用地図で「分間（縮尺）」を示した京都図も刊行されました。文化八年（一八一一）刊の「改正分間新撰京絵図」（図四—15）は、三〇×八〇セン

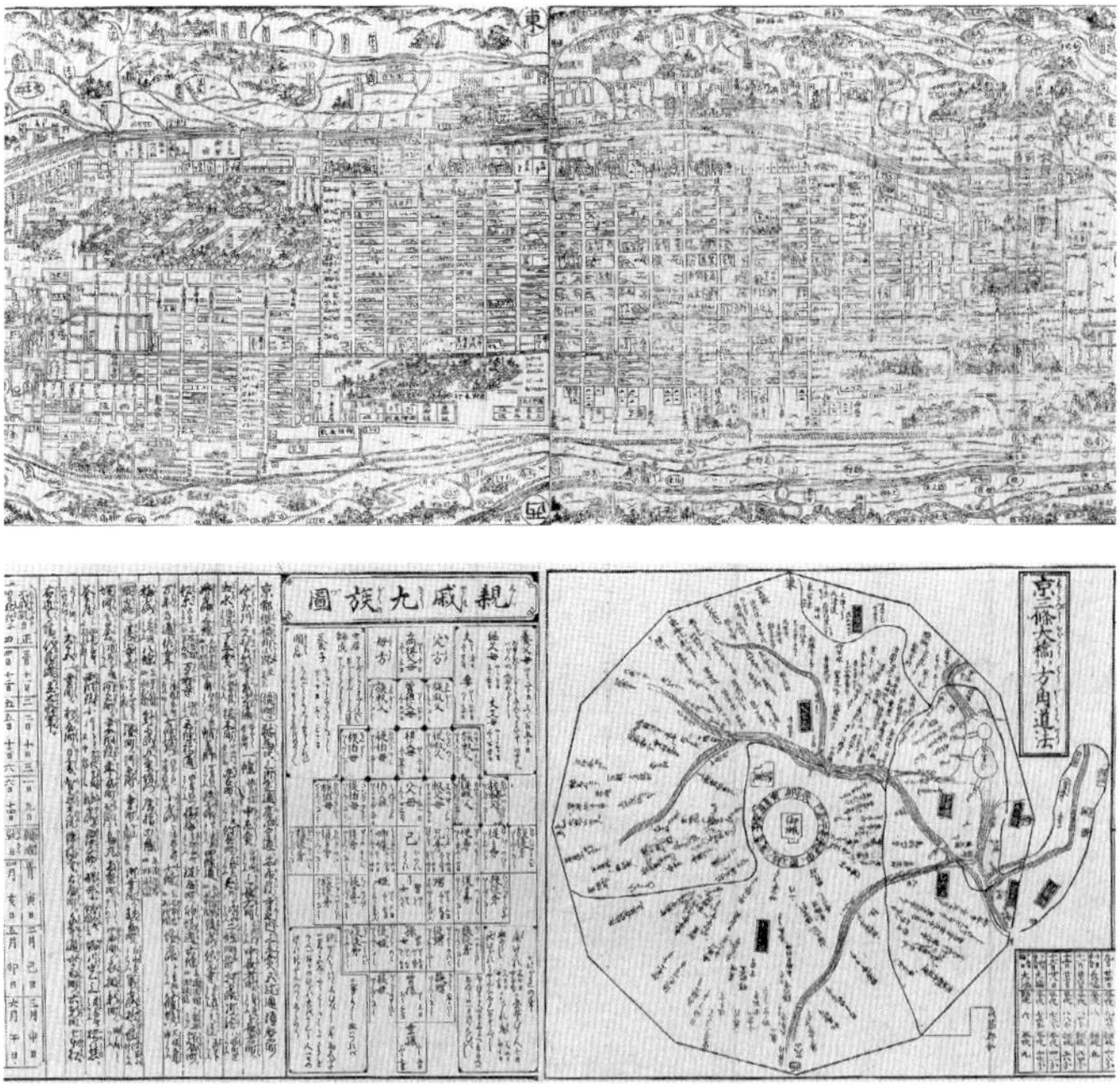

図四—15　「改正分間新撰京絵図」文化八年（1811）刊。上・表面、下・裏面。30×80cm。大塚京都図コレクション、京都大学附属図書館所蔵

チメートルですので、ほとんど同じ大きさです。縦二つ折り、横六つ折りの形状も、やはり同じです。版元には、「京都書林　六角通柳馬場東ェ入町　竹原好兵衛、寺町通綾小路下町　菊屋長兵衛、二条通富小路西入町　野田籐八」の三店が名を連ねています。三店の版元はいずれも実績のある、いわば老舗でした。

竹原好兵衛は言うまでもなく、天保二年（一八三一）に、画期的な大型・多色刷りの京大絵図「改正京町絵図細見大成」を刊行した版元（出版当時は三条通麩屋町西北角）です。「改正分間新撰京絵図」の共同版元となる以前、正本屋吉兵衛版の天明三年（一七八三）「天明改正細見京絵図」を、版元名だけ変えて刊行するなどの出版活動をすでに開始していました。

菊屋長兵衛は安永七年（一七七八）に「改正両面京図名所鑑」を出版した版元（当時は寺町仏光寺上ル町）です。

野田籐八は安永八年（一七七九）、蓍屋《めどぎや》勘兵衛に代わって、小川・吉野屋とともに三店共同版元として、長大な折本の「袖珍都細見図」を出版していました。

また、竹原好兵衛が六角通柳馬場から三条通麩屋町へと店を移動していたことはすでに述べましたが、菊屋長兵衛もまた、寺町仏光寺から寺町通綾小路へと店を移していたことが知られます。

さて「分間」について「改正分間新撰京絵図」には、冒頭の凡例（神社寺院、村名、道筋、川、寺）

に続いて、「洛中之町小路、竪（縦）六分、横三分之積」と記していますので、南北（改正分間新撰京絵図の竪）が六〇〇〇分の一、東西（同横）が一万二〇〇〇分の一の縮尺となります。したがって図のように、正方形の街区は南北が東西の二倍の長方形となり、実際に南北に長い長方形の街区は、さらに細長い短冊形になっています。

内裏付近、二条城付近などをはじめ、東・西本願寺、東寺などは、北西方向から眺めたような角度で絵画的に描かれています。大仏殿には建物の絵はなく、土台と思われる円形の壇が描かれています。

また、周囲の山並みや、名所の名称、東西方向の街路名などはすべて上を東として標記されています。

このような表現ですので、本図を「京名所道乃枝折」（図四―14）と比べてみると洛中の分間部分以外のところは、非常によく似た印象です。ただし洛中の部分を広げている一方、周囲を狭めていますので、洛外が窮屈な表現になっています。

要するに「改正分間新撰京絵図」は、洛中に独特の縮尺を適用し、洛外を鳥瞰図風に表現した観光案内図だということになります。しかもこの地図もまた両面印刷ですが、裏面にも独特の情報が印刷されています。

「十干、往亡日《おうもうにち》（元服・旅行・移転などを忌む日）、月の出入潮汐のみちひ（満干）、親戚九族図、京都縦横町小路、不成就日（陰陽道の凶日）」などの表が付されているのは、京都縦横町小路を除けば、当時の一種の百科事典であった『節用集』のような内容の一部を掲げたものであろうと思われます。

とりわけ、これらとともに掲げられている「京三條大橋ヨリ方角道法」の図が特徴的です。図四―15下のように、一見すると「天明改正細見京絵図」（図四―2）の裏面に印刷された方位盤と道程を組み合わせた図の変形のようにみえます。しかしこれはむしろ本図の簡略版といえるものでしょう。中央に「御城」とその周囲に方位盤を描き、その外側の左上に「禁裏」を配置しています。さらに、鴨川と支流の高野川・白川、桂川、宇治川、木津川などを描き、方向と距離を勘案しつつ、多くの名所とそこへの距離を記入しています。また、郡界線を描いて郡名を標記しています。その全体を、一二角形で囲んでいますので、一見方位盤の変形のような印象をもたらすことになったものです。

この「改正分間新撰京絵図」は「改正分間新撰京絵図　都名所自在歩行《じざいあるき》」と名称を変更して天保三年（一八三二）、竹原好兵衛の単独版として出版されました。多色刷りの京大絵図「改正京町絵図細見大成」を刊行した翌年のことです。文久三年版の記載によれば、文化八年版を「新版」、天保三年版を「補刻」、文久三年版を「再刻」としています。いずれにしても携帯用観光図としてロングセラーとなったものと思われます。

「文化改正京都指掌図」――単純化への試行

文化九年（一八一二）「新板」の「文化改正京都指掌図」（図四―16）は携帯用京都図ですが、やはり携帯用の「細見案内絵図」や「改正分間新撰京絵図」とは異なって、両面刷りでなく片面に情報を盛り込んだものです。木版の墨刷りを基本としていることは共通していますが、それに三色の合羽刷りを加えています。また、同じ版で墨刷りのみのものも市場にでていました。なお図名の「指掌」とは、やはり手にすることのできる携帯用を意味しています。

下端の「同印合文（凡例）」には、「御所、諸大名御屋敷、神社ノ印、寺院ノ印、村名・所名、郡名、名所、町名、二筋（二本線）道筋、三筋（三本線）川筋」などの色が示されているので、それらが色刷りの対象だと判明します。

さらにその下には「洛陽七口」、「間乃近ミち（道）」、「三条大橋よ里《り》　近道法《のり》」の一覧表が掲げられています。

本図の版元は「京一条通智恵光院西へ入　石田治兵衛、大坂心斎橋通唐物町南へ入　河内屋太助、同御堂筋通瓦町南へ入　小刀屋六兵衛」の、京都一店、大坂二店の共同です。ただし同版で、石田治兵衛の代わりに正本屋吉兵衛が加わったものや竹原好兵衛の単独刊行のものもあります。

竹原好兵衛版は、刊年をそのままにして、三店の共同版元名を削り、埋め木をして版元名を

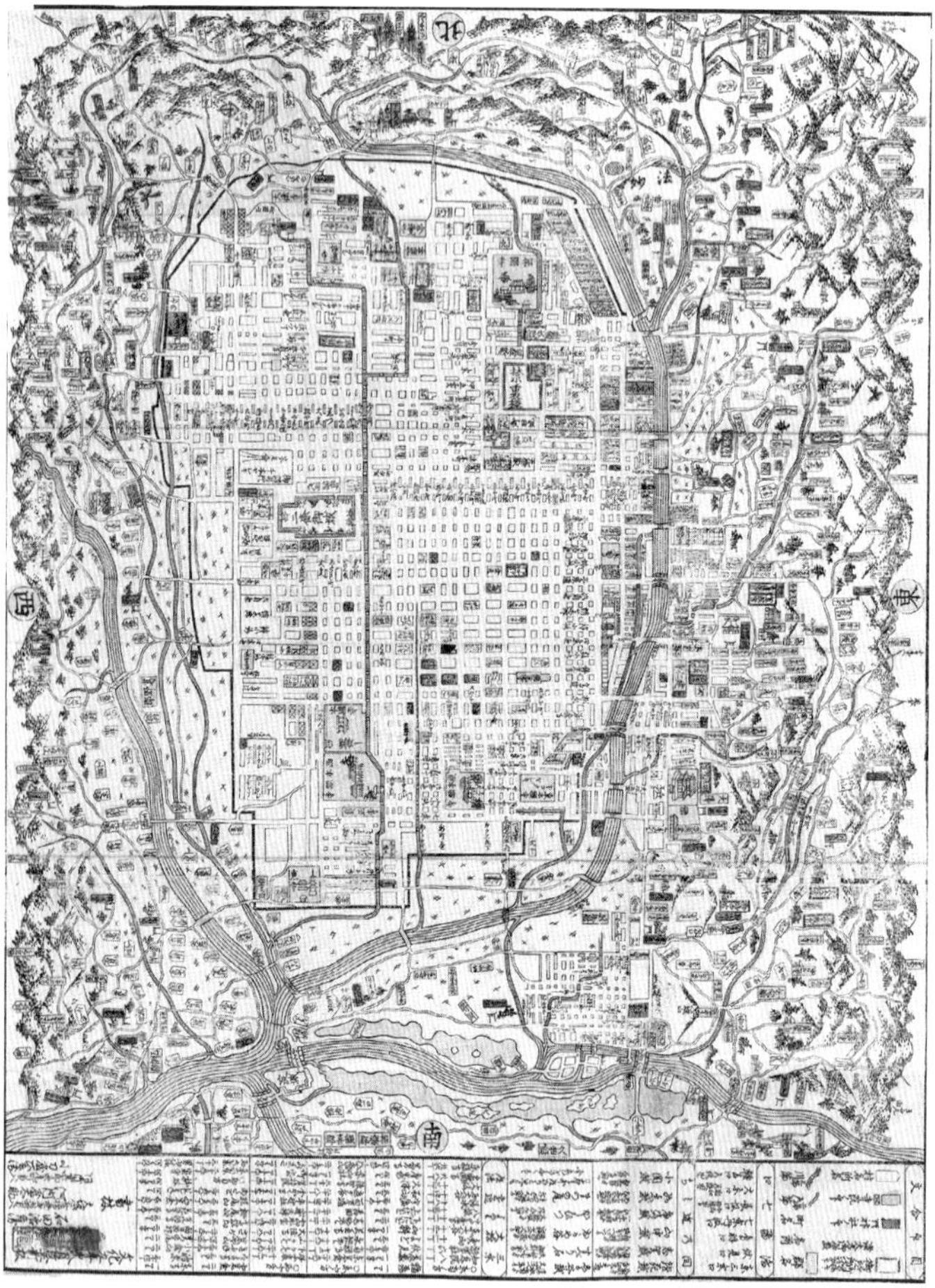

図四―16 「文化改正京都指掌図」文化九年（1812）刊（新板）。50×63cm。大塚京都図コレクション、京都大学附属図書館所蔵

変えたものです。「板元　京六角柳馬場東へ入　竹原好兵衛」とし、さらに「此外、細見之図いろく（いろいろ）御座候、御求〆御一覧被遊可被下候（あそばされくださるべくそうろう）」と宣伝文を入れています。

どの版も同じですが、御土居に囲まれた洛中の形状がほとんど卵型になっているのが特徴です。街路を広く描いて街路名の標記に便利な形にするとともに、南北の縮尺を東西の六割ほどとしているためです。洛中の北部や南部ではさらに縮小していますので、このような形状になります。色刷りの凡例にもあるように、御所一帯、二条城一帯、大名屋敷などの標記が相対的に詳しく、二条城西北の「御諸司代千本ヤシキ」に「火ノ見」の塔が描かれているのが目立ちます。

この「文化改正京都指掌図」とよく似た京都図が文化一〇年（一八一三）刊「文化改正新増細見京絵図」（図四―17）です。左端に「正栄堂　田中吉兵衛板」と刷られており、それに並んで、文化八年「御免」とも刷り出されています。

判型は両図ほぼ同じですが、「文化改正京都指掌図」の下部の凡例以下の一覧表がなく、左側欄外に凡例、刊年、版元などが刷られています。やはり墨版が基本ですが、街路・街道が赤の木版、山が濃緑色、川が灰色、名所が黄色の合羽刷りです。

「文化改正新増細見京絵図」は「文化改正京都指掌図」とよく似てはいますが、別版です。

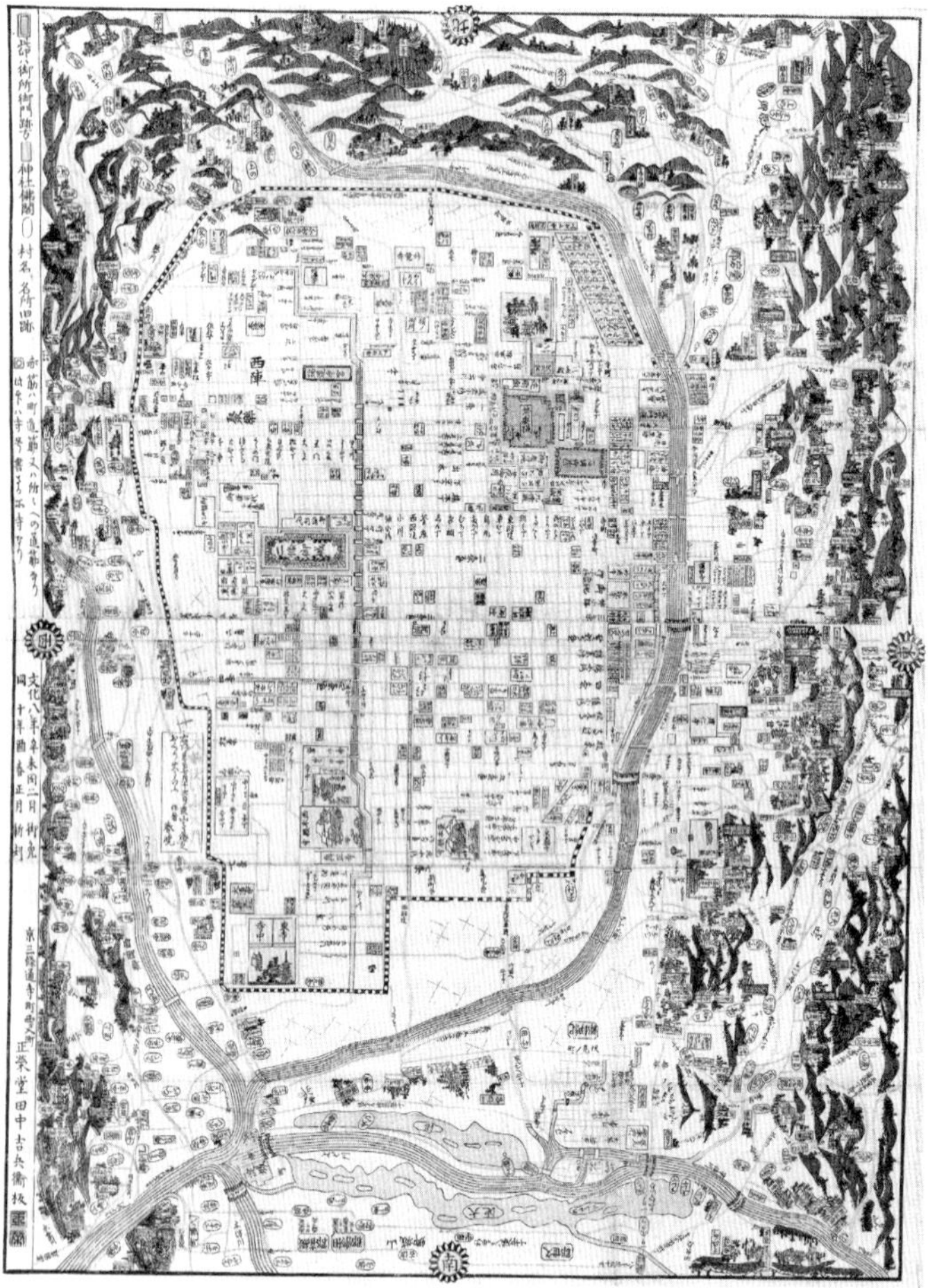

図四—17　「文化改正新増細見京絵図」文化一〇年（1813）刊。52×69cm。大塚京都図コレクション、京都大学附属図書館所蔵

御土居や街路・街道や川の表現も異なっています。洛中西南部の御土居の外には、「大、妙法、い、(舟形)、大、(鳥居)」の六か所の形状を赤で刷り出して、「右いづれも七月十六日ノ夜山々(にて?)燈之おくり火といふ」と送り火の日時と名称を記しています。小型の携帯用観光地図ではありますが、簡潔に必要事項が表現された、完成度の高いものとみられます。

「恵方巡京図」――目的別寺社巡り

菊屋長兵衛による文政一一年(一八二八)刊の「恵方巡京図」(図四―18)は、ルート別ではなく、目的別の観光地図です。洛中部分を中央に大きくとり、洛外を極端に狭く表現しています。版元の菊屋長兵衛は、文化八年(一八一一)刊の「改正分間新撰京絵図」(図四―15)において、竹原好兵衛、野田籐八とともに共同版元の一店でした。

その「改正分間新撰京絵図」とこの「恵方巡京図」は、いずれも山が西から東をみた方向で表現されていて、しかも洛中中心部分の東西と南北が同じ縮尺のようにみえるので、両者は一見よく似た手法を採用しています。しかも、洛外の部分は「改正分間新撰京絵図」と同様に、絵画的表現を基本としています。洛中の街路名が丁寧に標記されていることも同様です。

しかし洛中中心部における、「改正分間新撰京絵図」の南北と東西の縮尺比率が一対〇・五であったのに対し、「恵方巡京図」は詳しくみると一対〇・六強です。この相違に加えて、街

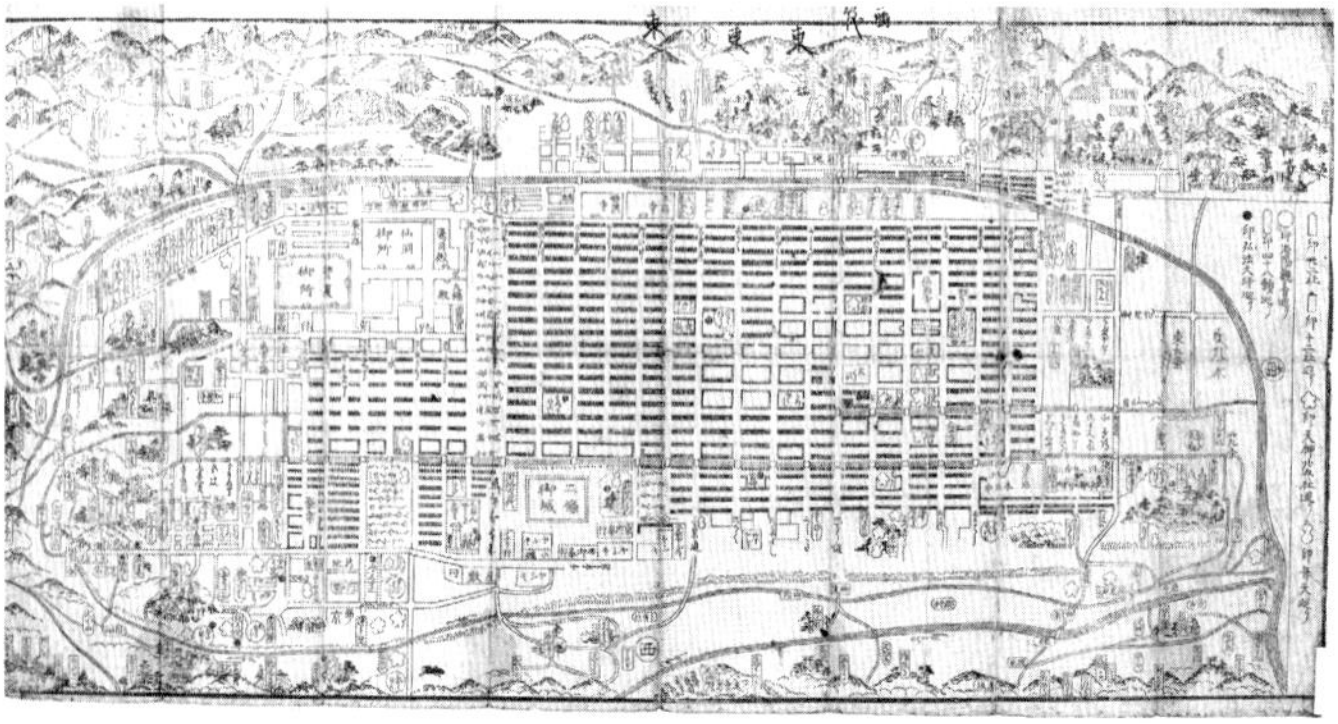

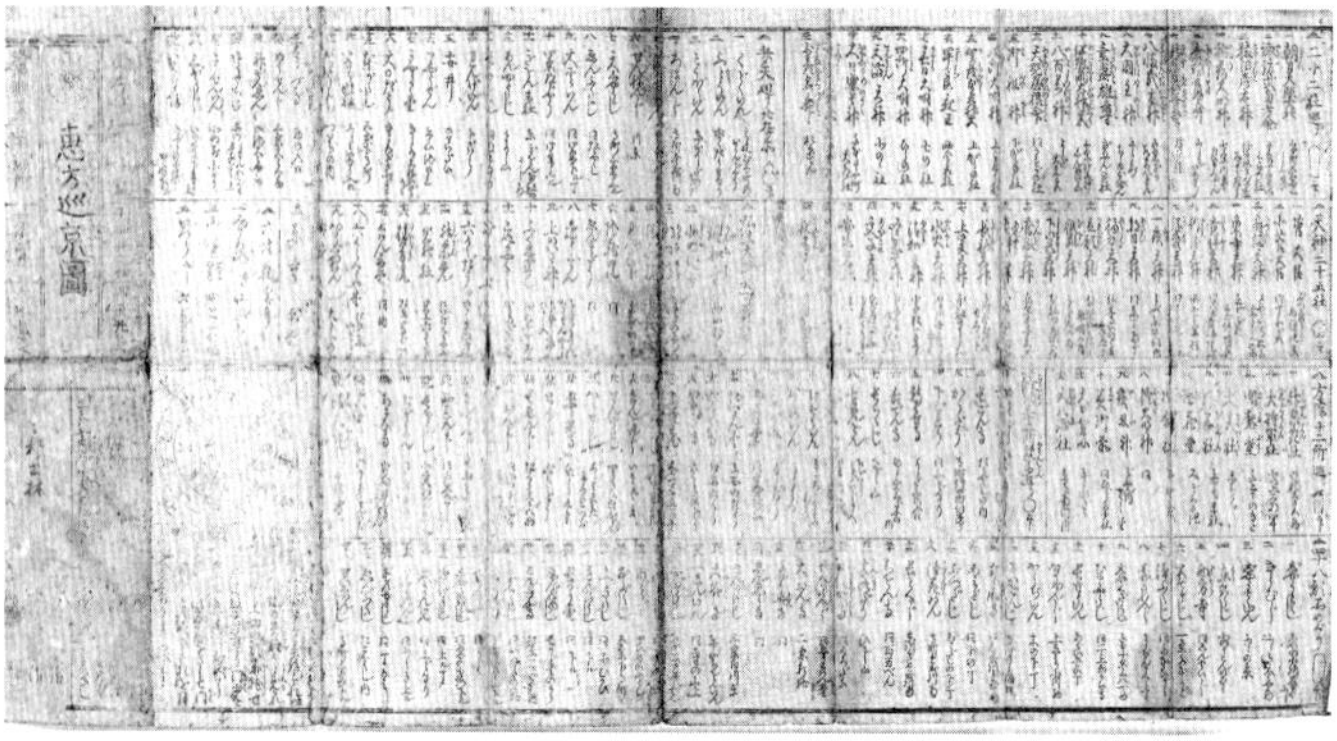

図四―18 「恵方巡京図」文政一一年（1828）刊。上・表面、下・裏面。31×58cm。大塚京都図コレクション、京都大学附属図書館所蔵

路を広くとっていますので実際にはこの縮尺どおりではありませんが、街区を短冊状に墨で刷り出しています。この点が全体の印象を異なったものにしている大きな理由です。

さて、「禁裏御所」一帯と「二条御城」一帯には、区画に屋敷名が標記されているだけですが、三条烏丸の北方付近には「金座」（金貨の鋳造所）と標記されているのが目につきます。この標記は「改正分間新撰京絵図」などにもあったのですが、「恵方巡京図」では全体の標記文字が少ないので目立ちます。また、洛中では「相国寺、東寺、本願寺、東本願寺」などが、洛外では主要な名所が絵画的に表現されています。

「恵方巡京図」の南側には、次のような種類別恵方図示の記号が掲げられています。

印　廿（二十）二社
印　十二社廻り
印　天神廿五社廻り
印　弁天廻り
印　洛陽観音巡り
印　四十八願巡り
印　弘法大師巡り

地図にはこの記号が入れられており、裏面にはこれらの具体的な名称が四段にわたって印刷されています。

また名所巡りの案内として、「二十二社」巡りは「朝日天照大神」以下の二二社、「弁天巡り」は二九か所、「天神二十五社」「弘法大師巡り」は二二、「十二社巡り」は「方除十二所巡り」であること、などが裏面の印刷で示されています。さらに「六地蔵めぐり」の一覧、月別方位暦などが刷り出されています。

竹原好兵衛版小型図と名称の類型

京都図の刊行としては、天保二年（一八三一）における竹原好兵衛版の「改正京町絵図細見大成」（図四―4）の刊行が、「恵方巡京図」の刊行時期に近い、大きな画期だったことはすでに述べました。きわめて大型の地図であることと、多色刷りであること、縮尺が厳密さを増していることなどはすでに紹介しました。これには、文久三年（一八六三）の増補版と慶応四年（一八六八）再版があることも知られています。*8

しかしこれから明治維新までの間に、これに匹敵する新しい別の大型京都図の刊行はありませんでした。この時期以後、竹原好兵衛が引き続き主要な版元ですが、その竹原などの刊行の傾向や、幕末の地図を巡る特徴的な状況について検討してみようと思います。

天保五年（一八三四）に竹原好兵衛は、「三條通寺町、京画図問屋、京都書林、文叢堂」と称し、図四―19のような「天保改正新増細見京絵図大全　完」を刊行しました。「改正京町絵図細見大成」と比べると、東西幅が半分、南北幅が六割弱ほどの判型です。先に紹介した天保二年の目録に、「新増細見京絵図大全　大図」とあったものに相当すると思われます。版元名などは同じですが、京三条通麩屋町西北角から場所を移したものと思われます。池田東籬亭による「考正」、中村（邑）有楽斎による「画」も同じです。

図全体の印象も類似していますが、いくつかの目立った違いもあります。まず大きな違いは、この「新増細見京絵図」（新増細見図と略記）が、版元名に見られるように東を上にしていることです。南北に二分して刷ったものとみられますので、一枚の版木・紙の大きさは「改正京町絵図細見大成」（図四―4。以下、細見大成と略記）の場合とほぼ同じです。

洛中中心部の縦横の縮尺が同じであるという細見大成の特徴を、新増細見図は維持していますが、判型が小さいにもかかわらず、新増細見図ではむしろ洛中中心部を大きく表現していきます。その分、洛中北部や洛外の表現を思い切って縮めています。その結果、御土居で囲まれた範囲が全体として卵型に近い形になっています。

また、細見大成では目立たなかった地名や名所名の標記が、新増細見図の図内では相対的に

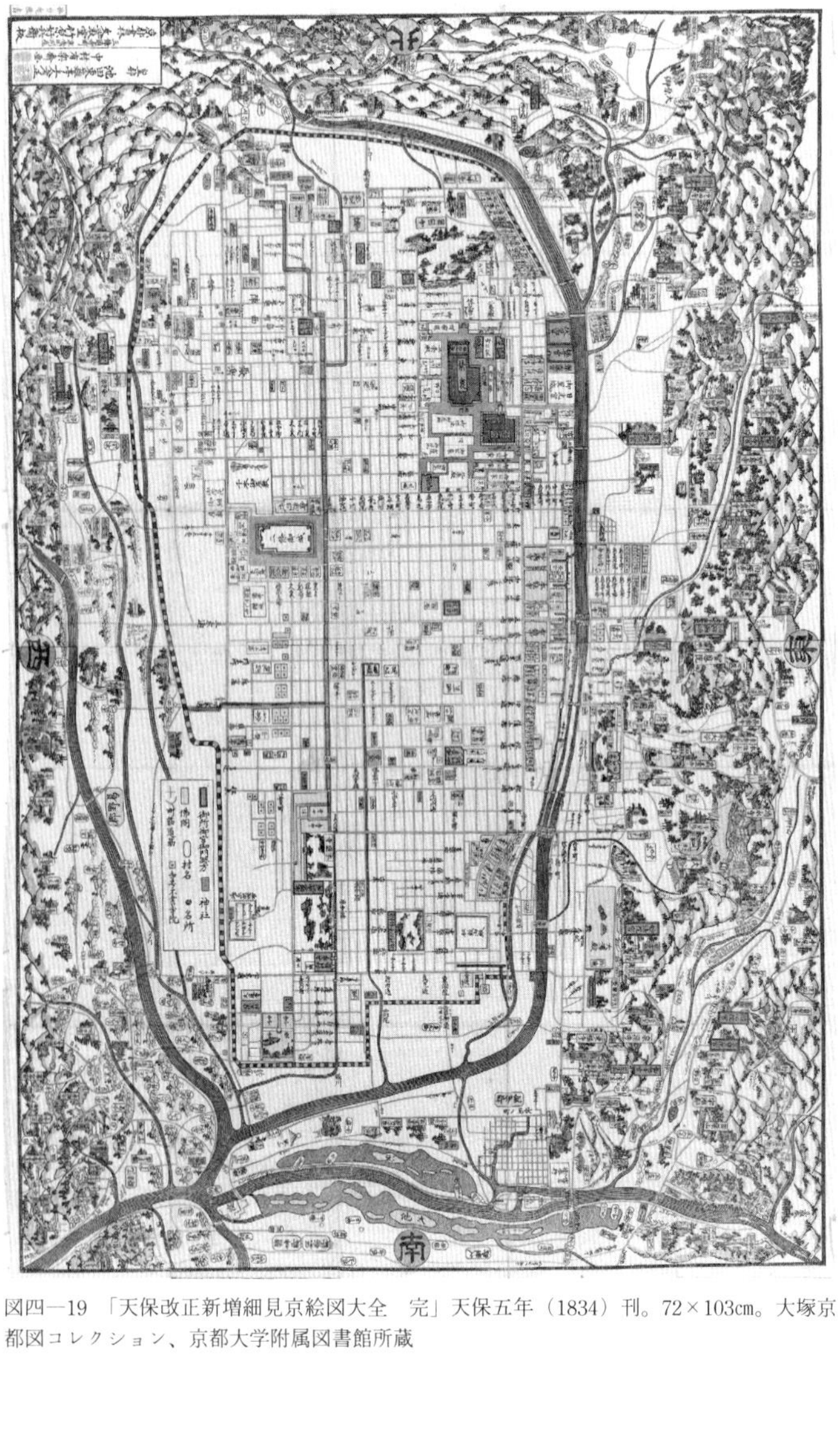

図四—19 「天保改正新増細見京絵図大全　完」天保五年（1834）刊。72×103㎝。大塚京都図コレクション、京都大学附属図書館所蔵

大きくなるために、よく目立っていることになります。

大きな違いは色刷りのための色版です。新増細見図では、墨版で川や山の輪郭、御土居、文字および文字の囲みなどが印刷されています。次いで、街路・街道などが赤版で印刷されています。そのうえで、川などの濃青色、山の淡青緑色、地名・名所の黄色・薄茶色などが合羽刷りで施されています。細見大成では街区が黄褐色で刷り出され、山と川などは同一色でしたが、新増細見図では、街区は無色、山も淡色で、実に繊細な色調の印刷です。おそらく印刷技術はかなり改良されたものとみられます。

この新増細見図は、文久二年（一八六二）に「改正増補京絵図大成」として再版されました。さらに同年竹原好兵衛は、これらと同じ天保五年「開板」、文久二年「再板」と記して、名称を「洛中洛外新増細見京絵図大全　完」とした図も刊行しています。しかし開版・再版は新増細見図の刊年を踏襲していて、基本的内容もほとんど同一版に近い図様ではありますが、この図の版そのものは改められています。赤版を使用していた新増細見図と異なって、街路・街道は墨刷りの上に合羽刷りで色刷りが施されています。「禁裏、仙洞御所」には大きく菊紋が施されています。また東から「大、妙法、い、（舟形）、大、（鳥居）」の六か所の送り火の位置が、赤で示されています。

この竹原好兵衛版「天保改正新増細見京絵図大全」の名称は、すでに述べた文化一〇年（一八一三）版の「文化改正新増細見京絵図」（図四―17）の名称を踏襲したものでした。これは、田中吉兵衛版の版木を譲り受けて、竹原好兵衛版として同一版で出版したものでした。同じように文化九年（一八一二）版の「文化改正京都指掌図」（図四―16）についても、正本屋吉兵衛など三店の共同版元版を受けて、後に竹原好兵衛もまた単独で出版していました。

京都指掌図の名称は、竹原好兵衛版の別の地図にも使用されています。天保一一年（一八四〇）刊の「天保改正京都指掌図」（五二×七三センチメートル、京都大学附属図書館大塚京都図コレクション）です。新増細見図より小さく、縦横七割ほどの判型ですから、名称のように携帯用です。「編図　池田東籬主人、画工　井上春曙斎、竹原好兵衛梓」とありますので、画工以外は同一人、ないしその系統です。合羽刷りを加えていた可能性がありますが、ここに説明している版は墨刷りのみです。新増細見図に比べて、洛外部分が相対的に広くとられていることと、洛中西部の御土居の形状などが実際の状況をよく反映しています。小型版ですが、六か所の送り火の位置も陰刻で刷り出されています。

この京都指掌図は携帯用として版を重ねたようで、同じ名称の改版が多いことも特徴です。図四―20は、文久三年（一八六三）刊の「文久改正京都指掌図」ですが、天保改正版に比べて版全体が新しいとみられます。基本的な表現内容は同じですが、まさしく幕末の状況を反映して、特に武家屋敷の表現が大きく変わっています。例えば「禁裏御所」東方の鴨川以東には、

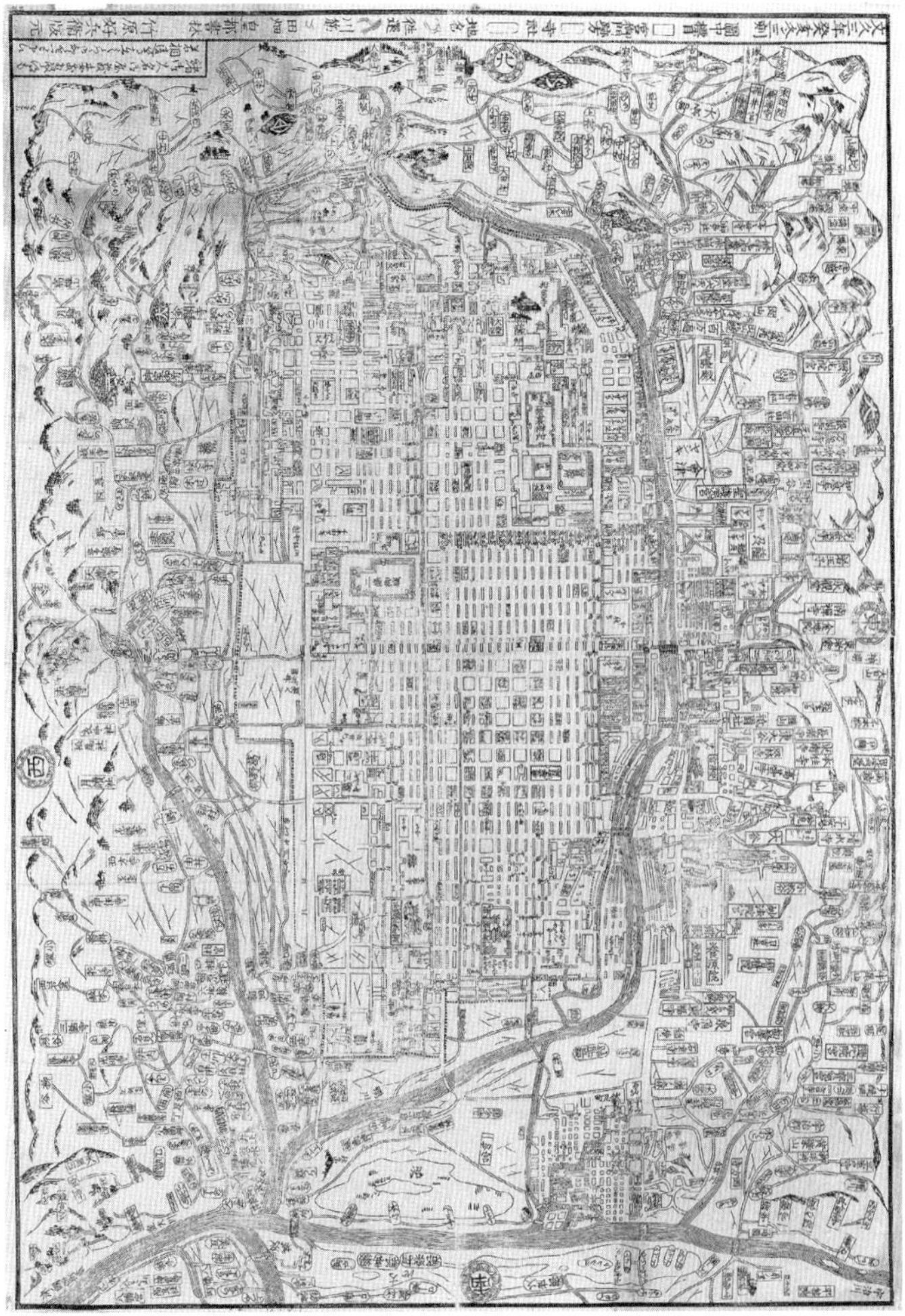

図四—20　「文久改正京都指掌図」文久三年（1863）刊。大塚京都図コレクション、京都大学附属図書館所蔵

「會津ヤシキ（屋敷）」をはじめ、「加州ヤシキ、芸州ヤシキ、薩刕（州）ヤシキ、越刕ヤシキ、紀伊殿ヤシキ、尾張殿、雲州」といった記入があり、「禁裏御所」北方には「薩州」とあります。

幕末の刊行地図――「鮮やか」な配色

幕末とは厳密に言えばいつからか、という議論をする紙幅はありませんが、一般には、いわゆる黒船が来航した嘉永六年（一八五三）頃から明治元年までを指しているようです。ここでは京都図の刊行という点から少し広く捉え、明治維新（一八六八）から遡る三〇年ほどの間を眺めてみたいと思います。

この時期の刊行京都図は、すでに竹原好兵衛版の小型図の説明で述べたように、京都での大名の勢力変化が著しいためか、基本的な版の変化よりも、再版・改版の例が多いことが知られます。政情を反映した大名屋敷の変化などがその要因のようです。またこの時期には、「改正京町絵図細見大成」のような本格的な大型図が出現することもありませんでした。

この時期における特徴をもう一つ挙げるとすれば、色刷りの色調が非常に鮮やかになっていることでしょう。例えば、すでに紹介した文久二年刊の「洛中洛外新増細見京絵図大全」がすでにそうです。

嘉永五年（一八五二）竹原好兵衛刊「嘉永改正新撰京絵図」（五一×七一センチメートル、京都大学附属図書館大塚京都図コレクション）などはその典型です。表現内容は「天保改正京都指掌図」に類似しているのですが、色刷りがきわめて多彩です。この図の場合、川・沼等の青色、山の暗緑色、郡名、内裏・公家屋敷名所などの「図中標目」の赤、「宮御門跡方」の桃色、「地名」の黄色が凡例に示されています。ほかに寺社・武家屋敷が赤茶色、洛中をはじめ街区が黄色、洛外の耕地の印も黄色で刷り出されています。「画図原稿　森川保之、補図校正　羽賀春翠」とありますので、この両者が相当に気を遣ったものかもしれません。このような、複数の版元・絵師名等を列挙するような様式自体は、すでに存在していました。

ただしこの時期の刊行図の中には、現在の我々からみれば、色刷りの配色がやりすぎに思えるほど「鮮やかな」ものもあります。

天保一四年（一八四三）、「寺町通松原上ル町　菱屋治兵衛、同町　菊屋七郎兵衛、六角通柳馬場西へ入町　平野屋茂兵衛」の三店共同版元の「万代京都絵図」（三四×四七センチメートル、京都大学附属図書館大塚京都図コレクション）はこの典型的な例の一つです。小型版の携帯図であるにもかかわらず三店共同版元であり、さらに「池田東籬亭悠翁編図、平安雕工《ちょうこう》　岡田茂兵衛」と並べています。池田東籬亭はしばしば竹原好兵衛版を手掛けた人物です。当時の傾向として、これらの名称をわざわざ列挙しているのかもしれませんが、過剰な権威づけとみられないこともありません。

地図としては、竹原好兵衛刊の「嘉永改正新撰京絵図」と類似の内容です。洛中中心部の東西の縮尺を南北より大きくとっています。ただし、街区は白く刷り残しのままです。洛中・洛外ともに、全体として表現内容はより簡略で少ない状況です。

合羽刷りにも問題があります。川・沼と山等は同じ濃青色で刷られ、街道・街路、「地名」はすべて黄色、「寺社名所」はすべて薄めの赤色で、合計三色です。要するに川も山も同色、洛中は広く黄色、内裏・公家町と寺社名所はすべて淡赤色です。これらの色版の発売当時にける色調の状況は不明ですが、現存の版をみる限り、色の使い方にやや粗雑さを感じさせます。その理由は明確ではありませんが、幕末頃には、一部に化学合成の顔料が使われ始めたことも一因となった可能性があります。さらに、版木を使った墨版の状況を含め、全体の印刷にも熟練度ないし完成度の低さを感じさせます。

類似の状況は、他の版元の出版図でもみられます。「万代京都絵図」と同じ天保一四年（一八四三）、「京寺町通綾小路下ル町　近江屋佐太郎」刊の「案見京都細図」（三七×五三センチメートル、京都大学附属図書館大塚京都図コレクション）もまた、「池田東籬主人考幷図書」としています。地図としての表現範囲と表現内容は「万代京都絵図」とほぼ同様ですが、色刷りはまったく異なります。まず、川と山の輪郭、各種の地名・名称の墨刷りのほかに、街路・街道は別の版木によって赤で表現しています。川・沼は青色、山は黄色と青の重ね刷りによる緑、寺院・

地名などは黄色、神社は赤色です。しかし、山の黄色がなくて川と同じ青色となっている部分があったり、赤や黄色の刷りにずれがあったりしていますので、どうしてもやや粗雑な印象です。

さらに嘉永五年（一八五二）刊の「嘉永改正永代京絵図」（三五×四八センチメートル、京都大学附属図書館大塚京都図コレクション）も、様相はやや異なりますが、類似の傾向です。版元は、左右欄外に、「平野屋茂兵衛、越後屋作兵衛」と刷り出したものと、平野屋茂兵衛だけのものとがあります。図の表現範囲は「案見京都細図」とほぼ同じですが、御土居内の洛中がさらに大きく表現され、洛外はさらに簡略です。洛中・伏見の街区が薄い墨刷り（灰色）で表現され、「宮門跡方」が赤色、「寺社、名所」が桃色、「地名」と御土居内の農地、洛外の街道が黄色です。山の緑部分となる黄色の刷り残しはみられませんが、どうしてもやや粗雑な印象は残ります。

幕末という時期だけをみれば、刊行京都図の多くが小型携帯版であり、印刷が粗雑であったり、特に色刷りの状況に疑問が残ったりするような出版が多くみられたことが、当時の一つの傾向であったと言わざるを得ません。

復原考証図

平安京や内裏の地図を掲載した『拾芥抄』は、典型的な有職故実書の一つです。有職故実とは、かつての制度や儀式・法令などについて、古来のさまざまな先例や知識について研究して知識を得ることで、平安貴族や宮廷人にとってとりわけ重要なことでした。先に検討した、九条家本『延喜式』をはじめ、陽明文庫本「宮城図」、東山御文庫本「宮城図、大内裏図」なども類似の目的の下に、作製・利用されたと思われます。

これらは貴族・宮廷人という当事者にとっての研究・知識ですが、そうでなくても、平安京は研究対象となったり、一般知識人の関心対象となったりすることがありました。

例えば、伊藤長胤《ながつぐ》(号は東涯《とうがい》、一六七〇〜一七三六年)著『制度通』巻二「地理・都邑」には、「平安京之図」を載せています。同図は基本的に、平安京プランの正しい認識を表現しています。この『制度通』は全一三巻に及び、日本および中国の制度の沿革を述べた歴史書です。その対象として平安京図が作製されたものです。

一方近世では、森幸安(一七〇一〜没年不詳)作製の考証図がよく知られています。森幸安は数多くの自筆の地図を作製した人物です。現在でいえば歴史地理学研究者、ないし歴史・地図愛好家といった知識人です。明治時代に『故実叢書』に収載されたことから、森作成の「中古京師内外地図」と「中昔京師地図」がとりわけよく知られています。

寛延三年(一七五〇)作製の「中古京師内外地図」は、平安京から応仁の乱に至る時期の平安京—京都の名所旧跡等を図示しています。この三年後の宝暦三年(一七五三)に、応仁の乱

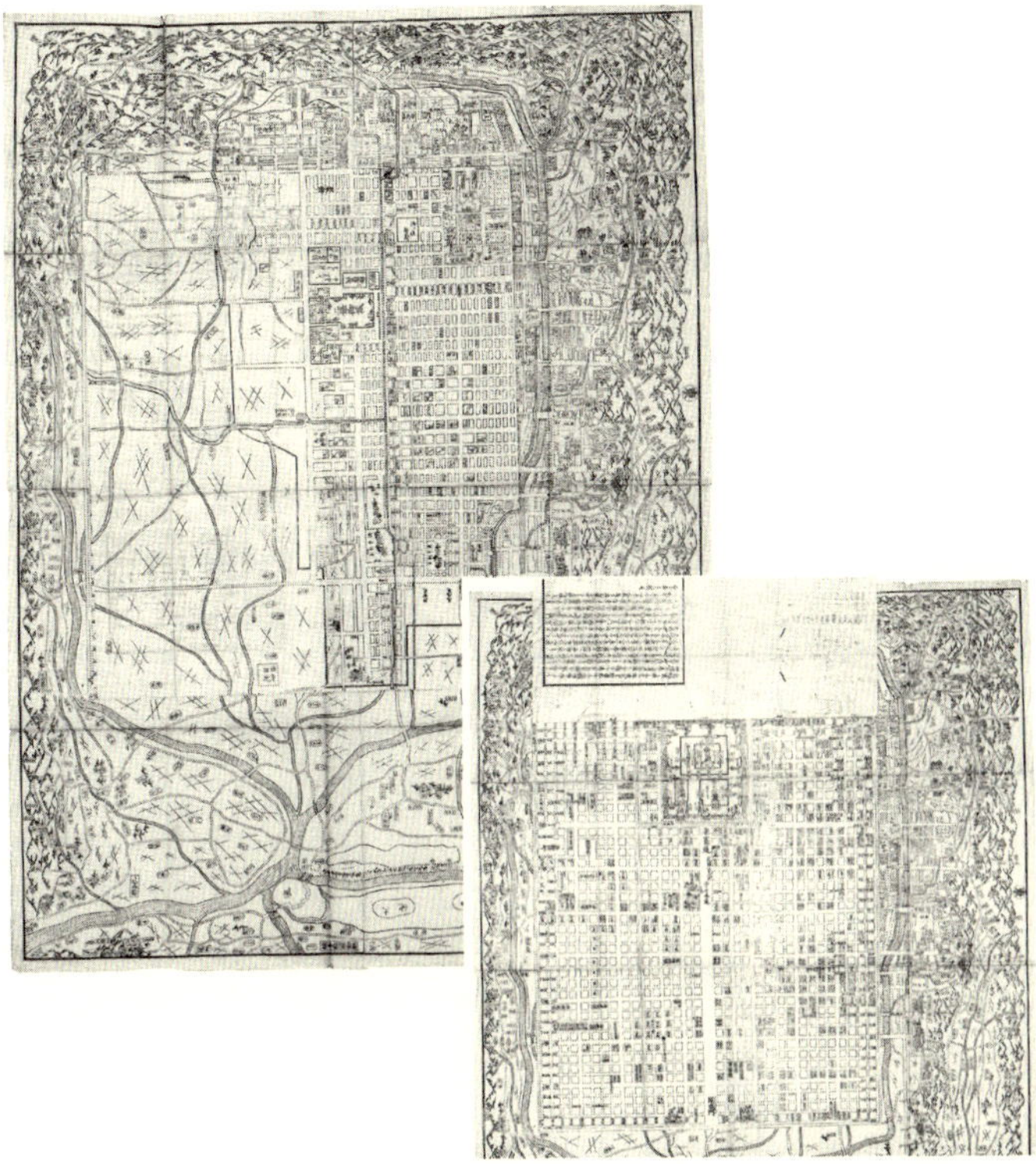

図四—21 「古今都細見之図　全」（左上）、「平安京条坊図」（右下）付き。刊年不詳（幕末）。大塚京都図コレクション、京都大学附属図書館所蔵

から天正一四年（一五八六）について作製されたのが「中昔京師地図」です。いずれも考証の不十分さを指摘されていますが、[*9]典型的な復原考証図です。

森幸安はやはり寛延三年に、「皇城大内裏地図」を作製していますが、これには「禁裏、八省院、豊楽院」図と「神孫宮都之記」と題する解説が付されています。『拾芥抄』や『山城名勝志』の引用が多いことが指摘されています。[*10]

復原考証図は、このような知的関心から作製されたのみならず、幕末の復古思想の中で一般にも再認識された例があったようです。

寛政三年（一七九一）刊の「京土産花洛往古図」は、版元不明ですが、幕末より早い時期の例です。平安京を大きく描き、四方の山川を加えたうえで一枚図としたものでした。これには、大内裏図が別図として同時に刊行されました。

さらに刊年不詳ですが、おそらく幕末と推定される刊行図に、「古今都細見之図　全」と題した地図がありました。図四―21のように洛外を含む「平安京条坊図」を印刷して基図とし、平安京部分の上に、別に印刷した別紙の刊行時における京都市街図を乗せたものです。このように幕末の京都図の一つの特徴は、復原考証図と「往古図」にありました。

第五章　近代の京都図

1　銅版刷りの京都図——京都と学区

幕末の銅版刷り地図

京都図の刊行は、日本における印刷・刊行の一般状況と同じく、伝統的に木版印刷を基本としていました。木版とはいいながら、きわめて精緻で高度な技術が発達していたことも、非常に大型の京都図刊行の例で説明したとおりです。

その一方で、ヨーロッパで一般的であった銅版印刷の技術も持ち込まれました。すでに寛政四年（一七九二）における司馬江漢「地球全図」や、寛政八年（一七九六）における橋本直政（宗吉）「喎蘭（オランダ）新訳地球全図」などの蘭学系世界図などが有名です。さらに文化七年（一

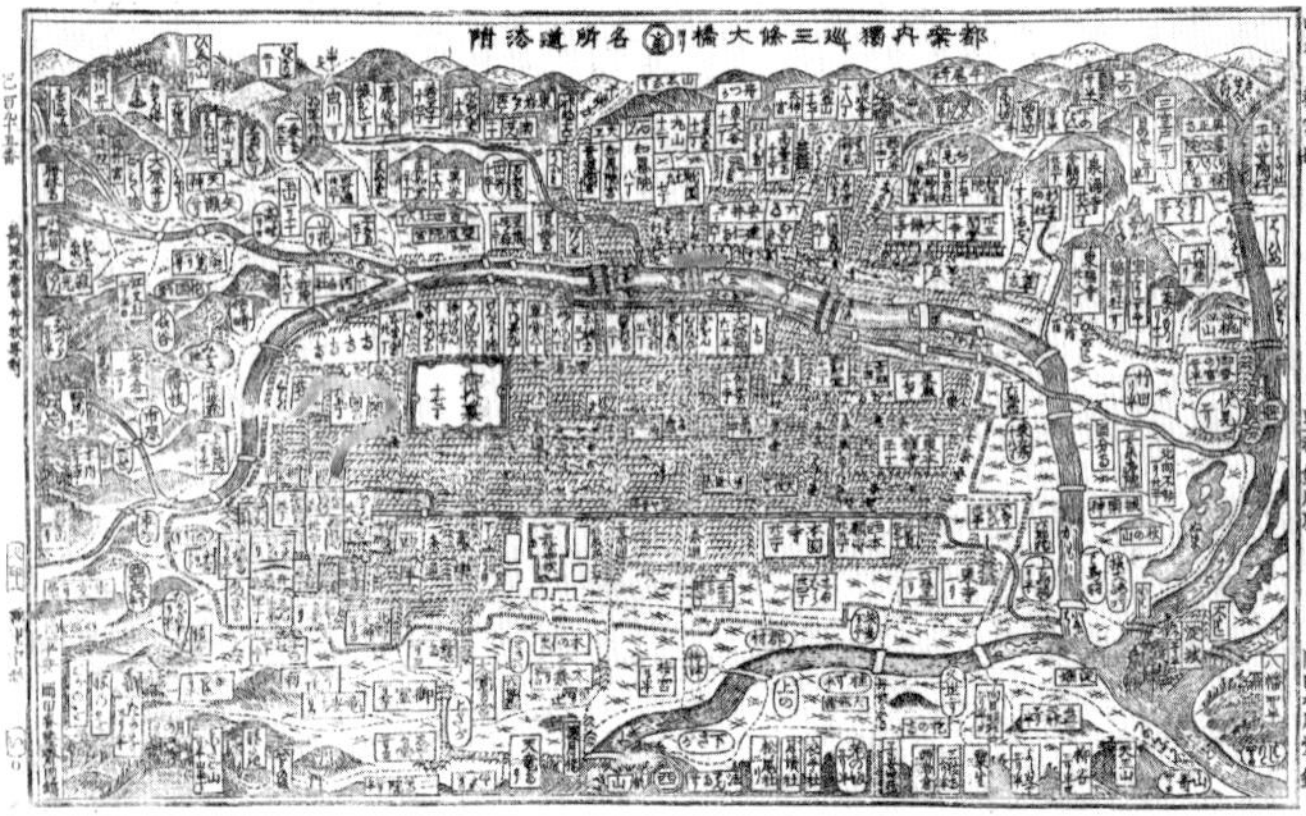

図五—1　「都案内独（ひとり）巡リ、三條大橋ヨリ名所道法（みちのり）附」万延元年（1860）刊。9×15cm。大塚京都図コレクション、京都大学附属図書館所蔵

八一〇）には、高橋景保の「新訂万国全図」が刊行されました。刊行時点では、樺太付近の最新情報を表現した世界最新の世界図でしたが、「亜欧堂　永田善吉」にあずけて銅版印刷に付したとされています[*1]。

この技法が京都図にも持ち込まれました。図五—1はその中でも早い時期の「都案内独《ひとり》巡リ、三條大橋ヨリ名所道法《みちのり》附」（九×一五センチメートル、京都大学附属図書館大塚京都図コレクション）と題された、「平安　岡田春燈斎図錐鐫《すいせん》」です。万延元年（一八六〇）「再刻」と欄外にありますので、文字どおりとすればこれより早い時期のものがあったことになります。図全体は、西から東をみた方向で描かれ、市街は屋根型の記号で埋められているように表現されています。文字もすべてこの方向で標記されています。

「御内裏　十七丁」といったふうに三条大橋からの距離が記されていますが、非常に小型の版型ですから地名が相対的に大きくみえます。この「都案内独巡リ」より、一回り小さな判型の「帝都名所細見図」と題する銅版図も刊行されていました（刊年・版元は記されていません）。「都案内独巡リ」と同じように西からみた表現ですが、洛中に表現されているのは主要街路と主要な名所等のみです。

慶応四年（一八六八）には「銅版新鐫懐宝京都明細図」（図五―2）が刊行されました。版元は竹原好兵衛と著屋嘉助の共版です。「都案内独巡リ」よりは判型が大きく、携帯用ですが本格的な京都図です。数多くの鎖線で表現された川や、細かい横線で構成された御土居の表現などのように、銅版の特徴がよく出た印刷です。図五―2の右下に付した拡大図のように、樹木や建物の表現も詳細です。二条城の西側に、「三條大橋ヨリ道法附」として行程表がつけられ観光図の特性を示しています。

明治初期の銅版図――学区を表現した市街図

明治七年（一八七四）、「御用書林　村上勘兵衛」刊、「福富正水　校正銅刻」の「京都絵図　全」（図五―3）と称する銅版彩色刷りの京都図が刊行されました。全体として、幕末における「新増細見京絵図」、「改正増補京絵図大成」、「洛中洛外新増細見京絵図大全」などのような、竹原

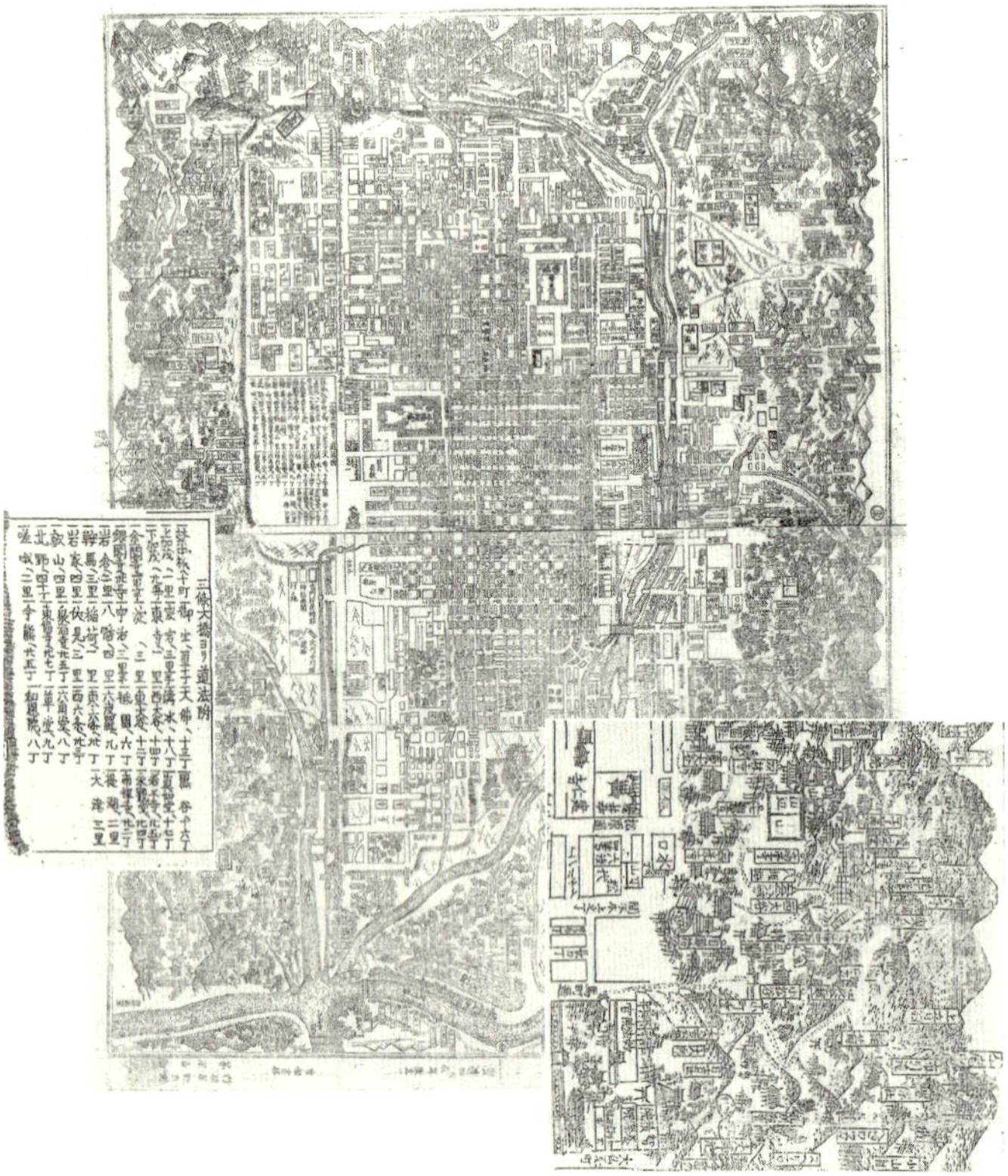

図五－２　「銅版新鐫懐宝京都明細図」慶応四年（1868）刊。34×41㎝。大塚京都図コレクション、京都大学附属図書館所蔵

好兵衛刊の小型図と類似の表現です。

洛中中心部では東西と南北の縮尺をほぼ同一とし、洛外を極端に縮小した形です。銅版刷りの特徴を生かし、細かい鎖線で表現された川は、すでに幕末の「銅版新鐫懐宝京都明細図」（図五―2）で使用されていた技法による表現です。山は暗緑色の色刷りですが、川はこの細かい鎖線だけです。

この「京都絵図　全」の最も大きな特徴は、赤色、黄色、肌色、暗緑色、薄紫色を交互に用いて区分を表現し、その区分名を上京三三、下京三二（ただし三二は番号のみ）として洛外西南部に一覧表としていることです。この各色は「区」と呼ばれていた単位であり、明治七年から各区には区長が置かれ、区内の各町には総代が置かれていました。

この区とは、もともと一〇～二〇ほどの町をまとめた単位で、近世後半には、上京・下京にそれぞれ三三組とされていた町組を基本とするものでした。当時の町組は、地域行政を担い、警察・消防機能も担っていました。明治維新後、その町会所に小学校が併設され、初等教育をも担うようになっていました。先述の京都絵図内の一覧表のように、これらの区を単位として六四の番組小学校が設置され、現在ではそれらが元学区と称されるようになっています。

このような村上勘兵衛刊の「京都絵図　全」は、銅版多色刷りの京都図の嚆矢ともいうべきものでした。また図五―3（右上の拡大図）をみると、二条城に「京都府」が置かれ、その北

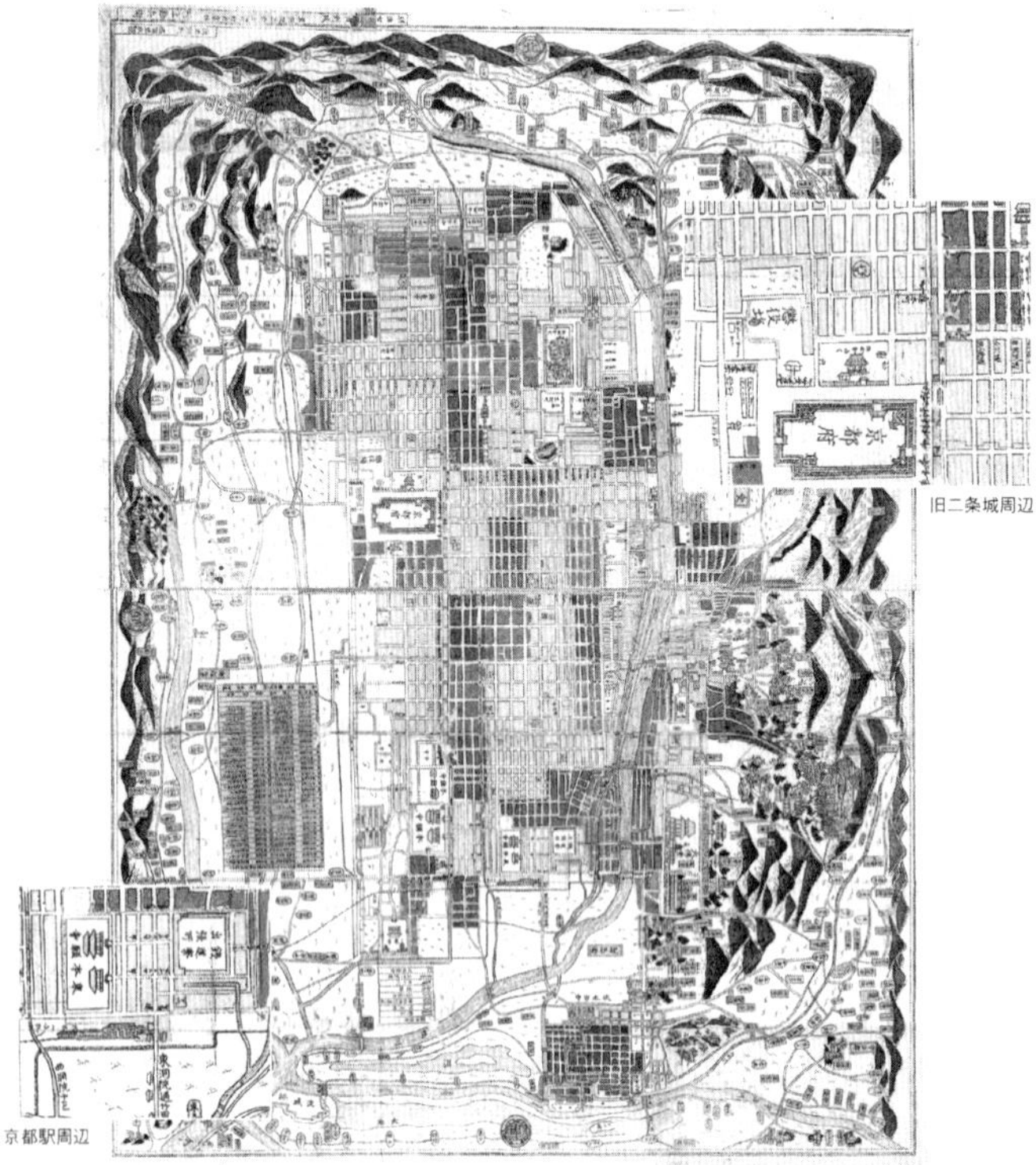

図五―3　「京都絵図　全」明治七年（1874）刊。46×62cm。大塚京都図コレクション、京都大学附属図書館所蔵

の所司代屋敷であったところに「ヨウサンハ（養蚕場）」、その西の千本ヤシキの場所に「懲役場（刑務所）」が設置されていたことを標記しています。「禁裏御所」付近や、京都府付近、広大な社寺境内などは、このような色刷りからは外されています。左右の大文字、妙法、舟形、鳥居の送り火の位置も描かれ、その数も現在と同じ五山となっています。

御土居南端の内側には、細長い建物が描かれて「ステーション」と記載されています。神戸―京都間の鉄道の起終点としての京都駅開業は明治一〇年（一八七七）ですが、それがすでに描かれていることになります。ただし、刊年などは同一でありながら鉄道の表現がないものの存在も知られており、図五―3は初版ではなく、刊年をそのままにした改版であった可能性もあります。

村上勘兵衛刊の木版図と銅版図

村上勘兵衛は明治二年（一八六九）、「洛中洛外町々小名　上下京番組彩色入」という大型図を出版していました。竹原好兵衛刊の「改正京町絵図細見大成」の慶応四年版を入手して刊記部分を除いたものとみられます。名称も、また判型も同じですが、それに上・下京の町組を加えたものでした。

この木版版は明治六年にも改訂版が出版されました。つまり村上勘兵衛は銅版図のみの版元ではなく、依然として木版の版元でもありました。しかも判型は木版のほうがはるかに大きいものでした。

しかし村上勘兵衛は明治二年に銅版刷りの本格的都市図「洛中洛外町々小名　上下京番組彩色入」を出版した後、さらに大型の銅版図を刊行しました。明治九年（一八七六）刊「福永正水校正、「上京第廿九区前之町　村上勘兵衛」と、東京・大分・福岡の「出店」三店との共同出版の形です。これは「京都区分一覧之図」（図五―4）と題され、八九×一二一センチメートルの銅版多色刷り大型図です。同図には「附言」が付され、「維新以降土地ノ区画大ニ（変）革ス」と述べて、「市街ノ区域ヲ指示スルヲ要トス」と出版目的を記しています。また、「市外山城八郡、丹波三郡ヲ附ス」と表現範囲を記しています。同時に、明治六年「官許」、明治九年「出版版権御頒」、同年「版権免許」と煩雑な手続きを経たことを記しています。

図の色刷りパターンは明治二年版と同じですが、全般にやや淡い色使いがみられます。特に明治二年版の暗緑色部分が、黄緑色になっている点が印象を大きく変えている点です。また、洛中部分は基本的に竹原好兵衛刊の「改正京町絵図細見大成」（図四―4）と同じような表現で、ほぼ一万分の一です。地図としては伝統的な東西南北の表示ではなく、ヨーロッパ系の地図では一般的な、方位盤を描いているところが一つの特徴です。

大きな違いは、洛外の北・東・西の三方の山並みです。図五―4のように、これらの山並み

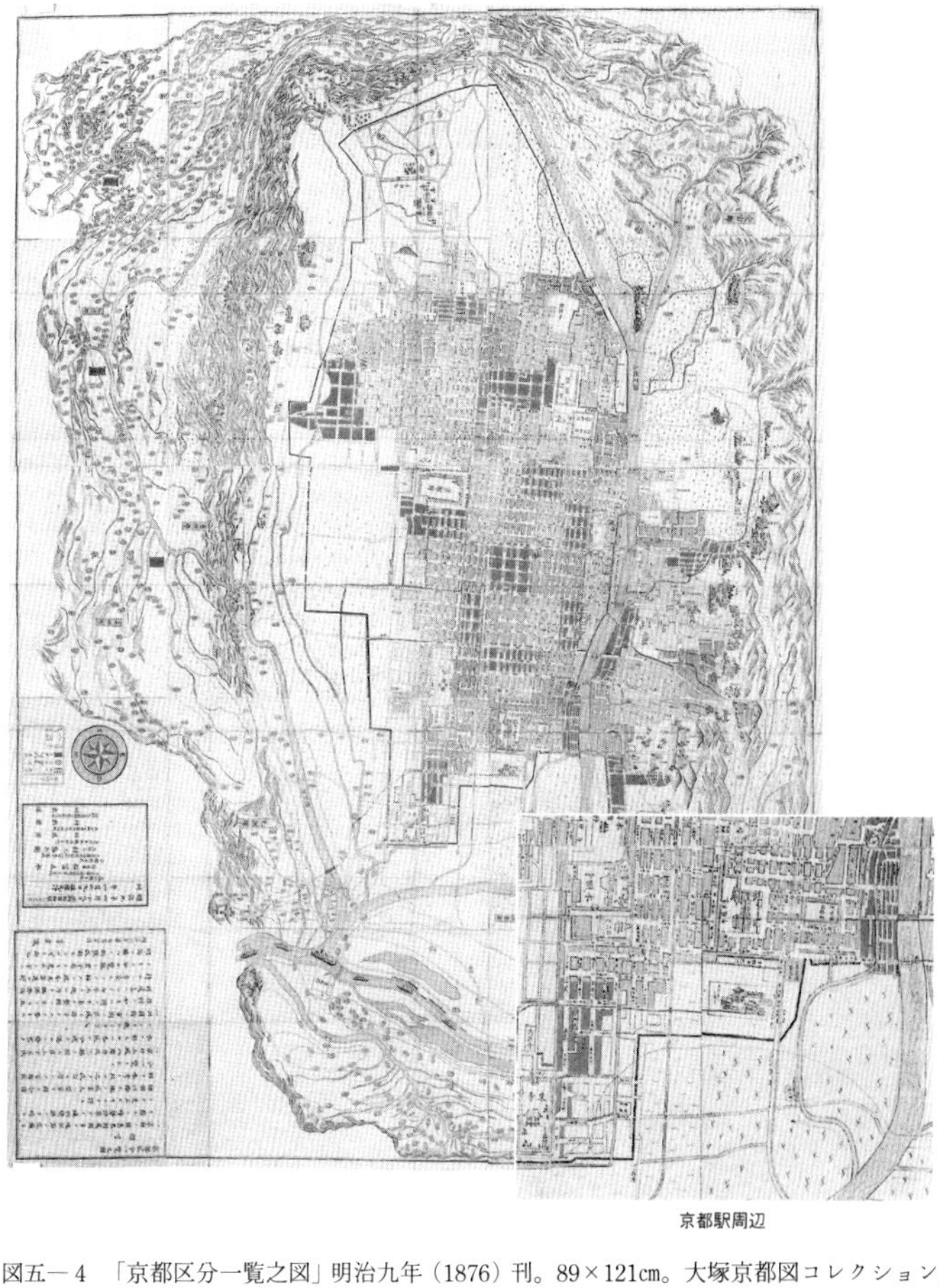

京都駅周辺

図五－4　「京都区分一覧之図」明治九年（1876）刊。89×121cm。大塚京都図コレクション、京都大学附属図書館所蔵

と山城南部は大きく圧縮され、南には南山城四郡、西には丹波三郡が描きこまれています。主要寺社の表現などはありますが、観光図というよりは図名のように、明らかに行政区分一覧の図です。「京都府、ステーション」が描かれていることは明治二年版と同様ですが、送り火の位置は、東の「大」のみが描かれています。

2　地筆と地番——地籍図

明治初期の地図作製

明治四年（一八七一）末に明治政府は、市街地における武家地・町地の別を廃止しました。それまでは一般的に、武家地は幕府・藩主の領有地であって、それが家臣に貸与された非課税地でした。町地についても多くの場合、地子《じし》（地租）自体が免除であるか、きわめて低額でした。明治四年のこの取り扱いを決めた太政官布告によって、地券を発行して所有権を認め、それに地租を課すこととしたのです。翌五年から、東京府をはじめ各地でそれが実施され始めました。

この地券発行に際しては、「人民所持地ニ確認ヲ与ヘ候旨趣ニ付、実地検査、竿入等ニ不及、村々ヨリ地引絵図面書出、申立之高・反別ヲ以、検地帳・名寄帳等ヘ引合、基準照準取調候義

（明治五年九月二十八日租税寮改正局）」云々と、新たな測量はせずに、村々に「地引絵図面」を提出させ、旧来の検地帳との照合を命じました。ただしこの際、地券の各筆の地目・反別の「肩書」として、「某国某郡某村之内　何番」（明治五年二月二十四日大蔵省達）といったように、それぞれ地番を付すこととしていました。つまり、各地筆の地番の新設が必要になったことになります。この通達によって作製された地図は一般に「壬申地券地引絵図」と呼ばれます。これ以前に作製された「耕地絵図」などには基本的に地番が存在せず、これと一筆の表現が類似していても、「壬申地券地引絵図」には地番が記入されている点が大きく異なっていることになります。

さらに明治六年七月二八日には、地租改正法が公布されました。土地の所有権を認めて地券を発行する手続きについては同様ですが、土地の価格を査定してその一〇〇分の三を地租とすること、地租は土地所有者が金納することなどが新たに定められました。この過程においては、土地の整理や筆界の確認、字《あざ》の確定、必要に応じて新番の新定（付け替え）等が必要となり、一筆ずつの測量による丈量図（一筆限図）と地引絵図の作製も必要になりました。この作業は、明治一四年（一八八一）までに基本的にほぼ終わりましたが、この事業で作製された地図は「地租改正地引絵図」と呼ばれます。

また、明治一七年（一八八四）三月には「地租条例」が布告されました。これに伴って実施された地押調査《じおし》は、地租賦課の基本資料としての帳簿（土地台帳）と地図の整備が目的でした。この作業に伴って作成された地図は、「地押調査更正地図」と呼ばれます。

これらとは別に、内務省は明治七年一二月二八日から「地籍編纂事業」を開始していました（内務省達）。官有地・民有地の各種の地目・地種の区分をして、「地籍（帳）」の作製を指示したものでした。しかし一方で地租改正事業が進行中であることから若干の改変が加えられましたが、これもまた「地籍地図」と呼ばれる地図の調整が軸となる事業でした（『内務省第一回年報』）。

さらに明治二二年三月二日、土地台帳規則が制定されて地券が廃止されると、土地台帳の新調とともに「土地台帳付属地図」が整備されました。これが現在の土地制度の基本形となりました。

つまり明治の初め頃から、壬申地券地引絵図、地租改正地引絵図、地押調査更正地図、地籍地図、土地台帳付属地図などの作製が相次いで指示されたことになります。これらはいずれも地筆に地番を付した地図を基本としていましたので、これらの総称として「地籍図」という用語を使用しています。ただし、この意味での地籍図の作製はその後も行われましたので、これらは正確には「明治の地籍図」とでも呼ぶべきものです。

これらの作製はすでに述べたように、明治政府の方針に基づくものでした。しかし具体的な事業は、知事の指示によって各府県単位で推進されましたので、それぞれの府県によって特色ができました。いずれかの作製が進み、問題がなければ、他はそれを転用するといった状況がありましたので、府県によって基本となる地籍図の作製年が異なるといった違いが出てきました。

京都の場合、天正一九年（一五九一）に豊臣秀吉によって地子銭が免除されて以来、市街は地子免除の地でした。しかし明治五年には地券発行が開始され、明治六年の地租改正条例の下で調査が進行して、翌七年から地租が徴収されることになりました。*2

明治一七年の地籍図

京都の市街での地籍図作製が進んだのは明治一〇年代が中心でしたが、特に明治一七年のものの作製が進み、その後の地籍図の基本となりました。例えば明治一七年七月付けで作製された「京都府管下山城国上京区第弐拾八組各町地図」には、この組の「戸長《こちょう》」および同組内二二か町の各「総代」が署名し、さらに隣接の上京区第廿九組戸長、同廿七組戸長、下京区第三組戸長、同第四組戸長、上京区第廿四組戸長、同廿三組戸長などが署名しています。これらの署名を添えて、「京都府知事北垣国道」宛に報告した形式となっています。

この地籍図の縮尺はすべて六〇〇分の一であり、基本的に各町を一面として、町ごとに街路と一筆ごとの土地区画が描かれています。各地筆には地番と、地目がそれぞれ標記されていますが、地番は町ごとではなく、組ごとに通し番号が付されていました。上京区第廿八組の場合、組の西北端にあたる「頭《かしら》町」北端の「一番　民一　宅地」に始まり、南端の「場之町」六一三番に至る地番でした。この例にある「民一」とは、明治七年の太政官布告によって布達された「民地　第一種」の略で、「人民各自所有の確証ある耕地、宅地、山林」などとされていました。ちなみに「民地　第二種」は、「人民数人或は一村、或は数村所有の確証ある学校、病院」など、つまり共有地でした。

京都一帯における明治一七年の地籍図は、先に述べた地籍編纂の地籍地図であったと考えられます。これとは別に、翌明治一八年には地押調査が始まったことが知られますが、その事業とは別のものです。

この京都の明治一七年の地籍図を基にして、『京都地籍図』と題する地籍図集が、大正元年（一九一二）に「京都地籍図編纂所」によって刊行されました。数町をまとめて一面の地図とし、『京都地籍図　第弐《ママ》（壱）編　上京之部』一五五面、『同　第弐　下京之部』一五二面、『同　接続町村之部』六八面として刊行されたものです。この刊行された地籍図には、各地筆に地番と面積が記入されているだけですが、計三部の地籍図集には、それぞれ『京都市及接続町村地籍図付録』が併せて刊行されており、これには各組の地番ごとに、「字（町名）、地番、等級、地目、反別（面積）、地価、地主（住所・氏名）」が記載されていました。そもそもこの出版地籍図には、「京都府知事」の「題詞」、「京都税務監督局長、京都市長、京都商工会議所会頭」の「序文」があることから知られるように、かなりフォーマルな、准公式とでも評すべき力の入った出版でした。

地籍図から知られる両側町

この『京都地籍図』によれば、例えば先に例示した「頭町」付近は、図五―5のような状況です。同図北部の「大恩寺町《だいおんじ》」を東西に貫くのは二条通、南部の東西道は押小路通です。同図東端の「蛸薬師町《たこやくし》」を南北に貫くのは室町通、西端の「頭町」を貫く南北道は新町通です。

これらはすべて、平安京の大路・小路に由来する方格状の街路を踏襲したものです。この四街路によって囲まれた一角は、平安京左京三条三坊八町に相当する街区です。すでに述べたように、二条、押小路、室町は九条家本『延喜式』の左京図に記された街路名です。二条通は二条大路に由来しますが、かつての二条城の大手通に相当する、地図版元などが立地した主要街路でありながら、小路に由来する街路と同じ程度の道幅となっているところが興味深い点です。新町は町口ないし町尻として、この左京図に記されていることもすでに紹介しました（図一―3参照）。

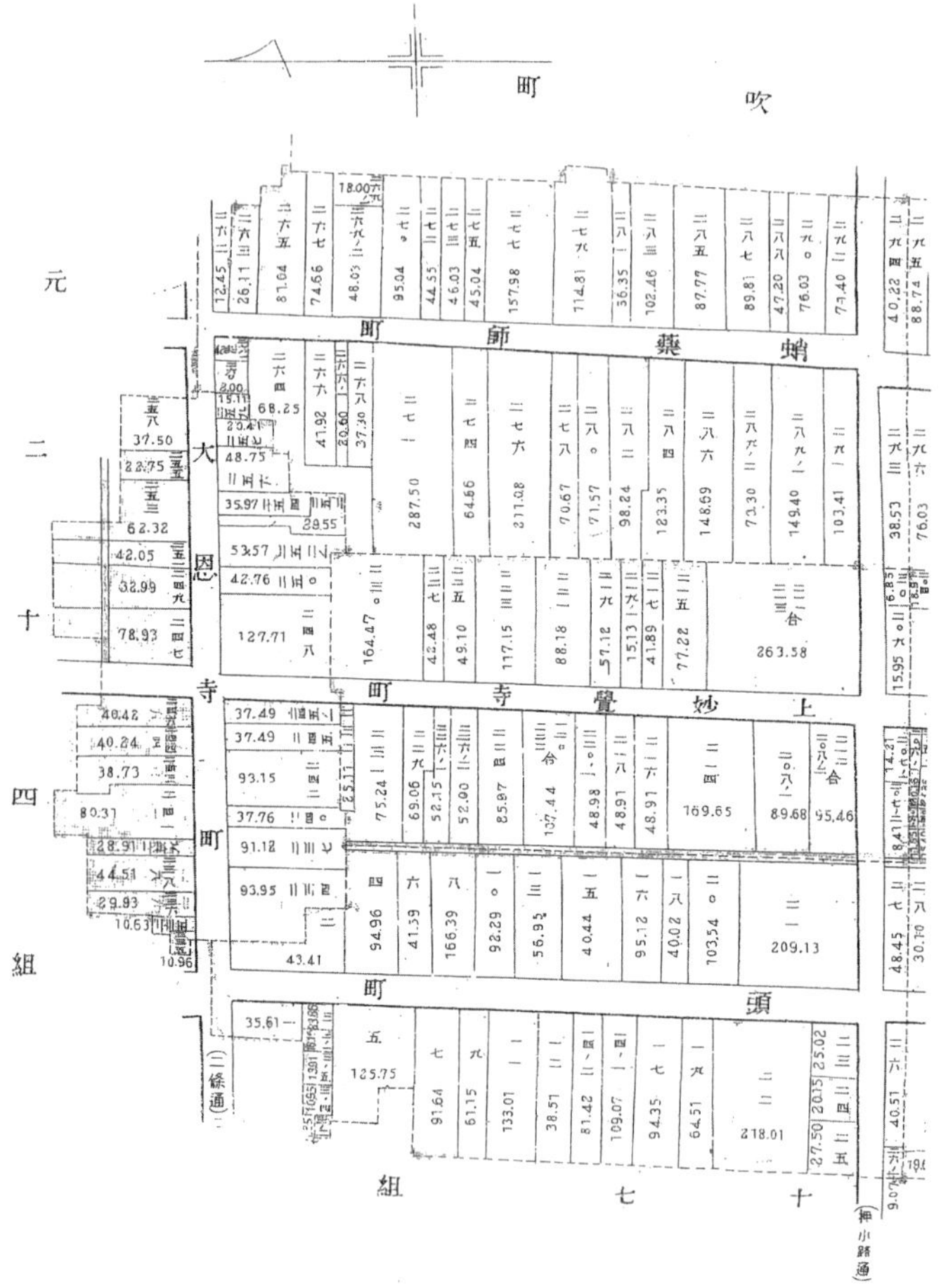

図五―5　正方形の街区が二分割された短冊形の街区例。大正元年（1912）刊、『京都地籍図』より

図五―5中央部の上妙覚寺《かみみようかくじ》町を南北に貫くのは、現在の衣棚《ころものたな》通です。先に述べたように豊臣秀吉が京都の都市改造の一環として、平安京以来の正方形の街区を二分割したことに由来する街路です。つまりこの部分は、南北に細長く短冊形に改変された街区の一部です。

宅地はほとんどの場合、短辺を街路に接した長方形の地筆です。街路に面した短辺の側が商店の正面あるいは玄関口です。例外は押小路通だけで、宅地の腹にあたる面を街路に向けた、正面玄関が開いていない横町であったことが知られます。

この押小路を除く、二条、衣棚、室町、新町の各通りの両側が一つの町（大恩寺町、上妙覚寺町、蛸薬師町、頭町）を構成しています。このような町を両側町と称しています。これらの両側町の半分は、平安京左京三條三坊八町の範囲を越えて周囲へ延びていることになります。平安京において給された宅地は、正方形の町の街区を四行八門に区分した一戸主《へぬし》を基本単位としていましたから、大路・小路に囲まれた正方形の街区を越えて一まとまりの単位が外部に延びることはありませんでした。

一方、図五―6は平安京以来の正方形の街区の部分の例です。同図北部の「橋弁慶《はしべんけい》町」を東西に貫くのは蛸薬師通、南部の「占出山《うらでやま》町」を東西走するのは錦小路通、西側の「山伏山《やまふしやま》町」を南北に貫くのは室町通、東側の「手洗水《てあらいみず》町」を貫く広い街路は烏丸通です。平安京の左京四条三坊一一町に相当する街区で、そのままの形状を維持している部分の一つです。蛸薬師通が

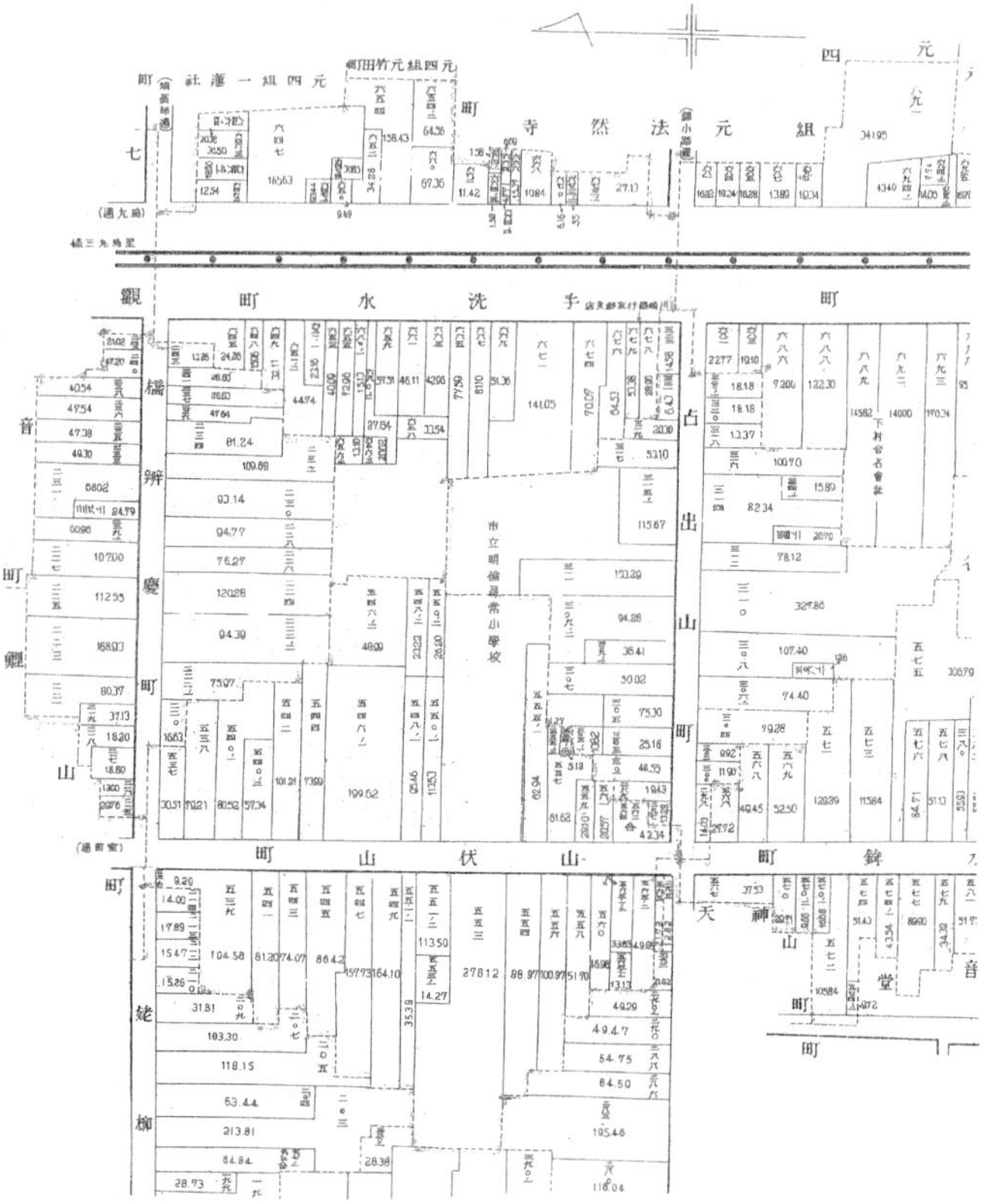

図五―6　正方形の街区の両側町例。大正元年（1912）刊、『京都地籍図』より

四条坊門小路であったほかは、すでに九条家本『延喜式』左京図にも名称のみえる街路です。図五―6にみられるように、四か町のすべてが典型的な両側町ですが、大正初年の段階では、京都駅と御所を結ぶ御幸道路にあたる烏丸通が、本来の道幅からすでに東側に拡幅されていますので、それがこの刊行地籍図に反映されています。そのため、手洗水町の東側はかなり狭くなっています。この変化を除けば、四つの両側町がそれぞれ周辺の正方形の街区へ延びていることは、先の図五―5と同様ですが、こちらのほうがより典型的な形状です。

さらに注目すべきは中央付近に「市立明倫《めいりん》尋常小学校」と標記された部分があることです。明治一七年の地籍図では、この敷地西部の山伏山町部分だけが、「五百五拾二番地　民二　小学校敷地」と標記されていました。「民二」については先に説明したところです。その後、この地籍図刊行までに、占出山町北部と手洗水町西部に学校敷地を拡張したことになります。

明倫小学校は、明治二年（一八六九）に「下京第三番組小学校」として創設されたのが母体です。先に説明した番組小学校の一つでした（図五―3参照）。その後明治八年に、石門心学の心学道場「明倫館」にちなんで改称されたもので、明治二〇年には京都市明倫尋常小学校となりました。なお現在、明倫小学校は廃止されて、校地は京都芸術センターとなっています。

このような変遷とともに校地に編入された部分は、平安京以来の正方形の街区の中央部にあたります。すでに説明した武家屋敷など、近世にはしばしば新たな機能が立地したところです。

地籍図と街路遺構

明治の地籍図は、近代における都市化や市街地の区画整理が進行する以前の状況を示していますす。したがって、単に地籍図作製時点の状況を示しているにとどまらず、それ以前についての復原研究にも大きな役割を果たします。

例えば図五―7は、平安京西辺に相当する西院《さいいん》笠目町、西院東貝川町、西院西田町について、明治の地籍図における一筆耕地の区画を抜き出して接合したものです。一筆の形状はほとんどの場合、細長い長方形のいわば短冊形を呈しています。短冊形の地筆の向きは東西方向のものもあれば、南北方向のものもあります。しかしこれらの地割群が全体として、やや変形した方格の区画群を構成しているようにみえます。しかも東半分に方形区画が南北にほぼ五個分、西半分にはそれが南北に六個分ほどであるとみなされます。しかも東半分の区画群と西半分の区画群は相互に食い違っているところが多いことが知られます。

サイズをみてみますと、東半分が平均一二〇メートル強程度、西半分が一一〇メートル弱程度であることが知られます。しかも東半部と西半部の間には、南北に連なった地筆列がみられます。この南北の地筆列の東西幅は二〇~五〇メートル程度です。

実は東半分は、もともと平安京域でした。平安京条坊プランの町の区画（一辺四〇丈=約一二〇メートル）とそれを画していた街路幅（四~一〇丈程度=約一二~三〇メートル）を反映してい

図五—7　平安京西辺に相当する西京極大路の遺構（葛野郡六・七条との境界付近）。大正元年（1912）刊、『京都地籍図』により作成

ますので、現実には方格のサイズが一二〇メートル強となっていると考えられます。一方西半分は、農地部分における葛野郡条里プランの坪の区画（一辺約一〇九メートル）を反映しているとみられます。そして、東半部と西半部の中間に南北に続く地筆群は、平安京西端の西京極大路（幅一〇丈＝約三〇メートル）だったことが知られます。[*3] また、条里プランの坪の区画の遺構は、葛野郡の条里プランと合致しています。[*4]

平安京右京では、第一章で述べたように平安時代中頃には市街が衰退し始め、農地になったところが増えていました。平安京の街区や街路の区画が農地化されて、地筆の形状にその名残をとどめていたことになります。このような条坊プランの遺構と、もともと農地の土地区画であった条里プランの遺構の、両者の位置と形状の違いによって、平安京の具体的な位置と形状が確認されることにもなります。

3　近代測量の地図

陸地測量部の地形図作製――迅速図と仮製図

近代地図の基本として整備が構想されたのが縮尺二万分の一の地形図でした。この事業の端緒は、明治一三年（一八八〇）から作製された陸軍の「第一軍管地方二万分一迅速測図」で、この年から明治一九年にかけて関東平野一帯において作製が進められました。この地形図は、しばしば「迅速図」と略称されています。

明治一三年に制定された「測地概則　小地測量ノ部」では、「測地ノ目的」として「第一条　凡《およ》ソ土地ヲ測量スルニ一定ノ方法ヲ固守シ務《つと》メテ速《すみやか》ニ全国図ヲ完成ス、第二条　凡ソ軍事ニ関スル緊要ノ事物ヲ実査シテ国土ノ保護ヲ確実ニス」と規定しています。つまり、全国的に一定方法での地図作製を目指すことと、軍事上の重要事物の調査の二つを目的としていたことが知られます。

迅速図の図法はフランス式を基本としていました。当時の『測量軌典』には「画線法」について、例えば「描画ノ体裁ヲ美麗ニ為スモ図形ニ於テ多少ノ不正ヲ生ス」と述べています。このため雲形定規の使用を禁止するなどの具体的方策を指示しています。つまり、まず図形の美しさを基本に置いているものの、一方で正確さにも留意していることが分かります。

ところが明治一五年には、ドイツに留学して測量と地図作製の技術を学んでいた田坂虎之助（陸軍少尉）が帰国しました。これを契機としてそれまでのフランス式測量方式が、ドイツ式に改められました。翌年には、『測量軌典』が改定され、それまでの多色刷りから一色刷りに改められました。迅速図にもこれが適用されたために、初期の一部の図幅が二・三色刷りであったのを除くと、この改定によってほどなく一色刷りとなりました。もちろん、いずれも銅版刷りです。

ここで導入されたドイツ式の測量・地図作製法が、日本における後の地形図作製の基本となりました。

このドイツ式が最初に適用されたのは、明治一七年でした。迅速図が関東地方で開始されたのに対して、ドイツ式の測量・地図作製法は関西地方で実施され始めました。これによる「京阪神地方仮製二万分の一地形図」は、明治二三年までに全部で九四面の測図が完了しました。この地形図は一般に「仮製図」と呼ばれていますが、「迅速図」と同様に、近代的な三角測量が未整備なままで作製された地形図でした。例えば仮製図の各図幅には、等高線は五メートルごとに記入され、記載対象を示す記号などの図式も明示されています。しかし近代地図であれば不可欠な、緯度・経度の表示はまだありませんでした。

仮製二万分の一地形図の京都――「京都」・「伏見」

測図完了より二年ほど経て、明治二五年（一八九二）に、仮製二万分の一地形図「京都」と「伏見」の図幅が刊行されました。京都市街はこの両図幅に分かれていますので、両者を合わせて京都市街を示したのが図五―8です。いくつかの点で、近世以来の京大絵図類との大きな違い

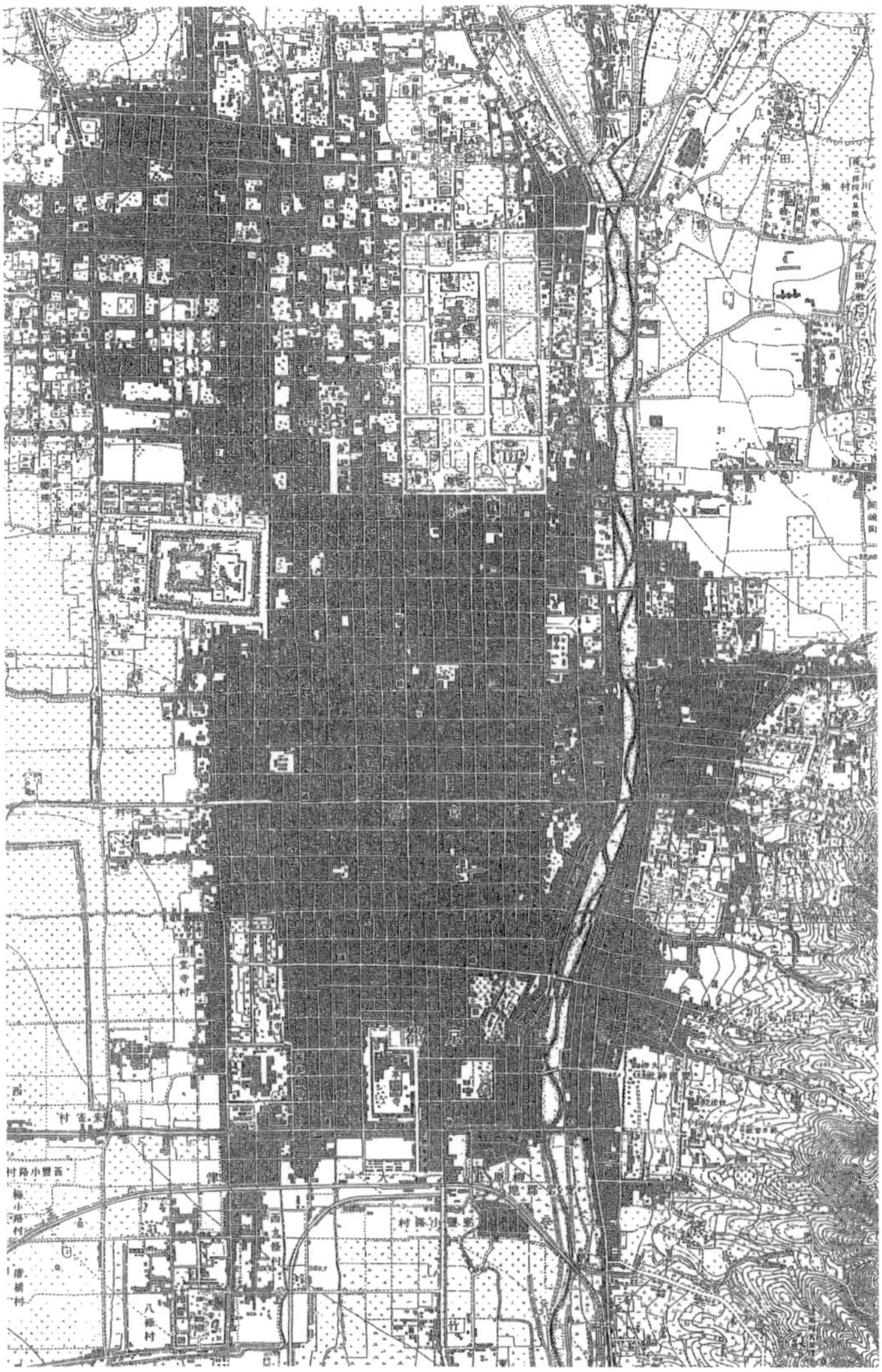

図五－8　仮製二万分の一地形図「京都」「伏見」。明治二五年（1892）刊

があります。

まず、縮尺が正確に二万分の一となっていることはもとより、図式が明示され、しかもこの図式は基本的に現在の地形図に踏襲されていますので、いわば見慣れた図式の地形図となっていることです。図幅内を正確に表現するのが目的であった地形図ですので、市街以外の表現も詳細です。

例えば、図五―8右下の東山や、左上の北山山麓の表現にみられるように、高度が等高線で表現されています。

さらに、鴨川の河床の川原を縫うように水流が網状に描かれ、「高野川」と「加茂川」が合流する以前の両川の上流部では、水流が途中で細くなって消滅し、河床が川原だけとなっていることを表現しています。いずれも扇状地上の河川の典型的な形状を示しています。これらは、河床の各所に段差が設けられて、水流の流速を緩和している現在の河床とは異なった形状です。

また、土地利用も図式によって表現されていますので、例えば市街の北部や西部のほとんどは水田地帯であったことを表現していますが、それだけではなく同時に、水はけのよい乾田地帯であったことを示しています。これに対して市街南部には、それほど水はけのよくない水田が多かったことも示しています。さらに鴨川東部の記号がなくて空白の部分は、畑地が広がっていたことを意味しています。

仮製二万分の一地形図は、刊行当時の行政上の市・町・村をも表現していました。京都市は明治二二年（一八八九）に発足しましたが、市街では三条通に点線が施されています。これが境界線で北側が「上京区」、南側が「下京区」でした。京都市街の周囲を御土居が取り囲んでいたことは変わりませんが、図五―8では、北部と西南部に土塁の記号が続いている様子がうかがえます。ただし御土居の内側にも、北部には「東紫竹大門村」など、西南部には「壬生村、中堂寺村、西九条村、八条村」などがあって、当時は京都市の外であったことが知られます。一方、鴨川の東には「田中村」があってこれらと同様ですが、上京区に編入されていた吉田村は「吉田町」、岡崎村は「岡崎町」と標記されています。

市街は黒く刷り出されていますが、街路は特に強調されていません。江戸時代以来の地図に多かった街路名・町名などの標記は、「三条通、四条通、五条通」などの一部の例外を除き、図五―8のように基本的にはみられません。寺社境内や、御所・二条城などの建築物で充塡されていないところは、この市街の黒い刷り出しから除外されています。

また、明治七年の村上勘兵衛図では京都府が置かれていた二条城は「二条離宮」となっています。一方、明治二年に明治天皇および多くの公家が東京に移った後、いったんは荒れていた旧御所の一帯は、岩倉具視による建議以来保存の動きが活発化し、同一六年には京都府から宮内省へと管理が移管されていました。

仮製二万分の一地形図では、御所の周囲はすでに御苑として整備され始めて石塁ないし土塁とみられる高まりで囲まれています。そこには「御所、御苑」の名称が標記されています。

二条離宮の北側における、村上勘兵衛図で養蚕場があった場所に桑畑の記号が描かれ、その西の懲役場であった所に刑務所を思わせる建物群が描かれていることも目につきます。ただし、このいずれにも名称の標記はありません。

近代施設もいくつか表現されています。市街の南辺には、明治一三年（一八八〇）に開通した大津—神戸間の官営鉄道が描かれており、図五—8には「従大津至」の文字がみえています。駅の位置には、「京都乗車場」と標記されています。さらに、明治二八年（一八九五）に七条—伏見間が開通した「奈良鉄道」の路線もすでに表現されていますが、駅の表現と駅名はまだありません。

鴨川の東では「吉田神社」の西側、「知恩寺」の南側にあたる部分に、やや不整形な正方形の一画があり、いくつかの大きな建物があった様子が表現されています。明治二二年（一八八九）にこの地に移転した第三高等中学校（京都大学の前身の一つ）の施設と思われます。

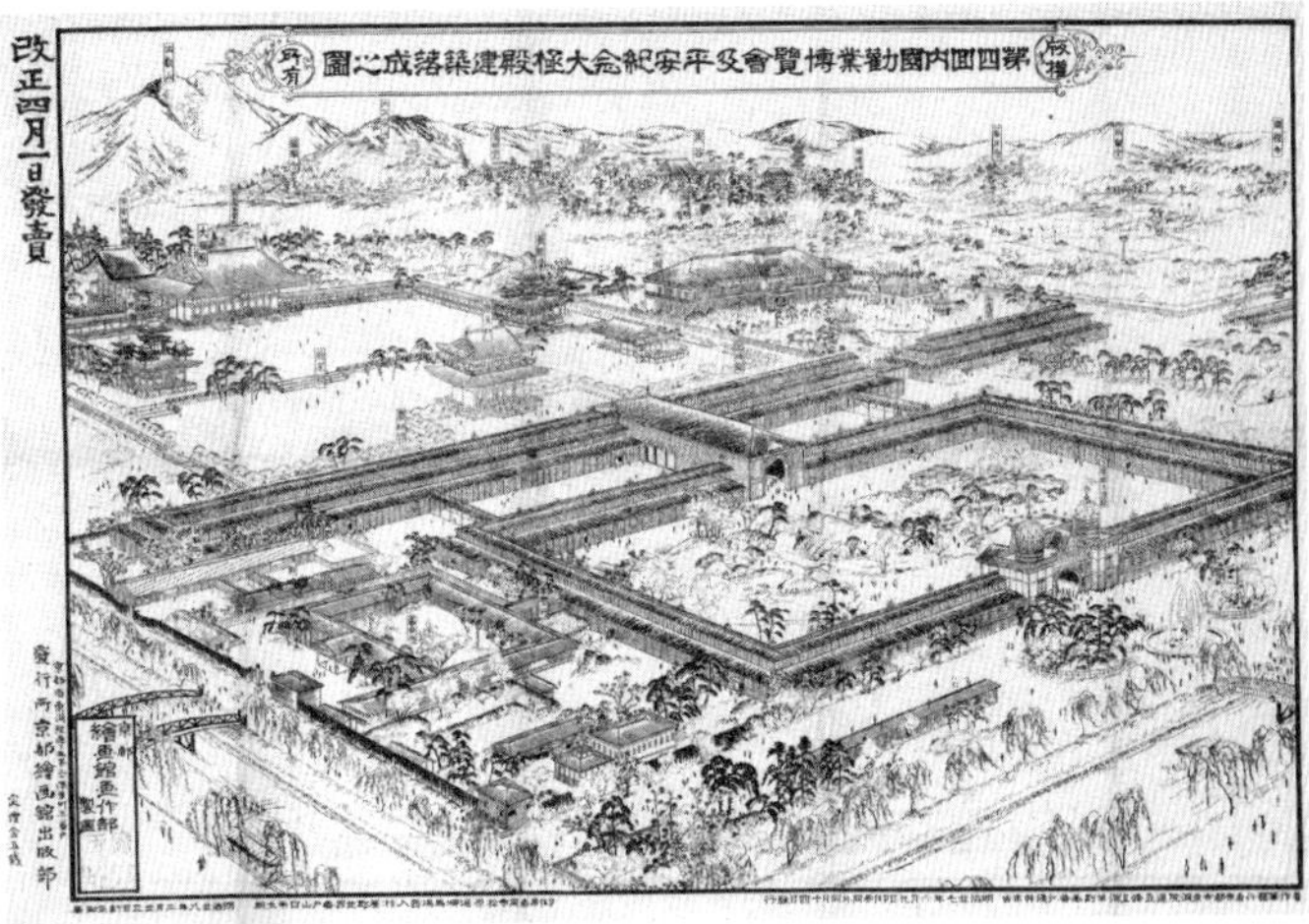

図五―9　「第四回内国勧業博覧会及平安紀念大極殿建築落成之図」明治二八年（1895）刊。大塚コレクション、京都市歴史資料館所蔵

4　京都の近代化と地図

第四回内国勧業博覧会と平安紀念大極殿

図五―9は、京都岡崎を会場として開催された、第四回内国勧業博覧会と平安紀念大極殿（現在の平安神宮）の落成図です。右側からきて中央の図外（下）で直角に曲がり、左側へと向かうのが琵琶湖疎水です。現在とまったく同じ位置と形状です。疎水の左側部分に架けられているのが二条通の橋、右端に架けられている橋（慶流橋）が、現在の神宮道の位置です。

博覧会場は、中央に庭園のある回廊状の大きな施設と、その北側の巨大な東西方向の施設、回廊状の大きな施設西側のやや小さな施設群が中心です。回廊状の大きな施設の内側には「工業館大道路」の標記があり、巨大な東西施設には、東から「水産館、器械館、農林館」の標記があります。西側の施設群には、「事務所、審査所、車置、荷解所」などの文字がみえます。

巨大な東西施設の北側に、「応天門」や「大極殿」などからなる、現在の平安神宮が描かれています。平安神宮の東側にも二階建ての建物等があり、「美術館、式場」の文字、さらに泉水や東屋風の施設などが描かれています。これらの南側、回廊状の大きな施設の東側には、「動物館」の施設も描かれています。

背後に描かれている山並みには、左端に「比叡山」、右端に「南禅寺」の文字がみえます。南禅寺の背後から北側の東山を描写したものです。

この第四回内国勧業博覧会は、明治二八年（一八九五）四月に開会され、入場者は一一三万人余に達したとされています。[*5] 内国勧業博覧会は一八七三年のウィーン万国博覧会を参考に開催されたもので、第一回は明治一〇年（一八七七）の東京・上野で開催されました。その後、第二回・第三回と、やはり上野で開催されましたが、その第四回が京都・岡崎で開催されたものです。

一方、同年三月に鎮座式を挙行した平安神宮は、平安建都一一〇〇年を記念して創建されたものです。京都実業協会が提案し、京都市会がこれを受けて創建案を可決してこれに京都府も

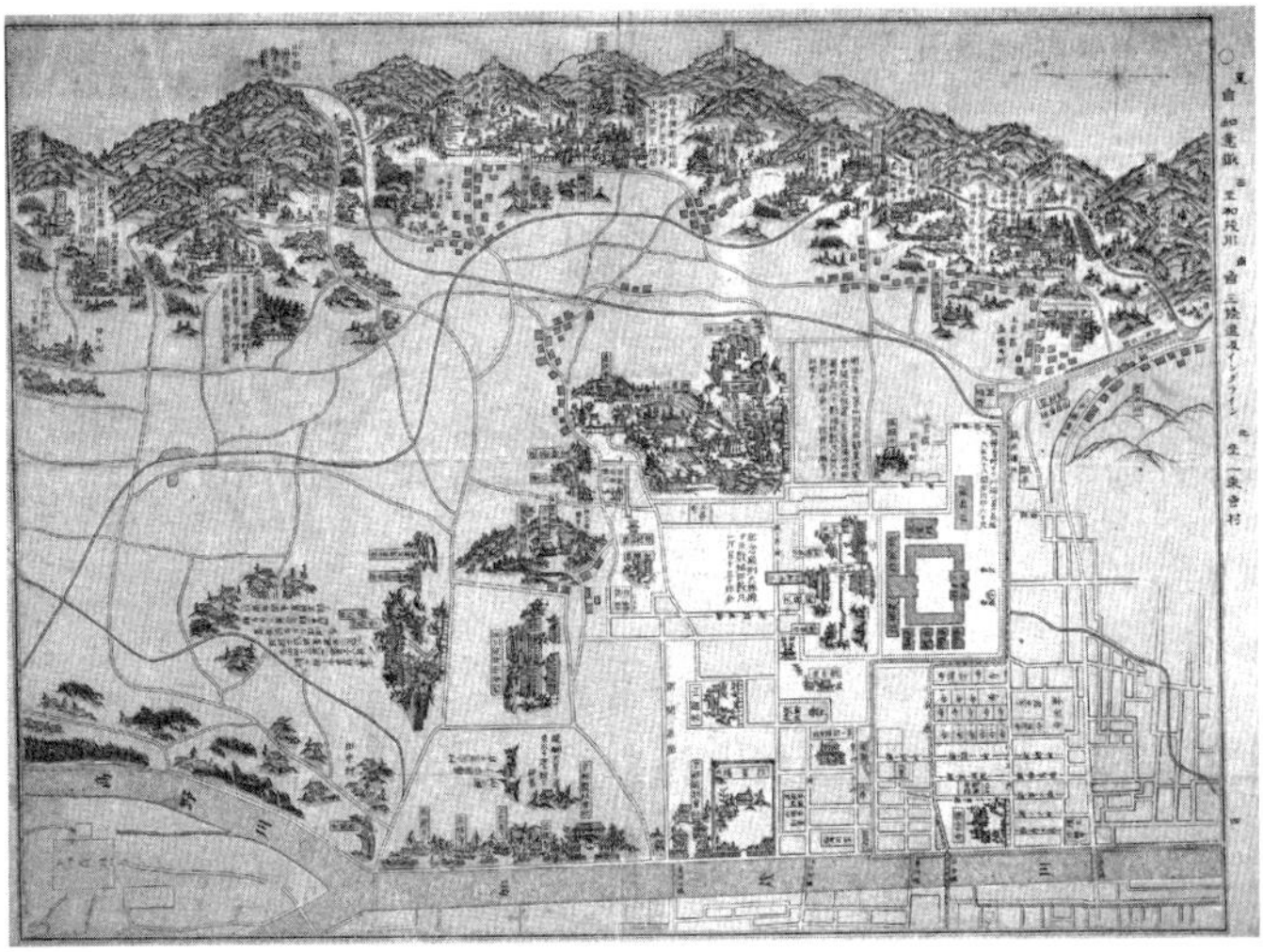

図五―10　「東山三条通及インクライン以北絵図」。明治二〇年代末（推定）刊。大塚コレクション、京都市歴史資料館所蔵

参加し、平安奠都記念協賛会の寄付金などによって実現したとされています。
この時期まで岡崎は、愛宕郡岡崎村の近郊農村でした。この第四回内国勧業博覧会と平安神宮ができた岡崎は、その後さまざまな博覧会の会場となりました。

「東山三条通及インクライン以北絵図」

図名も刊年・刊行者名もない地図（図五―10）ですが、右側欄外に「東　自（より）二如意嶽一、西　至二加茂川一、南　自二三條通及インクライン一、北　至二一乗寺村一」とあるのでこの仮図名となっています。
図中に「明治廿八年第四回内国勧業博覧会開設之位置、上京区南禅寺町岡崎町

之内ニテ、敷地坪数凡五万八千百六十二坪余ニシテ、往昔六勝寺ノ旧地ナリ」とあります。また、「平安神社」の建物群が絵画的に描かれ、内国勧業博覧会の施設群が表現され、施設名が記入されていますので、おそらくそれほど時期の隔たらない刊行だと思われます。ただし、内国勧業博覧会の施設群の配置のうち、回廊状の大きな施設の東西にある施設は、形状が図五―9とやや異なっています。

インクラインは、琵琶湖南部から山科盆地北部を経て京都に至る、琵琶湖疏水の京都盆地への入り口です。明治一八年（一八八五）に着工し、同二三年に竣工式が挙行されたものでした。インクラインは運河としての疏水における、落差のある部分の通船機能を果たすための施設で、そのためにもともと水車動力を計画していました。ところが、主任技師であった田辺朔郎らの渡米視察の結果を踏まえて水力発電による施設に変更されたものでした。

図五―10のように、図右上に「インクライン」が描かれ、すでに上京区南禅寺町となっていた門前町のインクライン対岸には、「水利事務所」と「器械場」が標記されています。インクラインと東山山麓を北に向かう分岐点から「長延三百間」と記された水路がこの器械場まで引かれています。つまり、この器械場こそ、明治二四年にできた蹴上《けあげ》発電所であったとみられます。今日も現存する蹴上発電所の原型です。

インクラインと「疏水運河」との接合点に、インクラインに乗せる舟の溜まり場がありますが、その北側にも「器械場」が記されています。この船溜まりには、北から流れてきた白川が、いったん合流しています。白川は、しばらく疏水運河を流れた後、内国勧業博覧会の施設群の南側西寄り付近から再び白川として南へ流れます。そして、三条通を越えてしばらく流れてから、やがて鴨川（図五―10・加茂川）へと流入します。

一方の疏水運河は、内国勧業博覧会場を取り囲むように直角に屈曲して西に流れますが、鴨川には直接流入せずに、鴨川東岸を別にたどります。以上の様相が、図五―10には正確に表現されています。

さらに興味深いのは、鴨川西岸の二条通から「二条橋」を東へ渡り、さらに東へ進んで疏水運河に達し、疏水沿いを先述の船溜まり沿岸まで進む破線が描かれていることです。図中には何も説明がありませんが、これは京都電気鉄道の路線を描いたものだと思われます。

京都電気鉄道は、田辺朔郎とともに渡米視察を行った高木文平の発案であったと言われています。[*6] 東京・上野の第三回内国勧業博覧会において、会場内での電車運行はあったものの、市街での営業は京都が日本最初でした。すでに発電を開始していた蹴上発電所から電力の供給を受け、七条―南禅寺間が開通したのは、明治二八年四月の第四回内国勧業博覧会開催の前月のことでした。

岡崎一帯は、疏水運河、蹴上発電所、第四回内国勧業博覧会場、京都電気鉄道など、近代化

の見本市のような場所だったことになります。図五―10には、伝統的な名所も数多く描かれていますが、このような近代的施設を描くのが主目的だったように思われます。吉田山の吉田神社と鴨川の間に描かれた「第三高等中学校（現在の京都大学）」や、「京都製絲会社」、少し南の「京都織物会社」、「牧畜場」、「第一紡績会社」などが描かれているのも、この目的のためだと思われます。

5　大縮尺図と鳥瞰図

三千分の一都市計画図――「四條烏丸」

大正一一年（一九二二）、京都市は三千分の一の「都市計画図」と称する地図を作製しました。京都市域の北山の麓の「静市《しずいち》」から南の「八幡」に至る、京都盆地の北半部を六三面に分割した大縮尺図です（図五―11参照）。各図幅は、南北が緯度にして一分、東西が経度にして一分三〇秒の範囲となっています。図五―11はその中央部「四條烏丸《しじようからすま》」図幅です。この図幅の中心に近い四条烏丸付近には、平安京以来の正方形の街区をよく残している一角があります。図幅の東を流れるのが鴨川、西側中央付近が四条大宮、北が現在の御池通付近、南は五条通の一区画

図五―11　三千分の一都市計画図「四條烏丸」。大正一一年（1922）測図。京都大学総合博物館所蔵

分南側付近までが含まれています。

正確な測量によった近代地図ですので、全体の印象としては、仮製二万分の一地形図（図五―8参照）と類似します。しかし大縮尺ですので、表現内容ははるかに詳細です。各図幅の左端には全面に「付号（図式）」が示されています。

数多くの地図記号による表現のほか、基本的に市街の建物敷地はアミ（灰色）で表現され、空地や庭園、学校グラウンド、街路などは白抜きで示されています。

例えば街路のうち、南北の河原町通、烏丸通、堀川通、大宮通などには、路面電車（市電）の路線が表現されています。堀川通の四条以北、西洞院通の四条以南にも同様に路線が示されています。東西路では、四条通に路線が示されて、四条大橋を越えてさらに東へ延びています。反対方向の西では、四条大宮から西北へ延びる路面電車と西へ「トロリーバス」路線が記入されています。

さらに、二メートルごとの等高線が記入されていることも地形の詳細を知るうえで有効です。例えば、堀川付近が東西の微高地に挟まれた谷状になっていることも知られます。先に地籍図において例示したような、町名と各町の境界線が詳細に記入されていることも、この三千分の一図の大きな特徴です。

大正一一年の大縮尺図はあくまで測図時点の状況を示すものですが、明治一七年の地籍図がそうであったように、そこからかつての地割遺構を読みとることが可能です。図五―12は、同三千分の一図「相国寺、四条烏丸、京都駅、船岡山、西院、西七条、花園、東梅津、桂」の計九図幅から、平安京域の道路敷に相当する地割遺構を抽出したものです。[*7] かつての大内裏の部分は、平安京の一般的な方格状街路からもともと除外されていましたので、同図からも除外しています。さらに、京都御苑、二条城、東・西本願寺、京都駅付近などの、近世・近代における大規模施設が立地した部分でも、平安京街路の地割遺構はみられません。

このような近世・近代に消滅した部分を除くと、同図にはいくつかの特徴的なパターンがみられます。

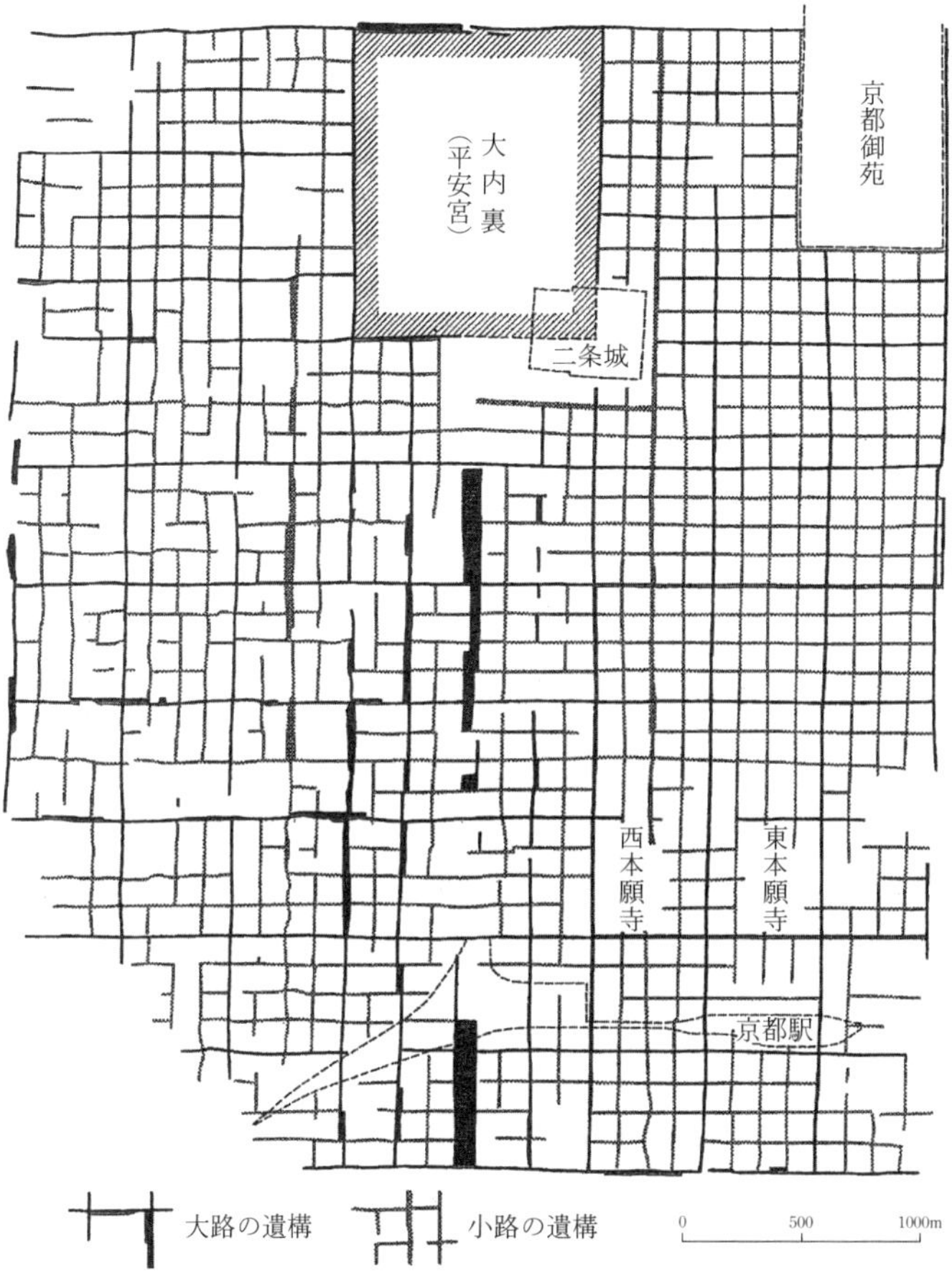

図五―12　平安京街路の地割遺構

まず、右京西南端の三坊分ほどには、まったく街路遺構がみられないことです。これはすでに述べたように、この部分では市街も街路ももともと形成されなかった、と考えられることによります。

次に、左京部分の街路遺構の遺存がよくて、右京のそれがよくないことです。これは、市街の継続性如何によります。左京が相対的に市街として継続したところが多かったのに対し、右京の大部分は、いったん廃れたことはすでに述べました。市街としての継続性は、街路の継続性にも結びついたと思われます。

さらに注目すべきは、遺存のよくない右京では、街路遺構そのものは断片的ですが、その幅には広狭があり、かつての大路・小路の街路幅をそのまま反映しているとみられることです。市街や街路が廃れて耕地化された場合に、道路敷の部分が周囲と異なる高さや硬さであったために、土地利用やその境界に広狭幅の原型が残されることが多かったことによると考えられます。一方、市街や街路として継続した部分の多い左京では、後世に道路として利用され続けたとしても、必ずしも平安京の基本プランによる大小の街路幅ではなくて、実質的な市街の街路として継続して使用されたために、一律の狭い街路パターンとなったと判断されます。この動向についても、すでに第二章二節で具体的にみてきました。

京都名所観光鳥瞰図――自在な空間表現

図五―13は京都中心の鳥瞰図（三分割）です。下図の左端に「昭和三年御即位大典を記念して」とあるように、昭和天皇の御大典に際しての記念出版物です。さらにその左下に「初三郎謹作」と記されているように、吉田初三郎の作品です。

本図は京都図としてはきわめて特異な広域的表現があるのですが、それは後ほど述べます。まず、中央に京都盆地一帯が描かれています。中図右下に京都駅が描かれ、市街西南部からみた形で、左上から右下にかけて市街が延びる様子を鳥瞰図風に描いています。市街地の三方を西山・北山・東山が取り囲む様子を描いていますが、西側に「愛宕山」、中央部の市街の北に「鞍馬山」、東に「比叡山」を描いています。

鴨川は、比叡山西麓から流れる高野川と、鞍馬山西方から流下する賀茂川が上図の中央上部で合流した後、右下へと流れ、そこで大きく左へと湾曲して、中図下部中央付近でまず桂川と合流し、ついで宇治川・木津川と合流する構図となっています。桂川は、左上の愛宕山から続く山腹西部から、右下へ向かって鴨川との合流点へと達しています。宇治川は、伏見東南部に相当する上図の右下隅から、中図の下部を左へと流れるように描かれています。その右上の図右端には「巨椋池《おぐら》」が描かれています。これらの表現は、当然ながら、現実をほぼ忠実に反映しています。

宇治川の上流は、上図の右下隅から上方へ向かい、さらに左上方向へと向かっている形に表現されています。その先には琵琶湖があります。その琵琶湖の東岸には、「三上山」や「安土城址」・「伊吹山」があり、さらに図の右へと続く一連の山地が描かれています。その右端には

図五―13　「京都名所大鳥瞰図」昭和三年（1928）刊

「伊勢神宮」が、図の右端中央付近にはなんと「奈良」まで表現されています。

さらにこの一連の山地の上方には伊勢湾が描かれ、その湾には、右手に突出する志摩の半島群が描かれています。志摩と奈良との間には洛中洛外図等では一般的な、金色の雲で離れた空間を表現する手法を援用して、隔絶した距離を表現しています。驚くべきことに、上図の右上部分、伊勢湾の先の海の彼方には富士山の山容が描かれ、「東京」の位置が示されています。やや左の伊勢湾奥には「御嶽《おんたけ》、日本ライン、那古屋」が示されています。

さらに左側においては、琵琶湖東岸の伊吹山の彼方に「青森、北海道、樺太」の位置まで表現されています。

驚きの広域表現は下図の西端付近にもあります。左上隅の桂川上流には、丹波の「亀岡」から、丹後の日本海沿岸まで表現され、「大江山」や「天橋立」が表現されています。

一方、鴨川・宇治川・桂川などが合流した後の淀川は、図の下端を左に流れるように表現され、その下流に「大阪」市街が描かれています。京都の西山連山と、大阪や神戸の北方の「妙見山」や「有馬」との間には、やはり伝統的な雲の表現があります。大阪は瀬戸内海にのぞむように表現され、淡路島・四国・山陽地方から九州まで描かれています。「神戸」から「別府」に至る多くの地名が標記され、「門司」の上方には、「朝鮮、釜山《プサン》、金剛山」まで記入されています。

これらの地形は多色刷りで表現されています。さらに、名所は赤の短冊様の表現、主要地名は薄紫の楕円で表現されています。道路や鉄道も表現され、京都市街と桂川間の鉄道には列車の絵までが描かれています。

この鳥瞰図の特徴は、あくまで名所の位置を示す観光図であることを基本としながら、きわめて特徴的な構図によって、日本列島全体はもとより、樺太・朝鮮半島にまで表現を及ぼしていることにあります。鳥瞰図的な図法は、すでに述べた「都細見之図」などの京都図にすでに取り入れられていた技法でした。しかし吉田初三郎の鳥瞰図はもっと視野の広いものでした。

この視野の広さは、江戸後期の著名な浮世絵師であり、「異版江戸名所之絵」や優れた鳥瞰図をも描いた鍬形蕙斎《くわがたけいさい》（本名・北尾政美、一七六四〜一八二四年）を想起させます。特に「江戸蕙斎紹真筆」とされた「日本名所の絵」などが特徴的です。房総半島東南に視点を置き、東海・紀伊半島と大きく描いて中央に富士山を配置しています。右端に東北地方・北海道を、左半分に、中部・近畿・四国・中国・九州を描いたものです。中央上部には、さらに壱岐・対馬をも描いています。右手上端には、水平線上に朝鮮まで描いています。

吉田初三郎の鳥瞰図的表現は、このような蕙斎の表現と類似する視野の広さを思わせます。蕙斎の表現にも多くのデフォルメはありますが、吉田のものは鳥瞰図の技法に加えて、縮尺・視点・構図などを、目的に合わせてさらに自由に操ったともいえる特異な構図をとるものです。

そのためには、極端な強調や捨象はもちろんのこと、空間の断絶を表現する洛中洛外図などの伝統的な技法である雲をも援用しているのは、先に述べたとおりです。

この「京都名所大鳥瞰図」の原型と思われる巨大な直筆図「京都名所大鳥瞰図（原画）」がありますす（一一五×五〇〇センチメートル、京都府立大学蔵）。ただし、正確な意味で「原画」であるかどうかについては、「下図」であった可能性も含めて検討されています。*8

強調された景観――吉田初三郎の鳥瞰図

明治一七年（一八八四）京都に生まれた吉田初三郎は尋常小学校卒業後、まず友禅図案絵師「釜屋」に奉公に出、次いで京都三越呉服店友禅図案部に勤務したとされています。*9 さらに洋画を学ぶために辞職して東京へ行き、「白馬会」付属の私塾「白馬会洋画研究所」に入所しました。その後日露戦争に従軍し、明治四一年（一九〇八）に帰国して除隊の後、京都画壇の私塾「関西美術院」の鹿子木《かのこぎ》孟郎《たけしろう》の指導を得て「吉西社」を創業し、「応用芸術」の世界に踏み込んだとされています。

大正二年（一九一三）に、吉田は「大津札の辻」から「天満橋《てんまばし》」に至る「京阪電車御案内」を作製して注目を浴びました。大正五年には吉西社を「大正名所図絵社」と改名し、同一〇年には「鉄道旅行案内」の挿絵によって人気を博しました。そののち社名をさらに「観光社」とし、鳥瞰図の刊行、『観光』『旅と名所』『観光春秋』などの刊行にも関わりました。

吉田によれば「鳥瞰図作成工程」は、「実地踏査写生、構想の苦心、下図の苦心、着色、装幀・編輯、印刷」という六段階からなるとされています。[*10] この中で特に、構想と下図の「苦心」に吉田はとりわけ意を注いだようで、自ら同文中で、さらに次のように述べています。

「私の作品に於ては、必要と思はれる中心点が、随所で拡大されて、他は其の交通関係を示しつつ、全体の調子を繋いでをるにすぎないのである」と。

先に特異な構図とか、極端な強調・捨象と表現した、吉田の鳥瞰図の特徴は、まさにこの苦心の結果でした。このような姿勢には、かつての京都図が有していた特徴を思い起こさせるものがあります。京都図はしばしば、洛中と洛外を一体として表現するため、あるいは限られた判型の中に洛中と名所を描き込むために、洛中と洛外、あるいは東西と南北の縮尺をかなり自由に操作してきました。吉田の姿勢には、大胆な広域表現がある一方で、そのような京都図の伝統を想起させるものがあります。

「版権所有・複製厳禁」と注記された、図五―14はこの特徴をとりわけよく示している例です。「著作権所有者兼発行者吉田初三郎、編輯兼印刷所観光社印刷部、発行所平野屋いもぼう本店」（昭和三年、個人蔵）と、鳥瞰図作製・刊行の意図・契機が明瞭に知られます。

この鳥瞰図は、図五―13と同じ京都市街を描いていますが、「平野屋本・支店」を強調する

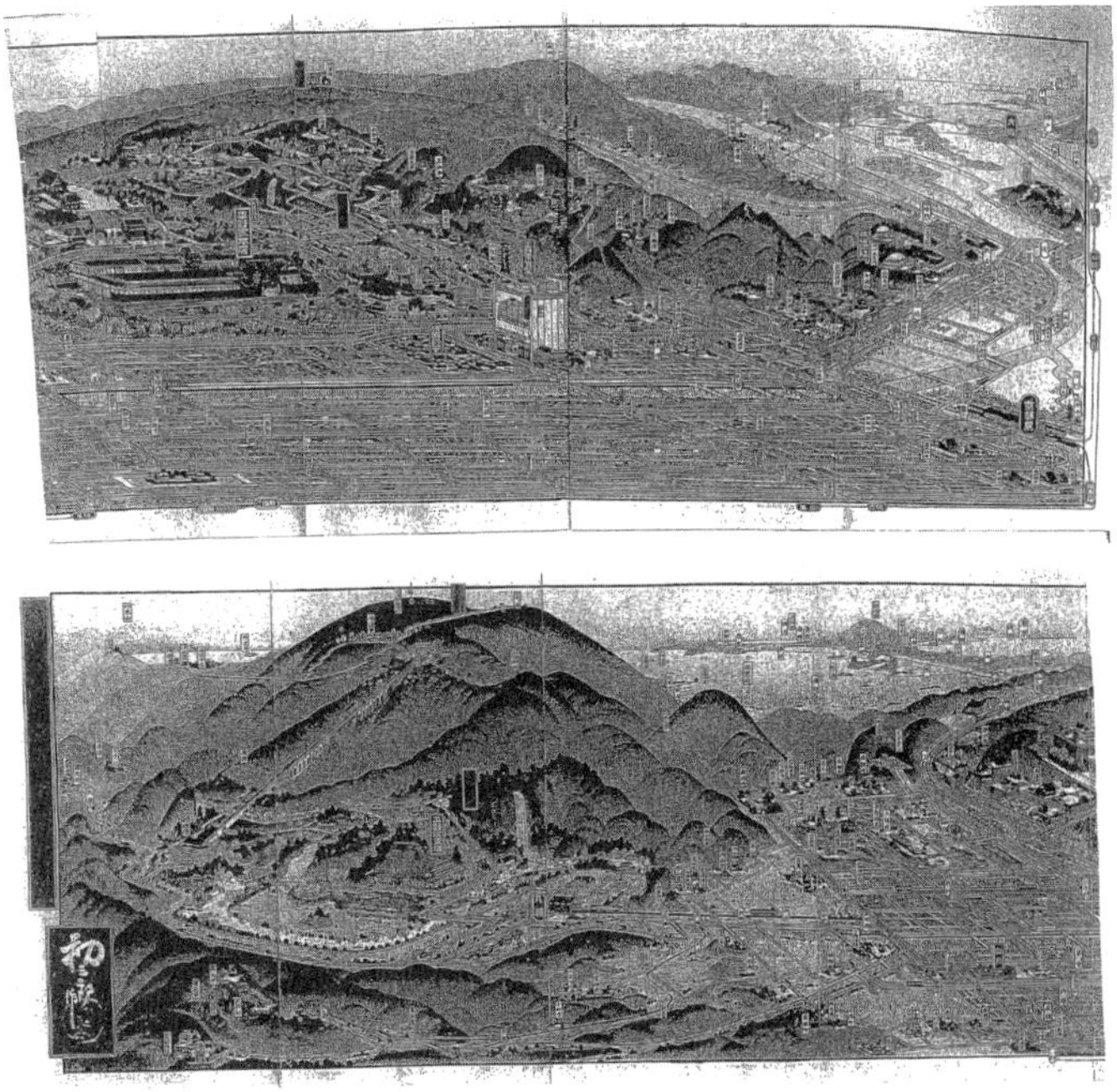

図五―14　「平野屋本・支店鳥瞰図」昭和三年（1928）刊

ために、構図を大きく変えています。まず京都市街の西方から東方をみたように視点を設け、上図中央付近右寄りに祇園と「円山公園」が、その左上に「比叡山」と「八瀬」付近が配置されています。叡山電車と京阪電車が左右に延びるように描かれ、中央付近の三条大橋から上方へ延びる京津線の先に琵琶湖と東岸の「伊吹山」等、さらに「東京、北海道」などを記しています。右へと延びる京阪電車の先にあたる、下図の右上には「大阪」が描かれています。さらに先には、「神戸、下関、朝鮮」までが標記されています。

極端な強調が二か所みられます。一か所は、ほぼ中央の「平野屋本店」とその右側の「平野屋食堂」、およびその近くの「知恩院、祇園八坂神社」など、もう一か所は、比叡山麓にある八瀬付近の「平野屋支店」、および近くの比叡山ケーブル等です。現在の観光地図では珍しくありませんが、吉田の言う構想と下図の苦心の結果であることがはっきりと知られます。

近代地図である地形図の作製が進み、三千分の一都市計画図などの大縮尺図の作製が行われる中で、吉田の鳥瞰図は、近代地図的な視野の広さを備えてはいるものの、目的を重視した極端な強調と、そのための思い切ったデフォルメを伴っていました。その意味で、京都図の伝統に共通した、前近代的あるいは古地図的要素をうかがうことができます。

吉田のこのような鳥瞰図作製は京都にとどまらず、対象を拡大して作製が進められ、吉田は「大正広重」の異名を得たと言われてます。しかし、やがて軍事的統制が広く進行する中で、昭和一四年の「軍機保護法施行規則」によって鳥瞰図作製そのものが制約されてしまいました。鳥瞰図の市場での復活は、戦後まで待たねばならないことになります。

近代の京都図——二つの方向性

明治・大正・昭和初期の京都の地図は、近代化を主題とし、近代地図の精度を高めた地図作製の動向と、吉田の鳥瞰図のような特異な観光地図を出現させる動向に二極化していたとみられます。

ここまで、近代の京都図には、二つの方向性の併存が確認されたといってもよいでしょう。近代の京都図として取り上げてきた特徴は、技術的には銅版印刷の一般化ないし本格化でした。明治以後、銅版による印刷が主流になります。さらにつけ加えると、明治初期の京都図は近世の木版の京大絵図を基本とし、近世の町組が基本にありましたが、学区が重要な地域単位となっていました。京都図もまた、この学区の表現が大きなテーマの一つでした。

近代測量とその成果による近代地図の作製も新しい動向の一つです。仮製二万分の一地形図の作製がその象徴的地図です。前近代の古地図ではなく、近代地図であることと、さらに都市図に限定されるものではないことからも、本書の直接的テーマではないのですが、対比的に参考として取り上げました。この流れの中で、三千分の一都市計画図が作製されました。

さらに表現対象からみると、あたかも前近代の内裏図のように、岡崎の博覧会場とその付近の地図がいくつも作製されたことが注目されます。博覧会場付近には、第四回勧業博覧会の施設だけでなく、琵琶湖疏水、蹴上発電所、市街電車、近代工場、高等教育機関などが設置され、近代化施設が集中した、近代化の一種の象徴的地域になっていたと思われます。

明治初期はまた、土地制度の大きな改変が行われた時期でもありました。そのために地籍図が作製されて、その後の基本となりました。京都で実際に地籍図作製が展開したのは、明治一七年のことでした。明治の地籍図は地筆の形状と地番、その地目、面積、所有者を確定して記録するのが目的でしたが、それは大正時代に入って刊行され、広く使用されました。地籍図は前近代の地割遺構を広くとどめていましたので、研究上でも詳細な地割形態や、地目が重要な資料となりました。

観光地図の作製は京都にとって、近世に引き続き重要な動向でした。この流れの中で特徴的だったのが、吉田初三郎による鳥瞰図の作製でした。作製目的ないし観光目的に従って大胆な構図を採用し、表現対象の極端な強調を行った技法は、観光地図の新しい局面を開いたものと思われます。またそこに、特異な構図や縮尺、思い切った強調や対象の選択といった近世京都図の伝統的構造との類似性を読みとることも可能です。

おわりに

本書では、平安京から京都にかけての各時期の代表的な京都図を取り上げて、その表現内容の基本的な説明を試みてきました。さらにそれらの京都図における表現の意図や構造を概観してきました。

地図としての類型からすればこれらの京都図もまた、地図一般の場合と同様に、まず古地図と近代地図に分かれます。幕末・明治初期において若干の交錯する時期があるものの、この時期が両者の基本的な分岐点です。本書の第一章から第四章において、そのうちの古地図を中心的な対象として取り上げました。古地図だけでも、京都図の類型はきわめて多様でした。

古地図と一口に言っても、その中には手書き図もあれば、印刷して出版した地図もありました。古地図の中でも、平安時代から室町時代にかけての古い時期の地図は基本的に手書き図ですので、原本がそのまま残るか、模写のかたちで伝存してきました。これらには左・右京図のような平安京全体を表現したものから、その一部の宮城を表現したものもありました。さらに東寺の寺辺や嵐山付近のような、ある一部の地域を描いたものもありました。

これらは多くの古地図と同じように、縮尺や地図記号が必ずしも確定しておらず、それらが凡例として明示されることもないのが普通でした。縮尺が不正確であることも、古地図ではむしろ一般的でしたが、左・右京図や宮城図などは、これらに比べると例外的に一定しています。もともと平安京成立時に左・右京職造の左・右京図が存在し、それが後の平安京図の基本となっていたと考えられることと、平安京自体が方形方格の規則的形状として構想され、建設されていたこともあって、結果的にその不正確さは表立って目立つことはなく、相対的に一定の縮尺とみえる状況でした。

ところが、これらの左・右京図をみてみると、平安京が場所によって実際に建設されたか否かの状況を含む、地図が描かれた時期における平安京の実態とは別に、もともと構想されていた、あるべき平安京を基本として描いているとみられる表現が目立ちます。つまり、古代や中世の貴族や宮廷人にとっての、本来あるべき平安京を表現していたと考えられることになります。

ただし、そのような貴族や宮廷人にとってあるべき平安京と、それぞれの時期における実態とが異なる事態が進行し、あるべき平安京と現実との齟齬《そご》を表現した地図がいくつも出現しました。それらが伝存している例として、東寺の寺辺や平安京南辺の地図などの典型的なものを紹介しました。

ところで中世には、平安京域から離れた地域ではありますが、嵐山・嵯峨付近で、中世のいくつかの時期に、寺院の存在状況をかなり詳細に描き、寺院周辺の市街の状況をも克明に表現した地図が作製されていました。東寺寺辺の地図と同様に、中世の京都の市街の在り様をよく示していました。

この嵐山・嵯峨付近を描いた地図と同様の表現がさらに詳細に、京都の洛中について、地図によって表現されたのは、一七世紀前半でした。中井家によって作製された「洛中絵図」は実測された成果による、縮尺の明確な地図です。この地図は、中世における平安京の大きな変化はもとより、一六世紀末に豊臣秀吉によって造成された御土居や寺町、また新設の街路など、洛中絵図の段階における一七世紀前半の洛中の実態をきわめて正確に表現しています。この頃日本の多くの都市、特に城下の都市では、このような地図が基本となって城下絵図が作製されました。ただし、京都では「洛中絵図」の後も、それとは別の動向が支配的でした。

「都記」は現存する日本最古の刊行された都市図です。この「都記」が描く京都は、街区を黒く墨で刷り出し、街路を広くとってそこに町名を記入するといった特徴的な表現法によるものでした。「都記」は、「洛中絵図」の作製時期とほぼ同時期に刊行された京都図でした。「都記」には、秀吉の都市改造による新たな街路や寺町は表現されていますが、しかし御土居は記入されておらず、表現された市街はほぼ左京図の範囲に等しい状況でした。つまり、実測の成果である「洛中絵図」がまったく参考にされておらず、あえて言えば、伝統的な方形の市街と方格の街路を描いた左京図の伝統に立ち返ったかの印象を与えるものでした。

その理由の一つは、幕府の意図によって作製されて、幕府の使用に供された手書きの「洛中絵図」と、刊行されて不特定多数の需要に供された「都記」の違いにあるとみられます。それを示すのは、「都記」以後における類似の刊行京都図もまた、「都記」の表現スタイルを踏襲していたことです。その典型例として、一七世紀中頃の「平安城東西南北町幷之図」を想起していただくと理解しやすいと思われます。洛中の表現が「都記」とほぼ同じ様式で、しかも周辺に名所の絵をちりばめた地図でした。この刊行図を嚆矢として、京都図は観光地図の様相を強めていきました。観光の要素としては、洛外の著名寺社などの名所のみならず、御所や周囲の公家町なども取り込まれました。この図名に「新板」の語を冠し、洛外を加えた「新板平安城東西南北町幷洛外之図」や、やや小型版の「新板平安城幷洛外之図」も、版元を変えつつ、また埋め木による訂正を加えつつ版を重ねました。

この両図のように、幕府の役人である新任の京都所司代就任を契機として版が改められたことが知られる例は多く、市場の需要を反映した地図は、所司代名もまた埋め木によって変更したこともすでに述べました。しかしながら、武家の領分である二条城やその付近の所司代屋敷などや御土居の一部も記入されてはいますが、それらの表現が京都図の中心を占めたとは思われない全体的な構造です。言い換えれば、武家の屋敷・「宿」や御土居などの城下町的構造、および詳細な街路の形状や街路幅などを明示した「洛中絵図」の表現内容と様式は、その後における刊行京都図の基礎とはなりませんでした。また江戸時代を通じて、このような実測図が再び作製されることはありませんでした。

さて、刊行京都図の特徴はむしろ、山河襟帯の京都を表現することと、とりわけ洛外に数多い名所の標記にありました。洛中を取り巻く、東山、北山、西山の表現と、南の宇治川およびその支流の鴨川、桂川などが、きわめて印象的に表現された京都図が作製されました。

一七世紀後半に出現した林吉永刊の「新撰増補京大絵図」は、この流れの京都図の一つの頂点でした。まさしく、山河襟帯の京都の特徴を、きわめて強く示しています。みずから大絵図と題したこの大型の京都図は、木版手彩色でしたが、周囲の山河を印象的に描いて彩色しているだけでなく、多くの名所を絵画的に表現し、またそれらの多くに解説を加えており、その解説の数は、洛外の名所九一か所、洛中一五か所の計百か所以上に及びます。そのほか洛中には、御所や公家屋敷はもとより、御土居や二条城、京都所司代屋敷なども表現されています。しかしこれらのそれぞれもまた、多くの名所と同様の洛中の一景であるかのような表現でした。洛外が洛中に比べて圧縮して表現されているのに加え、洛中の街区は東西が南北の二倍ほどに表現されていて、地図としては歪みが大きいのですが、一見して受ける印象としては、全体としてまとまりのよい表現となっていました。京都のコスモロジカルな構造を強く打ち出した表現となっていると言ってもよいと思われます。

この地図もまた多くの訂正を加え、版を重ねました。一条札の辻を起点としていた各地への距離も、途中の版からは三条大橋が起点に変更されています。これは、単なる地図出版上の都合による改版でなく、京都の市街構造の変化を反映していたものと思われます。そして、一八世紀前半の改版ではついに、洛中洛外全体の配置も含めて、ほとんど新版のような大きな変更を加えています。

それでも不十分であったのか林吉永は、一八世紀中頃にさらに大型の「増補再板京大絵図」を刊行しました。単に二枚分割の大型図というだけではなく、洛中の街区の東西南北の縮尺がほぼ等しいといったように、「新撰増補京大絵図」における歪みや不自然さを払拭する方向での改善が目立ちます。数多い名所の説明の記載も、「新撰増補京大絵図」では名所自体の分布が本来そうであるように、不規則に散らばった配置であったものが、「増補再板京大絵図」ではそのような不規則な構造から、文字列の方向を整えるなどの規則的な記入法へと、表現方法を転換しています。コスモロジカルな京都を表現する方向性を維持しつつ、地図表現の技法としてみれば完成度の高い、その意味では一つの終着点とでも表現できるレベルに到達したということができます。

こうした動向の一方で、さまざまな小型図や、特に携帯用の地図の多様化が進みました。大型化と、詳細で高度な観光地図化の旗手であった林吉永自身も、この動向に関わっていました。携帯用の地図には、小型化に加えて「改正両面京図名所鑑」のように両面印刷で刊行したものが出現し、名所の解説はもとより、名所への距離や方位を裏面に印刷したものも増加しました。中には、モデル観光コースなどの情報を加えたものもあり、恵方を記載した「恵方巡京図」や、「あらまし」の観光用ルートを図示した「早見京絵図」さえ出現するなど、多様な展開をしました。

これらの観光用京都図は、洛中と洛外、あるいは東西と南北で縮尺を変えるなど、判型と表現内容に合わせて多様な縮尺が採用されています。これに対して「改正分間新撰京絵図」のように、一定の縮尺を標榜した地図も出版されました。さらに例えば、一八世紀末の「袖珍都細見之図」のような全長八メートル以上に及ぶ折本で、鳥瞰して描いた名所などを街道図の技法を取り入れて表現したものや、一九世紀初め頃の「京名所道乃枝折」のような鳥瞰図的技法によるものなども出現しました。きわめて多様な展開です。

また京都ならではのこととして、御所やその周辺の公家町の表現が、さまざまな地図によっていろいろな形で行われていましたが、これも京都図の観光地図化の一つの側面でした。最初は一七世紀後半中頃の「内裏之図」でしたが、こうして公家町図が単独で出版されるようになったことも、観光地図化の動向の中で理解することができます。

ここまで紹介した出版図はすべて木版の墨刷りを基本としていました。美しい色彩のものもありましたが、すべて印刷後に彩色した木版手彩色でした。ところが一八世紀後半の中頃には、多色刷りの京都図が出現しました。現在知られているところでは、正本屋吉兵衛版の「懐宝京絵図」が最初であり、墨版のほかに赤版を用い、さらに合羽刷りを加えたものでした。合羽刷りとは、友禅染などに用いられる型紙の技法を用いた色刷りで、正本屋吉兵衛は、この色刷りの技法をいろいろと試したとみられます。一九世紀前半に出版された竹原好兵衛版「改正京町絵図細見大成」は、この多色刷り技法を用いて作製した大型図で、それまでの林吉永版大型図の独特の縮尺をも、洛中ではほぼ六〇〇〇分の一程度にそろえたものでした。これ以後、これに代わる大型図は出版されませんでした。その意味では、木版印刷の最後を飾る大型京都図と言えます。

幕末頃から銅版印刷による地図が出現し始め、やがて大勢は木版から銅版に移行しました。銅版印刷による最初の京都図は「都案内独巡リ　三條大橋ヨリ名所道法付」です。この後いろいろな銅版印刷図が出版されましたが、京都の上京と下京、各三三にのぼる町組を基礎として設定された学区や、岡崎一帯における第四回内国勧業博覧会などに関わる近代化施設の出現が、地図出版の目的や対象となりました。

その一方では土地制度の変更に伴って、地籍図の作製も行われました。これは全国的な国家事業でしたが、京都の場合明治一七年地籍図が作製され、その後印刷刊行されて広く利用されました。それによって、近世京都図では知りえなかった一筆単位の地筆の形状など、当時の京都市街の詳細な状況を確認することが可能です。

官製の近代地図としては、明治二〇年前後に作製された仮製二万分の一地形図（京都図幅、明治二五年）が大きな画期でした。近代地図としては不十分さを残していましたが、図式や図法において、その後の日本全体の地形図作製の基本となったものでした。京都独自の大縮尺近代地図としては、大正一一年の三千分の一都市計画図が最初のものです。地図としての精度が高いことと、小字地名（町名）とその境界が記入されたことによって、この地図は研究上もきわめて重要な基礎となるものでした。

このような近代地図の流れの中で昭和初期における、特異な鳥瞰図の刊行が目を引きます。鳥瞰図を基本としつつ、自在に空間表現を操って表現の中心を強調し、また標記対象どうしの位置関係を表そうとする点で、近世の京都図の多くが自在に縮尺を操って表現したことを思い起こさせます。この点で作者の吉田初三郎は、京都の古地図の伝統を継承していると表現できるかもしれません。

京都では、地図の版元が入れかわり立ちかわり数多く出現し、多様な京都図が刊行されました。版元名が明確に記されている点では最初に相当する山本五兵衛版は、洛中周辺に名所の絵をちりばめた、京都図の観光地図化の嚆矢でした。その後観光地図化の方向性を強めながら、多くの版元によって、多様な京都図が刊行されます。このような近世の京都図の中には、版元が異なっても同じ版を用いて、多くの場合埋め木などで訂正しつつ、時にはそのままで、それぞれ別の版元が出版した場合もあったことが注目されます。近世の地図出版事情の一つの側面でしょう。

しかし多くの版元は各自、独特の京都図を出版したり、それぞれの京都図の特徴を深化させたりしました。例えば、一七世紀後半から一世紀間にも及んで旺盛な出版活動を展開した林吉永は、そのような版元の典型的な例でした。林吉永は、京都を代表する版元として活躍した一方で、江戸図や大坂図の出版も行いました。林吉永版の大型図である「新撰増補京大絵図」と、さらに大型化した「増補再板京大絵図」は、すでに述べたように、この時期を代表した京都図であり、大型図の極相でもあります。その頃、またその後も携帯用図をはじめいろいろな京都図が出版されましたが、林吉永の後、京都図の発行者を代表したのは竹原好兵衛でした。木版多色刷りの「改正京町絵図細見大成」はその代表作で、それ自体が木版印刷の技術的頂点を示すとともに、明治の銅版印刷図の基本ともなりました。近代になると、代表的な近代地図としての三千分の一都市計画図が作製されるとともに、一方で特徴的な鳥瞰図が作製されます。そこで大胆に空間を描いた吉田初三郎の技法には、自由に縮尺や視点を操作した京都図の伝統をうかがうことができます。

京都図はこのように多様な展開をしてきました。京都そのものも、平安京から京都へと、日本で最も長い都市の歴史を断絶することなくたどってきました。このような京都の市街と機能の変遷とあいまって、京都図の歴史もまた、いろいろな時代における、平安京—京都の認識状況とその変遷を表現してきました。このことはさらに、日本における都市、そして都市の古地図がたどった歴史と、さまざまな特徴を、際立った形で物語っているといってもよいでしょう。

あとがき

まず、個人的な思い出を少し記させていただきます。平安京に関わる論文を、筆者が初めて書いたのは一九八三年のことでした。それは「唐代中国および律令期日本における土地表示法」と題する、平安京の街路や条坊・町の表現と、唐の長安や洛陽などの街路や坊についての土地表示法との比較を試みたものでした。これは『史林』（六六―三）という学術雑誌に載せていただきました。平安京についてはその後も研究を続け、いくつもの論文を書いてきました。それらのいくつかが、本書にも活かされています。

特によく記憶に残っているのは、京都市による建都一二〇〇年記念事業として、平安京とその周辺の一〇〇〇分の一「平安京復元模型」を作製する企画に参加したことです。日本史、考古学、建築史の専門家とともに、歴史地理学の立場から筆者が参加しました。

この「復元模型」は現在も、京都市生涯学習総合センター（京都アスニー）一階に展示（あまりに大きいので、平安京部分のみ）されています。その成果・記録である展示図録『甦る平安京』（京都市編、一九九四年）や、『平安京提要』（角田文衛編、角川書店、一九九四年）には、筆者の文章を含めて、さまざまな研究の経過・結果や資料が収録されています。

筆者自身が研究会を主宰し、『平安京―京都』（金田章裕編、京都大学学術出版会、二〇〇七年）と題する本を出版したこともあります。

また、京都大学文学部博物館やそれが改組されて名称を変えた京都大学総合博物館でも、何度か京都の古地図の企画展を行いました。筆者は長く、京都大学文学部（後に大学院重点化によって文学研究科）地理学教室に勤務していましたので、所蔵されていた京都・江戸・大坂などの古地図を中心に展示を企画したものです。

京都図の著名なコレクターであった大塚隆氏から、氏の所蔵古地図をこの展示用に拝借したこともありました。さらに、筆者が中心となって申請し、採択された科学研究費補助金によって、コレクションの調査・研究をさせていただいたこともありました。

これが一つのきっかけとなり、大塚氏には貴重なコレクションの大半を「大塚京都図コレクション」として、京都大学附属図書館に御寄附いただくことになりました。二〇〇一年にはそれを記念して、「宮崎市定氏旧蔵地図」とともに、「近世の京都図と世界図」という企画展も開催され、その実施に関わりました。

本書では、この「大塚京都図コレクション」の古地図を数多く紹介させていただきました。それなくして本書を著すことができなかったことはいうまでもありません。改めて大塚隆氏にお礼申し上げたいと思います。

京都の古地図は膨大な数からなります。必ずしも表に出して言及することがない場合も含めて、筆者の平安京―京都の研究においても貴重な基礎資料として、しばしば活用させていただいたものです。本書は、それらの古地図のうち特に重要なものを選び、可能な限り紹介することを目的として執筆しました。古地図研究の結果を記述するのではなく、研究資料としてきた資料そのものを紹介しようというのが、本書における基本的な姿勢です。

その理由の一つには、古地図にはさまざまな大きさがあり、非常に多様な判型の資料であることがあります。本書のような小さな判型の書物では詳細を読み取ることはできませんが、一点の古地図には、できるだけ一頁を使って全体写真を掲載する努力をしましたので、古地図の全貌をみていただくのには簡便だと思います。このような構成を含め、本書を読みやすくするためにご尽力いただいた平凡社編集部の蟹沢格氏にもお礼申し上げます。

ところで、これらの古地図自体を刊行年順や版元・判型ごとに眺めていくと、個々の古地図のそれぞれの特徴にとどまらず、本書で紹介したように、刊行や表現に大きな流れがあることも知られます。それぞれの時代の要求するところを反映しているといってもいいでしょう。

本書では、記述をできるだけ個々の古地図の解説と紹介にとどめて、あとは読者の感覚と発想に委ねたいと考えました。冒頭「はじめに」で述べたような古地図の基本的性格からしても、その過程が重要だと考えたからです。京都の古地図に関心を深めていただき、その多彩な世界に思索を巡らせていただく契機となれば、本書の目的の大半が果たされたことになります。

とはいっても、このような意図が果たしてご理解いただけるか否か、その意図が十分に反映されているか否かは、読者諸賢のご判断によります。本書のような古地図の紹介が少しでも意義があり、あるいは古地図への関心の一助となれば、筆者として幸いこのうえありません。

二〇一六年四月、洛中、烏丸二条の書斎にて

金田章裕

注

第一章

＊1　この『延喜式』はいくつかの写本として伝わっていますが、黒板勝美によって校訂・出版された校訂版『新訂増補国史大系』がよく使用されています。本書でも特に必要のない限り、この黒板校訂版に拠ります。

＊2　『拾芥抄』は、鎌倉末から南北朝頃の有職故実の書と考えられています。藤原（洞院）公賢撰、実熙補修と考えられていました（山田安栄校訂『故実叢書』）が、鎌倉中期に原型ができていて、暦応年間（一三三八―一三四二）に公賢が増補・校訂したと考えています。本書では特に言及しない場合、『故実叢書』本によることにします。

＊3　「左京七条一坊十五町西一行北四五六七門」の土地売買を左京職に報告した延長七年（九二九）「七条令解」（『平安遺文』二三二）のような史料が残っています。この令は左京七条の坊令を意味したとみられます。

＊4　『国史の研究（各説上）』。

＊5　「延喜式付図について」『歴史地理』七五―二。

＊6　「平安京とその宮城の指図」、角田文衛編『平安京提要』所収、ただし初出は一九四一年。

＊7　「京図について」『田山方南先生華甲記念論文集』一九六三年。

＊8　「九条家本『延喜式』覚書」『書陵部紀要』五二。

＊9　「平安京左・右京図について」金田編『平安京―京都』。

＊10 左京図の表現のうち、南側の一か所は位置と名称が表現されていますが、北側の門は位置の表現のみで名称が欠落しています。右京図に標記されている宮城中央北側の門も、左京図では位置のみの表現です。これに対し、宮城中央南側の朱雀門は、左・右京図の双方に名称が標記されていますが、右京図には位置の表現があるものの、左京図には位置の表現がありません。
＊11 「後院の創設」『中世日本の歴史像』所収。
＊12 金田章裕『古代景観史の探究』。
＊13 難しいというほどの問題ではないですが、坊門小路の現存がほとんどみられないことは、坊門という名称が各条共通で使われるため、小路ごとの判別が紛らわしいことが一因である可能性があります。なお、ほとんどと表現したのは、道路名ではないものの、八条坊門町というような「坊門」を含む町名が存在する場合があるからです。
＊14 「平安京の変質と小路名」『日本史研究』九三。
＊15 山田邦和「左京全町の概要」、角田文衛編『平安京提要』所収。
＊16 朧谷寿『平安貴族と邸第』。
＊17 菅田薫「東西市」、角田文衛編『平安京提要』所収。
＊18 金田章裕『微地形と中世村落』。
＊19 すでに先にふれた福山によって詳しく紹介されていますし、鹿内の検討もあります。
＊20 この国宛文と『兵範記』のそれが「大多数は一致している」として、福山は国宛文が保元二年（一一五七）の造営にかかわる可能性が高いものとみています。ただし福山は慎重に、一一世紀の四回の火災後の修造にかかわったものである可能性をわずかに残しています。
＊21 「陽明文庫本『宮城図』の検討」『陽明文庫　記録文書篇　別輯　宮城図　解説』。
＊22 『日本建築史研究続編』。旧稿は「平安京とその宮城の指図について」、および「平安京及び宮城の指図」。

第二章

＊1　吉村亨「洛中洛外図の風景」、足利健亮編『京都歴史アトラス』。
＊2　西岡虎之助編『日本荘園絵図集成　下』八七。
＊3　金田章裕『条里と村落の歴史地理学研究』。
＊4　寛正五年（一四六四）「山城国東寺寺辺水田并屋敷指図」。
＊5　金田章裕『古代景観史の探究』。
＊6　金田章裕『古代日本の景観』。
＊7　『図書寮叢刊　九条家文書　三』六五二では「九条御領辺図」、『日本荘園絵図集成　下』八九では「京都左京九条御領辺図」、『日本荘園絵図聚影　二　近畿一』四四では「山城国九条領辺図」としているが、本書では図中の記載に従って「九条御領辺図」とする。
＊8　金田、前掲書、＊5。
＊9　金田、前掲書、＊6。
＊10　東京大学史料編纂所編『日本荘園絵図聚影　二　近畿一』一七。
＊11　金田、前掲書、＊3。
＊12　山田邦和「中世都市嵯峨の変遷」、金田章裕編『平安京─京都』所収。
＊13　高橋康夫・冨島義幸「中世京都の形成」、高橋康夫ほか編『図集　日本都市史』所収。
＊14　川島将生「町と町家の形」、足利健亮編『京都歴史アトラス』所収。
＊15　大塚隆『日本書誌学体系一八　京都図総目録』。
＊16　中村武生「豊臣政権の京と都市改造」、日本史研究会編『豊臣秀吉と京都』所収。
＊17　「一七世紀京都の都市構造と武士の位置」、金田章裕編『平安京─京都』所収、京都大学附属図書館本に

よる調査。

＊18　これらの京都屋敷の配置や面積については先述の藤井論文に詳細に示されています。

＊19　大塚、前掲書。

＊20　有坂道子「木村蒹葭堂と地図」、藤井譲治・杉山正明・金田章裕編『大地の肖像』所収。

第三章

＊1　大塚隆『日本書誌学体系一八　京都図総目録』。

＊2　大塚、前掲書。

＊3　浅野秀剛「浮世絵の版木」、岩切友里子「版元『伊勢市』の版木群」、いずれも、国立歴史民俗博物館『錦絵はいかにつくられたか』所収。

＊4　金田章裕「地図出版の意義」、京都大学大学院文学研究科地理学教室・京都大学総合博物館編『地図出版の四百年』。

＊5　大塚、前掲書。

＊6　大塚、前掲書。

＊7　煎本増夫「京都所司代」『歴史大辞典』吉川弘文館。

＊8　大塚、前掲書。

＊9　三好唯義「刊行京都図の版元について」、金田章裕編『平安京―京都』所収。

＊10　この江戸図は二年後に改版されて出版されました。

＊11　大塚、前掲書。

＊12　大塚、前掲書。

第四章

＊1　大塚隆『日本書誌学体系一八　京都図総目録』。
＊2　大塚、前掲書に写真掲載。
＊3　大塚、前掲書。
＊4　湯口誠一「天保二年板（中略）竹原板の諸本について」『月刊古地図研究』九六。
＊5　京都大学附属図書館大塚京都図コレクション所収。
＊6　大塚、前掲書。
＊7　大塚、前掲書。
＊8　大塚、前掲書。
＊9　吉村亨「中古京師内外地図の風景」、足利健亮編『京都歴史アトラス』所収。
＊10　上杉和央「森幸安の地誌と京都歴史地図」、金田章裕編『平安京—京都』所収。

第五章

＊1　金田章裕『大地へのまなざし』。
＊2　京都市編『京都の歴史8』。

＊3　金田章裕『古代景観史の探究』。
＊4　金田章裕『条里と村落の歴史地理学研究』。
＊5　京都市編、前掲書。
＊6　京都市編、前掲書。
＊7　金田、前掲書、＊3。
＊8　井口和起「本学所蔵の吉田初三郎作『京都名所大鳥瞰図』について」『京都府大広報』一一〇。
＊9　堀田典裕『吉田初三郎の鳥瞰図を読む』、以下吉田の経歴は同書による。
＊10　吉田初三郎『旅と名所』二二。

主要文献

史料刊本・史料集・目録

『侍中群要』(『続々群書類従』第七)
『拾芥抄』(山田安栄校訂『故実叢書』所収、吉川弘文館、一九〇六年)
京都地籍図編纂所編・刊『京都地籍図』一九一二年
『延喜式』(『新訂増補国史大系』所収、吉川弘文館、一九七二年)
竹内理三編『平安遺文』第一~十一巻、東京堂出版、訂正版一九六四年
『太平記』(『日本古典文学大系』所収、後藤丹治・釜田喜三郎校注、岩波書店、一九六〇年)
『吾妻鏡』(第一~四巻、『新訂増補国史大系』所収、吉川弘文館、普及版一九七二年)
『日本後紀』(『新訂増補国史大系』所収、吉川弘文館、普及版一九七一年)
宮内庁書陵部編『図書寮叢刊　九条家文書　三』明治書院、一九七三年
『北野天満宮史料古文書』北野天満宮、一九七八年
西岡虎之助編『日本荘園絵図集成　下』東京堂出版、一九七七年
『日本紀略』(第一~三巻、『新訂増補国史大系』所収、吉川弘文館、普及版一九七九年)
大塚隆『日本書誌学大系一八　京都図総目録』青裳堂書店、一九八一年
東京大学史料編纂所編『日本荘園絵図聚影　二　近畿一』東京大学出版会、一九九二年

金田章裕編『京都大学所蔵古地図目録』京都大学大学院文学研究科、二〇〇一年
伊藤東涯『制度通』（1・2、礪波護・森華校訂、平凡社東洋文庫、二〇〇六年）
「洛中洛外図」（京都文化博物館編『京を描く——洛中洛外図の時代』京都文化博物館、二〇一五年、ほかに掲載）

第一章　宮廷人と貴族の平安京

黒板勝美『国史の研究（各説上）』岩波書店、一九三二年
桃裕行「延喜式付図について」『歴史地理』七五—二、吉川弘文館、一九四〇年
福山敏男『日本建築史研究　続編』墨水書房、一九八一年。旧稿は「平安京とその宮城の指図について」『宝雲』二七、一九四一年、および「平安京及び宮城の指図」『建築史』三—五、一九四一年
田中稔「京図について」『田山方南先生華甲記念論文集』一九六三年
藤井このみ「平安京の変質と小路名」『日本史研究』九三、日本史研究会、一九六七年
林家辰三郎「後院の創設」、日本史研究会編『中世日本の歴史像』創元社、一九七八年
金田章裕『古代景観史の探究』吉川弘文館、二〇〇二年
金田章裕『微地形と中世村落』吉川弘文館、一九九三年
山田邦和「左京全町の概要」、角田文衞総監修『平安京提要』角川書店、一九九四年
菅田薫「東西市」、角田文衛編『平安京提要』角川書店、一九九四年
村井康彦・瀧浪貞子「陽明文庫本『宮城図』の検討」『陽明文庫　記録文書篇　別輯　宮城図　解説』思文閣出版、一九九六年
朧谷寿『平安貴族と邸第』吉川弘文館、二〇〇〇年

鹿内浩胤「九条家本『延喜式』覚書」『書陵部紀要』五二、二〇〇一年
金田章裕「平安京左・右京図について」、金田章裕編『平安京―京都』京都大学学術出版会、二〇〇七年
金田章裕「『宮城図』をめぐって」、田島公編『近衛家名宝からたどる宮廷文化史』笠間書院、二〇一六年

第二章　平安京の変遷

足利健亮『中近世都市の歴史地理』地人書房、一九八四年
金田章裕『条里と村落の歴史地理学研究』大明堂、一九八五年
高橋康夫・冨島義幸「中世京都の形成」、高橋康夫ほか編『図集　日本都市史』東京大学出版会、一九九三年
川島将生「町と町家の形」、足利健亮編『京都歴史アトラス』中央公論社、一九九四年
吉村亨「洛中洛外図の風景」足利健亮編『京都歴史アトラス』中央公論社、一九九四年
金田章裕『古代景観史の探究』吉川弘文館、二〇〇二年
中村武生「豊臣政権の京と都市改造」、日本史研究会編『豊臣秀吉と京都』文理閣、二〇〇一年
山田邦和「中世都市嵯峨の変遷」、金田章裕編『平安京―京都』京都大学学術出版会、二〇〇七年
藤井譲治「一七世紀京都の都市構造と武士の位置」、金田章裕編『平安京―京都』京都大学学術出版会、二〇〇七年
有坂道子「木村蒹葭堂と地図」、藤井譲治・杉山正明・金田章裕編『大地の肖像』京都大学学術出版会、二〇〇七年
金田章裕『大地へのまなざし』思文閣出版、二〇〇八年

第三章　名所と京都

煎本増夫「京都所司代」『歴史大辞典』吉川弘文館
京都大学附属図書館編・刊『近世の京都図と世界図――大塚京都図コレクションと宮崎市定氏旧蔵地図』二〇〇一年
京都大学文学部博物館編・刊『三都の古地図』一九九四年
京都大学大学院文学研究科地理学教室・京都大学総合博物館編『地図出版の四百年』ナカニシヤ出版、二〇〇七年
三好唯義「刊行京都図の版元について」、金田章裕編『平安京―京都　都市図と都市構造』京都大学学術出版会、二〇〇七年
浅野秀剛「浮世絵の版木」、岩切友里子「版元『伊勢市』の版木群」、国立歴史民俗博物館編『錦絵はいかにつくられたか』展図録、二〇〇九年
金田章裕・上杉和央『日本地図史』吉川弘文館、二〇一二年

第四章　観光都市図と京都

矢守一彦『都市図の歴史　日本編』講談社、一九七四年
湯口誠一「天保二年板（中略）竹原板の諸本について」『月刊古地図研究』九六、大空社、一九七八年
京都大学附属図書館編・刊『近世の京都図と世界図――大塚京都図コレクションと宮崎市定氏旧蔵地図』二〇〇一年

京都大学文学部博物館編・刊『三都の古地図』一九九四年
京都大学大学院文学研究科地理学教室・京都大学総合博物館編『地図出版の四百年』ナカニシヤ出版、二〇〇七年
金田章裕・上杉和央『日本地図史』吉川弘文館、二〇一二年

第五章　近代の京都図

吉田初三郎『旅と名所』二二、観光社、一九二八年
京都市編『京都の歴史8』学芸書林、一九七五年
金田章裕『条里と村落の歴史地理学研究』大明堂、一九八五年
佐藤甚次郎『明治期作成の地籍図』古今書院、一九八六年
金田章裕「明治の古地図」『彦根　明治の古地図　一』彦根市、二〇〇一年
井口和起「本学所蔵の吉田初三郎作『京都名所大鳥瞰図』について」『京都府大広報』一一〇、京都府立大学、二〇〇一年
金田章裕『古代景観史の探究』吉川弘文館、二〇〇二年
金田章裕『大地へのまなざし』思文閣出版、二〇〇八年
堀田典裕『吉田初三郎の鳥瞰図を読む』河出書房新社、二〇〇九年
金田章裕・上杉和央『日本地図史』吉川弘文館、二〇一二年

【著者】

金田章裕（きんだ あきひろ）

1946年富山県生まれ。京都大学文学部史学科卒業。文学博士。専攻、人文地理学。京都大学名誉教授。京都府立総合資料館館長。
主な著書に、『条里と村落の歴史地理学研究』（大明堂、1985年）、『古代日本の景観――方格プランの生態と認識』（吉川弘文館、1993年）、『微地形と中世村落』（吉川弘文館、1993年）、『古地図からみた古代日本――土地制度と景観』（中公新書、1999年）、『古代景観史の探究――宮都・国府・地割』（吉川弘文館、2002年）、『大地へのまなざし――歴史地理学の散歩道』（思文閣出版、2008年）、『古代・中世遺跡と歴史地理学』（吉川弘文館、2011年）、『文化的景観――生活となりわいの物語』（日本経済新聞出版社、2012年）、『タウンシップ――土地計画の伝播と変容』（ナカニシヤ出版、2015年）など、
編著に『日本古代荘園図』（共編、東京大学出版会、1996年）、『平安京―京都 都市図と都市構造』（京都大学学術出版会、2007年）、『地図でみる西日本の古代――律令制下の陸海交通・条里・史跡』（共編、平凡社、2009年）、『地図でみる東日本の古代――律令制下の陸海交通・条里・史跡』（共編、平凡社、2012年）などがある。

古地図で見る京都
『延喜式』から近代地図まで

発行日――2016年 11 月 25 日　初版第 1 刷

著者――金田章裕
発行者――西田裕一
発行所――株式会社平凡社
〒101-0051 東京都千代田区神田神保町 3-29
電話　(03) 3230-6583［編集］
(03) 3230-6573［営業］
振替　00180-0-29639
平凡社ホームページ　http://www.heibonsha.co.jp/

装幀――大森裕二
DTP――矢部竜二
印刷――株式会社東京印書館
製本――大口製本印刷株式会社

ISBN978-4-582-46819-9　C0025　NDC分類番号 291.62
四六判(19.4cm)　総ページ 362